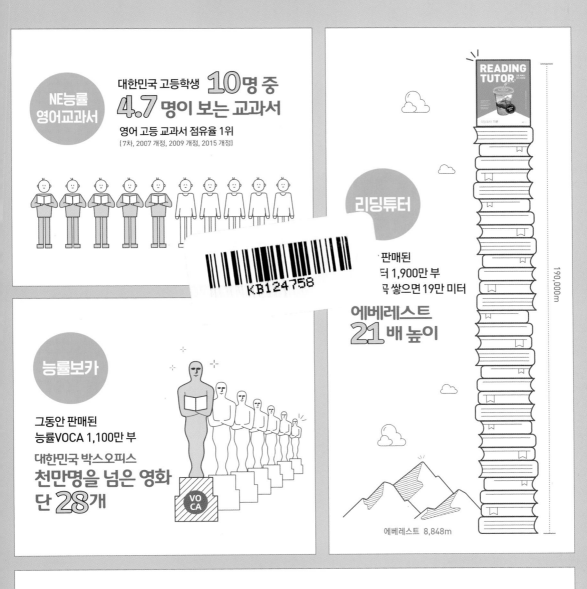

NE능률 영어교과서

대한민국 고등학생 **10명 중 4.7**명이 보는 교과서

영어 고등 교과서 점유율 1위
[7차, 2007 개정, 2009 개정, 2015 개정]

리딩튜터

READING TUTOR

판매된 터 1,900만 부 곡 쌓으면 19만 미터

에베레스트 21배 높이

190,000m

에베레스트 8,848m

능률보카

그동안 판매된 능률VOCA 1,100만 부

대한민국 박스오피스 **천만명을 넘은 영화 단 28개**

VO CA

그래머존

그동안 판매된 450만 부의 그래머존을 바닥에 쭉 ~ 깔면

1000km 서울 - 부산 왕복가능

서울

부산

KB124758

주니어 능률
VOCA 실력

지은이	NE능률 영어교육연구소
선임연구원	김지현, 신유승
연구원	조유람, 채민정, 이정민, 김은정
영문 교열	Olk Bryce Barrett, Curtis Thompson, Angela Lan
표지·내지 디자인	민유화, 조가영
내지 일러스트	강주연, 조희진
맥편집	이인선
Photo Credits	Shutter Stock

43
SINCE 1980
Let's grow together

NE능률이
미래를
창조합니다.

건강한 배움의 고객가치를 제공하겠다는 꿈을 실현하기 위해
40년이 넘는 시간 동안 열심히 달려왔습니다.

앞으로도 끊임없는 연구와 노력을 통해
당연한 것을 멈추지 않고

고객, 기업, 직원 모두가 함께 성장하는 NE능률이 되겠습니다.

NE 능률

· 중학 교과서 필수 어휘 60일 완성 ·

주니어 능률
VOCA

실력편

구성과 특징

1. 해당 DAY에 학습할 어휘를 미리 확인해 볼 수 있는 PREVIEW 수록
2. 각 DAY별 어휘의 발음과 뜻을 바로 들을 수 있는 QR코드 삽입
3. 새 교육과정 교과서 어휘를 반영한 1200개의 표제어와 뜻 제시
   실용적인 예문, 함께 학습하면 좋을 유의어·반의어·파생어 및 참고 어휘 수록

4. 간단한 문제를 통해 각 DAY별로 학습한
   어휘를 점검할 수 있는 Check-Up 수록

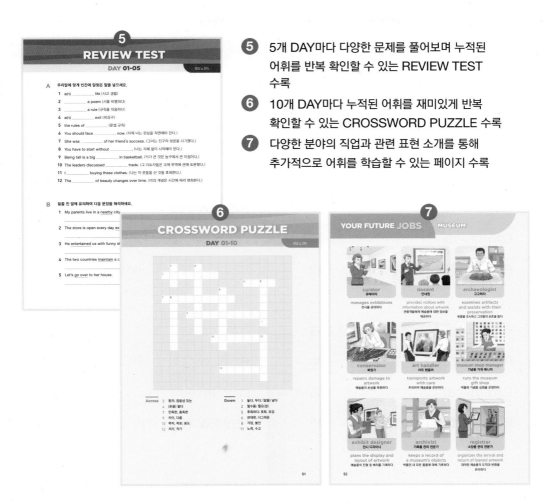

⑤ 5개 DAY마다 다양한 문제를 풀어보며 누적된 어휘를 반복 확인할 수 있는 REVIEW TEST 수록

⑥ 10개 DAY마다 누적된 어휘를 재미있게 반복 확인할 수 있는 CROSSWORD PUZZLE 수록

⑦ 다양한 분야의 직업과 관련 표현 소개를 통해 추가적으로 어휘를 학습할 수 있는 페이지 수록

⑧ 간편히 휴대하며 어휘를 암기할 수 있는 어휘 암기장 제공

CONTENTS

발음기호와 품사

자음

1 유성자음: 발음할 때, 목이 떨리는 자음   혀가 입 천장에 닿지 않아요.

b	d	m	n	r	l	z	ʒ
ㅂ	ㄷ	ㅁ	ㄴ	ㄹ	ㄹ	ㅈ	쥐

dʒ	ð	g	v	h	ŋ	j
쥐(짧게)	ㄷ	ㄱ	ㅂ	ㅎ	받침 ㅇ	이

이 사이로 혀끝을 내밀어요.   윗니가 아랫입술에 닿아요.

2 무성자음: 발음할 때, 목이 떨리지 않는 자음

p	f	θ	s	ʃ	k	t	tʃ
ㅍ	ㅍ/ㅎ	쓰	ㅅ	쉬	ㅋ	ㅌ	취(짧게)

윗니가 아랫입술에 닿아요.   이 사이로 혀끝을 내밀어요.

모음

a	e	i	o	u	æ	ʌ	ɔ
ㅏ	ㅔ	ㅣ	ㅗ	ㅜ	ㅐ	ㅓ(강하게)	ㅗ/ㅓ(중간)

ə	ɜ
ㅓ(짧게)	ㅔ

명 명사 대 대명사 동 동사 형 형용사 부 부사 전 전치사 접 접속사

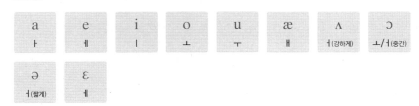

He played fun and exciting games with his friends yesterday.
대   동   형   접   형   명   전   대   명   부

1 명사   사람이나 사물의 이름 예) bus(버스), cat(고양이), movie(영화)
2 대명사 명사를 대신하는 말 예) you(너), he(그), it(그것)
3 동사   동작이나 상태를 나타내는 말 예) tell(말하다), see(보다), teach(가르치다)
4 형용사 상태, 성질, 모양, 크기, 수량 등을 나타내는 말 예) easy(쉬운), hard(단단한)
5 부사   시간, 장소, 이유, 방법 등을 나타내는 말 예) now(지금), here(여기에),
6 전치사 다른 단어들과의 관계를 나타내는 말 예) on(~ 위에), in(~ 안에), from(~부터)
7 접속사 단어와 단어, 문장과 문장을 이어주는 말 예) and(그리고), but(그러나), or(또는)

학습계획

주니어 능률 VOCA로 똑똑하게 어휘 학습하는 방법

Step 1 PREVIEW에서 어휘를 미리 보고 QR코드로 MP3파일 듣기 → 어휘 암기 → Check-Up으로 마무리
Step 2 이전 DAY의 PREVIEW를 펼치고 단어 복습 → 다음 DAY 어휘 학습
Step 3 이전 5일 치 DAY의 PREVIEW를 펼치고 단어 복습 → REVIEW TEST로 5일 치 단어 마무리

YOUR PLAN

DAY	1차 학습일	2차 학습일	DAY	1차 학습일	2차 학습일
01	월 일	월 일	31	월 일	월 일
02	월 일	월 일	32	월 일	월 일
03	월 일	월 일	33	월 일	월 일
04	월 일	월 일	34	월 일	월 일
05	월 일	월 일	35	월 일	월 일
06	월 일	월 일	36	월 일	월 일
07	월 일	월 일	37	월 일	월 일
08	월 일	월 일	38	월 일	월 일
09	월 일	월 일	39	월 일	월 일
10	월 일	월 일	40	월 일	월 일
11	월 일	월 일	41	월 일	월 일
12	월 일	월 일	42	월 일	월 일
13	월 일	월 일	43	월 일	월 일
14	월 일	월 일	44	월 일	월 일
15	월 일	월 일	45	월 일	월 일
16	월 일	월 일	46	월 일	월 일
17	월 일	월 일	47	월 일	월 일
18	월 일	월 일	48	월 일	월 일
19	월 일	월 일	49	월 일	월 일
20	월 일	월 일	50	월 일	월 일
21	월 일	월 일	51	월 일	월 일
22	월 일	월 일	52	월 일	월 일
23	월 일	월 일	53	월 일	월 일
24	월 일	월 일	54	월 일	월 일
25	월 일	월 일	55	월 일	월 일
26	월 일	월 일	56	월 일	월 일
27	월 일	월 일	57	월 일	월 일
28	월 일	월 일	58	월 일	월 일
29	월 일	월 일	59	월 일	월 일
30	월 일	월 일	60	월 일	월 일

DAY 01
PREVIEW

A 아는 단어/숙어에 체크(V)해보세요.

0001 **author**	☐	
0002 **ordinary**	☐	
0003 **impressed**	☐	
0004 **nearby**	☐	
0005 **overseas**	☐	
0006 **inform**	☐	
0007 **jealous**	☐	
0008 **screen**	☐	
0009 **concept**	☐	
0010 **employ**	☐	

0011 **broad**	☐	
0012 **unusual**	☐	
0013 **remain**	☐	
0014 **suitable**	☐	
0015 **criticize**	☐	
0016 **reality**	☐	
0017 **relief**	☐	
0018 **international**	☐	
0019 **go over**	☐	
0020 **in addition**	☐	

B 사진을 보고 알맞은 단어/숙어를 써보세요.

_____ _____ _____ _____

0001 author
[ɔ́:θər]

명 저자, 작가

He is the author of the book. 그가 이 책의 저자이다.

0002 ordinary
[ɔ́:rdənèri]

형 보통의, 일상적인; 평범한 ⑩ extraordinary

That is an ordinary desk. 저것은 보통 책상이다.

0003 impressed
[ímprest]

형 감명[감동]을 받은, 좋은 인상을 받은

I was deeply impressed by his passion.
나는 그의 열정에 깊은 감명을 받았다.

0004 nearby
[níərbái]

형 인근의, 가까운 곳의   부 인근에, 가까운 곳에

My parents live in a nearby city. 부모님은 인근 도시에 사신다.
Is there a post office nearby? 근처에 우체국이 있니?

0005 overseas
[óuvərsì:z]

부 해외에[로], 외국에[으로]   형 해외의, 외국의

He will travel overseas on his vacation.
그는 휴가 때 해외로 여행을 갈 예정이다.
overseas markets 해외 시장

0006 inform
[infɔ́:rm]

동 알리다, 통지하다 ((of))

Please inform me of any changes. 제게 변경된 점을 알려주세요.

0007 jealous
[dʒéləs]

형 질투하는; 시기하는

She was jealous of her friend's success.
그녀는 친구의 성공을 시기했다.

0008 screen
[skri:n]

명 1 화면, 스크린 2 영화

The TV screen went black. TV 화면이 까맣게 변했다.
a screen actor 영화 배우

0009 concept
[kánsept]

명 개념

The concept of beauty changes over time.
미의 개념은 시간에 따라 변화한다.

0010 **employ**
[implɔ́i]

동 고용하다 ㉺ hire

Our company **employs** over 200 people.
우리 회사는 200명이 넘는 사람들을 고용하고 있다.

⊞ employment 명 고용

0011 **broad**
[brɔːd]

형 1 (폭이) 넓은 2 폭넓은, 광범위한

He has **broad** shoulders. 그는 넓은 어깨를 가지고 있다.
a **broad** range of topics 광범위한 주제들

0012 **unusual**
[ʌnjúːʒuəl]

형 보통이 아닌, 흔치 않은; 독특한

The design of the carpet is **unusual**. 그 카펫의 디자인은 독특하다.

0013 **remain**
[riméin]

동 1 여전히[계속] ~이다 2 남다   명 (-s) 남은 것, 유물

Please **remain** seated. 자리에 앉아 계세요.
Nothing **remained** after the fire. 화재 이후로 아무것도 남지 않았다.
the **remains** of old Rome 고대 로마의 유물들

0014 **suitable**
[sjúːtəbl]

형 적당한, 적절한 ㉺ appropriate

These clothes aren't **suitable** for an interview.
이 옷들은 면접에 적절하지 않다.

0015 **criticize**
[krítisàiz]

동 1 비난[비판]하다 2 비평하다

The plan was **criticized** by economists.
그 계획은 경제학자들의 비판을 받았다.
criticize a poem 시를 비평하다

⊞ criticism 명 비난[비판]; 비평

0016 **reality**
[riːǽləti]

명 현실, 실제상황

You should face **reality** now. 이제 너는 현실을 직면해야 한다.

⊞ realistic 형 현실적인

0017 **relief**
[rilíːf]

명 1 안도, 안심 2 (고통 등의) 경감, 완화

It's a **relief** to find you here. 너를 여기서 찾으니 안심이 된다.
pain **relief** 통증 완화

0018 international

[ìntərnǽʃənəl]

[형] 국제적인, 국제의 [반] domestic

The leaders discussed international trade.
그 지도자들은 국제 무역에 관해 토론했다.

0019 go over

1 조사하다; 점검[검토]하다 2 가다, 건너가다 ((to))

I went over my essay again. 나는 에세이를 다시 검토했다.

Let's go over to her house. 그녀의 집으로 가자.

0020 in addition

게다가, 더구나

In addition, you can get a free gift. 게다가, 사은품도 받을 수 있다.

정답 p.284

DAY 01   CHECK-UP

[1-14] 영어는 우리말로, 우리말은 영어로 쓰세요.

1 relief _____

2 broad _____

3 nearby _____

4 criticize _____

5 unusual _____

6 reality _____

7 overseas _____

8 개념 _____

9 고용하다 _____

10 저자, 작가 _____

11 국제적인, 국제의 _____

12 알리다, 통지하다 _____

13 질투하는; 시기하는 _____

14 적당한, 적절한 _____

[15-18] 우리말에 맞게 빈칸에 알맞은 말을 넣으세요.

15 That is a(n) _____ desk. (저것은 보통 책상이다.)

16 I _____ _____ my essay again. (나는 에세이를 다시 검토했다.)

17 I was deeply _____ by his passion. (나는 그의 열정에 깊은 감명을 받았다.)

18 _____ _____, you can get a free gift. (게다가, 사은품도 받을 수 있다.)

DAY 02
PREVIEW

A 아는 단어/숙어에 체크(V)해보세요.

0021 **local**	☐	0031 **memorable**	☐
0022 **succeed**	☐	0032 **social**	☐
0023 **eager**	☐	0033 **treatment**	☐
0024 **state**	☐	0034 **pride**	☐
0025 **complex**	☐	0035 **apply**	☐
0026 **curve**	☐	0036 **celebrate**	☐
0027 **league**	☐	0037 **earn**	☐
0028 **relationship**	☐	0038 **foresee**	☐
0029 **uneasy**	☐	0039 **put effort into**	☐
0030 **delay**	☐	0040 **instead of**	☐

B 사진을 보고 알맞은 단어/숙어를 써보세요.

_____ _____ _____ _____

0021 local
[lóukəl]

형 (특정한) 지역의, 현지의

I work for the local newspaper. 나는 지역 신문사에서 일한다.

0022 succeed
[səksíːd]

동 1 (~에) 성공하다 ((in)) 반 fail 2 (지위 등의) 뒤를 잇다

He succeeded in getting the job. 그는 그 일자리를 얻는 데 성공했다.

Who succeeded him as president?
누가 그의 뒤를 이어 대통령이 되었니?

+ success 명 성공

0023 eager
[íːgər]

형 간절히 바라는, 갈망하는 ((for))

I'm eager to meet you. 당신을 만나기를 간절히 바랍니다.

eager for success 성공을 갈망하는

0024 state
[steit]

명 1 상태, 형편 2 (미국 등의) 주(州) 동 말[진술]하다

She was in a state of shock. 그녀는 충격을 받은 상태였다.

Hawaii is America's 50th state. 하와이는 미국의 50번째 주이다.

state an opinion 의견을 진술하다

0025 complex
[kəmpléks]

형 복잡한 반 simple 명 [kámpleks] 복합 건물

The problem became more complex. 문제가 더 복잡해졌다.

a shopping complex 복합 쇼핑 센터

0026 curve
[kəːrv]

명 곡선, 커브 동 구부러지다

Slow down at the curve. 커브에서는 서행하십시오.

The road curves to the left. 그 도로는 왼쪽으로 구부러진다.

0027 league
[liːg]

명 1 (스포츠 경기의) 리그 2 연합, 연맹

He is the best player in the league. 그는 리그 최고의 선수이다.

the League of Nations 국제 연맹

0028 relationship
[riléiʃənʃip]

명 관계, 관련

There is a close relationship between the two.
그 둘 사이에는 밀접한 관련이 있다.

0029 uneasy
[ʌníːzi]

형 1 불안한, 걱정되는 ㉴anxious 2 불편한

A strange sound made her uneasy.
이상한 소리가 그녀를 불안하게 했다.

There was an uneasy silence in the room.
방에 불편한 침묵이 흘렀다.

0030 delay
[diléi]

명 지연, 지체 동 지연[지체]시키다

You have to start without delay. 너는 지체 없이 시작해야 한다.

The train was delayed by heavy snow. 기차는 폭설로 지연되었다.

0031 memorable
[mémərəbl]

형 기억할 만한, 인상적인

This trip will be a memorable experience.
이 여행은 기억할 만한 경험이 될 것이다.

0032 social
[sóuʃəl]

형 1 사회의, 사회적인 2 사교의

We fought for social change. 우리는 사회적 변화를 위해 싸웠다.

a social life 사교 생활

＋ society 명 사회

0033 treatment
[tríːtmənt]

명 1 치료, 처치 ㉴therapy 2 대우

She got treatment for her illness. 그녀는 병에 대한 치료를 받았다.

fair treatment 공평한 대우

0034 pride
[praid]

명 1 자랑스러움, 자부심 2 자존심; 자만심

He takes pride in his school. 그는 자신의 학교에 자부심을 가지고 있다.

She hurt my pride. 그녀는 내 자존심을 상하게 했다.

0035 apply
[əpláí]

동 1 지원[신청]하다 ((for)) 2 적용[해당]되다 ((to)) 3 적용하다

I'd like to apply for the job. 나는 그 일자리에 지원하고 싶다.

The discount only applies to members.
할인은 회원들에게만 적용된다.

apply a rule 규칙을 적용하다

0036 celebrate
[séləbrèit]

동 축하하다; 기념하다

They celebrated their son's birthday.
그들은 아들의 생일을 축하했다.

0037 **earn**	图 (돈을) 벌다
[əːrn]	She earns $1,000 a month. 그녀는 한 달에 천 달러를 번다.
	earn a living 생활비를 벌다

0038 **foresee**	图 (foresaw-foreseen) 예견하다, 예측하다 ㉴ predict
[fɔːrsíː]	No one can foresee the future.
	누구도 미래를 예측할 수 없다.

0039 **put effort into**	~에 노력을 들이다
	I put a lot of effort into the project.
	나는 그 프로젝트에 많은 노력을 들였다.

0040 **instead of**	~ 대신에
	She took the bus instead of the subway.
	그녀는 지하철 대신에 버스를 탔다.

DAY 02 CHECK-UP

정답 p.284

[1-14] 영어는 우리말로, 우리말은 영어로 쓰세요.

1 delay _____

2 pride _____

3 state _____

4 curve _____

5 social _____

6 apply _____

7 succeed _____

8 관계, 관련 _____

9 (돈을) 벌다 _____

10 치료, 처치; 대우 _____

11 축하하다; 기념하다 _____

12 예견하다, 예측하다 _____

13 기억할 만한, 인상적인 _____

14 불안한, 걱정되는; 불편한 _____

[15-18] 우리말에 맞게 빈칸에 알맞은 말을 넣으세요.

15 I'm _____ to meet you. (당신을 만나기를 간절히 바랍니다.)

16 I work for the _____ newspaper. (나는 지역 신문사에서 일한다.)

17 She took the bus _____ _____ the subway. (그녀는 지하철 대신에 버스를 탔다.)

18 I _____ a lot of _____ _____ the project.

   (나는 그 프로젝트에 많은 노력을 들였다.)

DAY 03
PREVIEW

A 아는 단어/숙어에 체크(V)해보세요.

0041 trust	☐	
0042 historical	☐	
0043 stream	☐	
0044 location	☐	
0045 lecture	☐	
0046 bandage	☐	
0047 previous	☐	
0048 industry	☐	
0049 efficient	☐	
0050 although	☐	

0051 trend	☐
0052 whole	☐
0053 necessary	☐
0054 remind	☐
0055 except	☐
0056 idle	☐
0057 eventually	☐
0058 patient	☐
0059 give up	☐
0060 in need	☐

B 사진을 보고 알맞은 단어/숙어를 써보세요.

1
2
3
4

0041 trust
[trʌst]

명 신뢰, 신임 동 1 신뢰[신용]하다 2 (~이 옳다고) 믿다

Don't put your trust in him. 그를 신뢰하지 마라.
I can't trust you anymore. 나는 더 이상 너를 신뢰할 수 없다.
Do you trust what he says? 너는 그가 하는 말을 믿니?

0042 historical
[histɔ́:rikəl]

형 역사의, 역사적인

The movie is about historical facts.
그 영화는 역사적 사실에 관한 것이다.

0043 stream
[stri:m]

명 1 시내, 시냇물 2 흐름

The stream has dried up. 그 시냇물은 말라버렸다.
a stream of tears 흘러내리는 눈물

0044 location
[loukéiʃən]

명 위치, 장소

What is the location of the meeting? 회의 장소는 어디인가요?
+ locate 동 (특정 위치에) 두다, 설치하다

0045 lecture
[léktʃər]

명 강의, 강연

He gave a lecture on the history of art.
그는 미술사에 대한 강의를 했다.

0046 bandage
[bǽndidʒ]

명 붕대

The nurse put a bandage on my arm.
그 간호사는 내 팔에 붕대를 감았다.

0047 previous
[prí:viəs]

형 앞서의, 이전의 ⊕former

Who was the previous owner of this building?
이 건물의 이전 소유주가 누구였나요?

0048 industry
[índəstri]

명 공업, 산업

Many countries now depend on industry.
많은 국가들은 현재 공업에 의존하고 있다.
the tourist industry 관광 산업
+ industrial 형 공업[산업]의

0049 **efficient**

[ifíʃənt]

형 효율적인 빤 inefficient

Computers are very efficient at dealing with many tasks.
컴퓨터는 많은 과제들을 처리하는 데 매우 효율적이다.

+ efficiency 명 효율, 능률

0050 **although**

[ɔːlðóu]

접 비록 ~이지만 유 though

Although we were tired, we kept walking.
우리는 비록 피곤했지만 계속 걸었다.

0051 **trend**

[trend]

명 경향, 추세; 유행

Prices are showing a growing trend. 물가가 오르는 경향을 보인다.

fashion trends 패션 유행

0052 **whole**

[houl]

형 전체의, 전부의 빤 partial

The boy invited the whole class to the party.
그 소년은 파티에 반 전체를 초대했다.

0053 **necessary**

[nèsəséri]

형 필요한, 필수의

She has all the necessary skills for the job.
그녀는 그 일에 필요한 기술을 다 가지고 있다.

0054 **remind**

[rimáind]

동 1 상기시키다 2 생각나게 하다

He reminded me about the test. 그는 내게 시험을 상기시켰다.

This song reminds me of my father.
이 노래는 우리 아버지를 생각나게 한다.

0055 **except**

[iksépt]

전 ~을 제외하고, ~ 이외에는

The store is open every day except Sunday.
그 상점은 일요일을 제외하고는 매일 문을 연다.

0056 **idle**

[áidl]

형 1 일하지[가동되지] 않는, 놀고 있는 2 게으른, 나태한

The machine is lying idle. 그 기계는 가동되지 않고 있다.

an idle student 게으른 학생

0057 **eventually**

[ivéntʃuəli]

부 결국, 종내

The snowman eventually melted under the sunlight.
눈사람은 햇빛 아래에서 결국 녹아버렸다.

0058 patient   몡 환자   혱 참을성 있는

[péiʃənt]

The doctor is treating a patient.   의사가 환자를 치료하고 있다.

Be patient and wait a little longer.   참을성을 가지고 좀 더 기다려라.

⊞ patience 몡 인내(심)

0059 give up   포기하다, 단념하다

He didn't give up no matter what happened.

무슨 일이 있어도 그는 포기하지 않았다.

0060 in need   어려움에 처한; 궁핍한

She helped people in need.

그녀는 어려움에 처한 사람들을 도와주었다.

DAY 03   CHECK-UP

정답 p.284

[1-14] 영어는 우리말로, 우리말은 영어로 쓰세요.

1	idle _____	8	효율적인 _____
2	trust _____	9	강의, 강연 _____
3	whole _____	10	결국, 종내 _____
4	trend _____	11	공업, 산업 _____
5	location _____	12	환자; 참을성 있는 _____
6	although _____	13	역사의, 역사적인 _____
7	necessary _____	14	~을 제외하고, ~ 이외에는 _____

[15-18] 우리말에 맞게 빈칸에 알맞은 말을 넣으세요.

15 He _____ me about the test. (그는 내게 시험을 상기시켰다.)

16 Who was the _____ owner of this building? (이 건물의 이전 소유주가 누구였나요?)

17 She helped people _____ _____. (그녀는 어려움에 처한 사람들을 도와주었다.)

18 He didn't _____ _____ no matter what happened.

(무슨 일이 있어도 그는 포기하지 않았다.)

DAY 04
PREVIEW

A 아는 단어/숙어에 체크(V)해보세요.

0061 **task**	☐	
0062 **apologize**	☐	
0063 **limit**	☐	
0064 **maintain**	☐	
0065 **session**	☐	
0066 **unbelievable**	☐	
0067 **advantage**	☐	
0068 **terribly**	☐	
0069 **desire**	☐	
0070 **personality**	☐	

0071 **recent**	☐	
0072 **essence**	☐	
0073 **priceless**	☐	
0074 **emergency**	☐	
0075 **anxiety**	☐	
0076 **setting**	☐	
0077 **imagination**	☐	
0078 **format**	☐	
0079 **stand out**	☐	
0080 **come to mind**	☐	

B 사진을 보고 알맞은 단어/숙어를 써보세요.

_____ _____ _____ _____

0061 task
[tæsk]

명 직무, 과제 ㈜ job

They completed the task efficiently.
그들은 그 과제를 효율적으로 완수했다.

0062 apologize
[əpálədʒàiz]

동 사과하다

I apologize for coming late. 늦게 온 것에 대해 사과드립니다.

⊕ apology 명 사과

0063 limit
[límit]

명 한계; 제한   동 한정하다, 제한하다

I reached the limit of my patience.
나는 인내심의 한계에 다다랐다.

a speed limit 속도 제한

Speeches are limited to ten minutes.
연설은 10분으로 제한되어 있다.

0064 maintain
[meintéin]

동 지속[계속]하다, 유지하다 ㈘ end

The two countries maintain a close relationship.
그 두 나라는 긴밀한 관계를 유지하고 있다.

0065 session
[séʃən]

명 (특정한 활동을 하는) 기간[시간]

We will have a Q&A session after the presentation.
발표 후에 질의응답 시간을 갖겠습니다.

0066 unbelievable
[ʌnbilíːvəbl]

형 믿기 어려운, 믿을 수 없는

It's unbelievable that he won the championship.
그가 챔피언 전에서 우승했다니 믿을 수 없다.

0067 advantage
[ədvǽntidʒ]

명 유리한 점, 이점, 장점 ㈘ disadvantage

Being tall is a big advantage in basketball.
키가 큰 것은 농구에서 큰 이점이다.

0068 terribly
[térəbli]

부 1 매우, 몹시 2 아주 나쁘게, 지독하게

I'm terribly busy right now. 나는 지금 매우 바쁘다.
He did terribly on the test. 그는 시험을 아주 못 봤다.

0069 desire
[dizáiər]

명 욕구, 갈망

We have a strong desire for victory.
우리는 승리에 대한 강한 갈망이 있다.

0070 personality
[pə̀rsənǽləti]

명 1 성격, 인격 2 특성, 개성

I like people with bright personalities.
나는 밝은 성격을 가진 사람들을 좋아한다.

She has little personality. 그녀는 개성이 별로 없다.

0071 recent
[rí:sənt]

형 최근의

Recent studies show this is not true.
최근의 연구들은 이것이 사실이 아니라는 것을 보여준다.

⊞ recently 부 최근에

0072 essence
[ésəns]

명 본질, 진수

The essence of the problem is money.
이 문제의 본질은 돈이다.

0073 priceless
[práislis]

형 값을 매길 수 없는, 매우 귀중한 ⊛ invaluable

These old books are priceless. 이 오래된 책들은 값을 매길 수 없다.

0074 emergency
[imə́:rdʒənsi]

명 비상사태, 비상시

Just give me a call in an emergency. 비상시에는 내게 전화해라.

an emergency exit 비상구

0075 anxiety
[æŋzáiəti]

명 걱정, 불안

She felt anxiety about her future.
그녀는 미래에 대해 불안을 느꼈다.

⊞ anxious 형 불안해하는, 염려하는

0076 setting
[sétiŋ]

명 1 환경, 장소 2 (소설·영화 등의) 배경, 무대

This is a perfect setting for our picnic.
이곳은 우리의 소풍을 위한 완벽한 장소이다.

Paris is the setting of the novel. 파리는 그 소설의 배경이다.

0077 imagination 명 상상(력)

[imædʒənéiʃən]

He used his imagination to write fairy tales.
그는 상상력을 발휘하여 동화를 썼다.

0078 format 명 (전반적인) 구성 방식, 형식

[fɔ́ːrmæt]

The school changed their test format.
그 학교는 시험 방식을 바꿨다.

0079 stand out 두드러지다, 눈에 띄다

Blue letters don't stand out on the dark background.
어두운 배경에 파란 글씨는 눈에 띄지 않는다.

0080 come to mind 생각이 나다, 떠오르다

A good idea just came to mind. 좋은 생각이 막 떠올랐다.

DAY 04　CHECK-UP

정답 p.284

[1-14] 영어는 우리말로, 우리말은 영어로 쓰세요.

1	limit	_____	8	최근의 _____
2	desire	_____	9	걱정, 불안 _____
3	format	_____	10	본질, 진수 _____
4	terribly	_____	11	직무, 과제 _____
5	maintain	_____	12	비상사태, 비상시 _____
6	apologize	_____	13	믿기 어려운, 믿을 수 없는 _____
7	advantage	_____	14	값을 매길 수 없는, 매우 귀중한 _____

[15-18] 우리말에 맞게 빈칸에 알맞은 말을 넣으세요.

15 She has little _____. (그녀는 개성이 별로 없다.)

16 He used his _____ to write fairy tales. (그는 상상력을 발휘하여 동화를 썼다.)

17 A good idea just _____ _____ _____. (좋은 생각이 막 떠올랐다.)

18 Blue letters don't _____ _____ on the dark background.
(어두운 배경에 파란 글씨는 눈에 띄지 않는다.)

DAY 05

PREVIEW

A 아는 단어/숙어에 체크(V)해보세요.

0081 **grammar**	☐	0091 **anniversary**	☐
0082 **merry**	☐	0092 **entertain**	☐
0083 **meaning**	☐	0093 **method**	☐
0084 **passenger**	☐	0094 **absolute**	☐
0085 **admire**	☐	0095 **purpose**	☐
0086 **hire**	☐	0096 **encourage**	☐
0087 **regret**	☐	0097 **sincere**	☐
0088 **emotion**	☐	0098 **therefore**	☐
0089 **ceiling**	☐	0099 **most of all**	☐
0090 **pollution**	☐	0100 **focus on**	☐

B 사진을 보고 알맞은 단어/숙어를 써보세요.

_____   _____   _____   _____

0081 grammar
[grǽmər]

명 문법

She is studying grammar. 그녀는 문법을 공부하고 있다.
the rules of grammar 문법 규칙

0082 merry
[méri]

형 명랑한, 즐거운

Her merry laugh makes us happy.
그녀의 명랑한 웃음소리는 우리를 행복하게 한다.

0083 meaning
[míːniŋ]

명 의미

What is the meaning of this Korean word?
이 한국어 단어의 의미가 무엇이니?

0084 passenger
[pǽsəndʒər]

명 승객, 여객

The passengers are boarding the bus.
승객들이 버스에 승차하고 있다.

0085 admire
[ədmáiər]

동 존경하다 ⑨ respect

He is admired as a national hero.
그는 국가적 영웅으로서 존경받는다.
➕ admiration 명 존경

0086 hire
[haiər]

동 고용하다

The factory hired 30 new workers.
그 공장은 신입 직원 30명을 고용했다.

0087 regret
[rigrét]

동 후회하다 명 후회, 유감

I regret buying these clothes. 나는 이 옷들을 산 것을 후회한다.
I have no regrets about leaving my hometown.
나는 내 고향을 떠나는 데 후회가 없다.

0088 emotion
[imóuʃən]

명 감정

You need to control your emotions.
너는 감정을 조절할 필요가 있다.

0089 ceiling

[síːliŋ]

명 천장

The light is hung from the ceiling. 그 조명은 천장에 매달려 있다.

0090 pollution

[pəljúːʃən]

명 오염, 공해

The water pollution in the river is serious.
그 강의 수질 오염은 심각하다.

+ pollute 동 오염시키다

0091 anniversary

[æ̀nəvə́ːrsəri]

명 기념일

They celebrated their first wedding anniversary.
그들은 첫 번째 결혼기념일을 축하했다.

0092 entertain

[èntərtéin]

동 즐겁게 하다

He entertained us with funny stories.
그는 재미있는 이야기로 우리를 즐겁게 해 주었다.

+ entertainment 명 오락(물), 여흥

0093 method

[méθəd]

명 방법

He introduced a new method of learning.
그는 새로운 학습 방법을 소개했다.

0094 absolute

[ǽbsəlùːt]

형 1 완벽한, 완전한 ㉠complete 2 절대적인, 무제한의

This book is for absolute beginners.
이 책은 완전 초보자들을 위한 것이다.

absolute power 절대적인 권력

0095 purpose

[pə́ːrpəs]

명 1 목적, 목표 2 (-s) 용도

What is the purpose of this meeting?
이 회의의 목적이 무엇인가요?

business purposes 업무 용도

0096 encourage

[inkə́ːridʒ]

동 1 격려하다, 북돋우다 2 장려[권장]하다 ㉫discourage

The teacher encouraged his interest in art.
그 선생님은 미술에 대한 그의 흥미를 북돋았다.

encourage a person to read books 독서를 장려하다

0097 sincere

[sinsíər]

형 진실된, 진심 어린 반 false

He gave me **sincere** advice. 그는 내게 진심 어린 충고를 해 주었다.

⊞ sincerely 부 진심으로

0098 therefore

[ðέərfɔ̀ːr]

부 그러므로, 그 결과

The house is bigger, and **therefore** it is more expensive.
그 집은 더 크고, 그러므로 더 비싸다.

0099 most of all

무엇보다도, 우선 첫째로

Most of all, I want to have my own room.
무엇보다도, 나는 내 방을 갖고 싶다.

0100 focus on

~에 주력하다, 초점을 맞추다

This course **focuses on** writing skills.
이 수업은 작문 기술에 초점을 둔다.

DAY 05 CHECK-UP

정답 p.284

[1-14] 영어는 우리말로, 우리말은 영어로 쓰세요.

1 sincere _____
2 admire _____
3 meaning _____
4 therefore _____
5 entertain _____
6 grammar _____
7 absolute _____

8 천장 _____
9 감정 _____
10 고용하다 _____
11 승객, 여객 _____
12 오염, 공해 _____
13 목적, 목표; 용도 _____
14 후회하다; 후회, 유감 _____

[15-18] 우리말에 맞게 빈칸에 알맞은 말을 넣으세요.

15 They celebrated their first wedding _____. (그들은 첫 번째 결혼기념일을 축하했다.)

16 This course _____ _____ writing skills. (이 수업은 작문 기술에 초점을 둔다.)

17 The teacher _____ his interest in art. (그 선생님은 미술에 대한 그의 흥미를 북돋았다.)

18 _____ _____ _____, I want to have my own room.
(무엇보다도, 나는 내 방을 갖고 싶다.)

REVIEW TEST

DAY 01-05

정답 p.285

A 우리말에 맞게 빈칸에 알맞은 말을 넣으세요.

1 a(n) _____ life (사교 생활)

2 _____ a poem (시를 비평하다)

3 _____ a rule (규칙을 적용하다)

4 a(n) _____ exit (비상구)

5 the rules of _____ (문법 규칙)

6 You should face _____ now. (이제 너는 현실을 직면해야 한다.)

7 She was _____ of her friend's success. (그녀는 친구의 성공을 시기했다.)

8 You have to start without _____. (너는 지체 없이 시작해야 한다.)

9 Being tall is a big _____ in basketball. (키가 큰 것은 농구에서 큰 이점이다.)

10 The leaders discussed _____ trade. (그 지도자들은 국제 무역에 관해 토론했다.)

11 I _____ buying these clothes. (나는 이 옷들을 산 것을 후회한다.)

12 The _____ of beauty changes over time. (미의 개념은 시간에 따라 변화한다.)

B 밑줄 친 말에 유의하여 다음 문장을 해석하세요.

1 My parents live in a <u>nearby</u> city.

_____

2 The store is open every day <u>except</u> Sunday.

_____

3 He <u>entertained</u> us with funny stories.

_____

4 The two countries <u>maintain</u> a close relationship.

_____

5 Let's <u>go over</u> to her house.

_____

C 밑줄 친 단어와 가장 비슷한 뜻을 가진 단어를 고르세요.

1 These clothes aren't <u>suitable</u> for an interview.

   ① unusual   ② ordinary   ③ previous   ④ memorable   ⑤ appropriate

2 These old books are <u>priceless</u>.

   ① invaluable   ② efficient   ③ necessary   ④ historical   ⑤ unbelievable

3 A strange sound made her <u>uneasy</u>.

   ① merry   ② eager   ③ anxious   ④ idle   ⑤ impressed

4 She got <u>treatment</u> for her illness.

   ① relief   ② therapy   ③ trust   ④ anxiety   ⑤ patient

5 This book is for <u>absolute</u> beginners.

   ① local   ② recent   ③ complex   ④ complete   ⑤ sincere

D 보기 에서 빈칸에 들어갈 단어를 골라 쓰세요.

보기 earn   apologize   broad   task   hire   author   location   remind

1 Who is the _____ of the book?

2 He has _____ shoulders.

3 She _____s $1,000 a month.

4 The factory _____d 30 new workers.

5 They completed the _____ efficiently.

6 This song _____s me of my father.

7 I _____ for coming late.

A 아는 단어/숙어에 체크(V)해보세요.

0101 aim	☐	0111 suggest	☐
0102 valuable	☐	0112 necessity	☐
0103 underwater	☐	0113 decade	☐
0104 deserve	☐	0114 rude	☐
0105 career	☐	0115 respectful	☐
0106 complicated	☐	0116 legal	☐
0107 realistic	☐	0117 support	☐
0108 ideal	☐	0118 ashamed	☐
0109 furthermore	☐	0119 for oneself	☐
0110 faith	☐	0120 day and night	☐

B 사진을 보고 알맞은 단어/숙어를 써보세요.

1 _____ 2 _____ 3 _____ 4 _____

0101 aim
[eim]

동 1 **목표로 하다** 2 **겨누다** 명 **목적, 목표**

I **aim** to go to university. 나는 대학 진학을 목표로 한다.
He **aimed** the arrow at the tree. 그는 나무를 향해 활을 겨누었다.
the **aim** of life 인생의 목적

0102 valuable
[vǽljuəbl]

형 1 **값비싼** ㈜ expensive 2 **유익한; 귀중한**

He collects **valuable** paintings. 그는 값비싼 그림들을 수집한다.
a **valuable** lesson 귀중한 교훈

0103 underwater
[ʌndərwɔ́ːtər]

형 **물속의, 수중(용)의**

The diver is holding an **underwater** camera.
그 잠수부는 수중 카메라를 들고 있다.

0104 deserve
[dizə́ːrv]

동 **~할[받을] 만하다, ~할 가치가 있다**

You **deserve** the award. 너는 그 상을 받을 만하다.

0105 career
[kəríər]

명 1 **직업** 2 **경력, 이력**

She wants to make teaching her **career**.
그녀는 가르치는 일을 직업으로 삼고 싶어 한다.
build one's **career** 경력을 쌓다

0106 complicated
[kámpləkèitid]

형 **복잡한** ㈝ simple

The math question is too **complicated**.
그 수학 문제는 너무 복잡하다.

0107 realistic
[rìːəlístik]

형 1 **현실적인; 현실성 있는** 2 **사실적인**

Your plan is not **realistic**. 네 계획은 현실적이지 않다.
a **realistic** drawing 사실적인 그림

0108 ideal
[aidíːəl]

형 **이상적인, 완벽한** 명 **이상**

It is an **ideal** day for going out. 외출하기에 완벽한 날이다.
the **ideal** and the real 이상과 현실

0109 furthermore
[fə́ːrðərmɔ̀ːr]

틘 더욱이, 게다가

He sings well. Furthermore, he can play the piano.
그는 노래를 잘한다. 게다가, 그는 피아노도 칠 수 있다.

0110 faith
[feiθ]

몡 믿음, 신뢰 ⑧ trust

He has great faith in his wife. 그는 아내를 굉장히 신뢰한다.

0111 suggest
[səgdʒést]

동 1 제안하다; 추천하다 2 시사[암시]하다

I suggest we take a break. 휴식을 취할 것을 제안합니다.

The test results suggested that I was ill.
그 검사 결과는 내가 아프다는 것을 시사했다.

 ⊞ suggestion 몡 1 제안, 제의 2 시사[암시]

0112 necessity
[nəsésəti]

몡 1 필수품 2 필요(성)

The automobile is a necessity in our lives.
자동차는 우리 생활에서 필수품이다.

Necessity is the mother of invention. 필요는 발명의 어머니다.

0113 decade
[dékeid]

몡 10년

The city was quite different just a decade ago.
10년 전만 해도 그 도시는 꽤 달랐다.

0114 rude
[ruːd]

혱 무례한, 버릇없는 ⑪ polite

It's rude to point at others.
다른 사람들을 손가락으로 가리키는 것은 무례하다.

0115 respectful
[rispéktfəl]

혱 존중하는, 경의를 표하는, 공손한

Be respectful of your elders. 어른들을 존중해라.

in a respectful tone 공손한 어조로

0116 legal
[líːgəl]

혱 1 법률의 2 합법적인 ⑪ illegal

I need legal advice. 나는 법률적인 조언이 필요하다.

Is it legal to park here? 여기에 주차하는 것은 합법이니?

31

0117 support
[səpɔ́ːrt]

명 동 1 지지[지원](하다) 2 후원[부양](하다)

They showed their **support** for my opinion.
그들은 내 의견에 대한 지지를 나타냈다.

He is **supporting** a large family. 그는 대가족을 부양하고 있다.

0118 ashamed
[əʃéimd]

형 부끄러운, 수치스러운 ((of))

She was **ashamed** of her behavior last night.
그녀는 어젯밤 자신의 행동이 부끄러웠다.

0119 for oneself

스스로, 혼자 힘으로

You have to decide for **yourself**. 너 스스로 결정해야 한다.

0120 day and night

밤낮으로

She worked hard **day and night**. 그녀는 밤낮으로 열심히 일했다.

DAY 06 CHECK-UP

정답 p.285

[1-14] 영어는 우리말로, 우리말은 영어로 쓰세요.

1 aim　　_____

2 ideal　　_____

3 career　　_____

4 support　　_____

5 realistic　　_____

6 valuable　　_____

7 respectful　　_____

8 10년　　_____

9 복잡한　　_____

10 더욱이, 게다가　　_____

11 필수품; 필요(성)　　_____

12 법률의; 합법적인　　_____

13 부끄러운, 수치스러운　　_____

14 물속의, 수중(용)의　　_____

[15-18] 우리말에 맞게 빈칸에 알맞은 말을 넣으세요.

15 You _____ the award. (너는 그 상을 받을 만하다.)

16 He has great _____ in his wife. (그는 아내를 굉장히 신뢰한다.)

17 It's _____ to point at others. (다른 사람들을 손가락으로 가리키는 것은 무례하다.)

18 She worked hard _____ _____ _____.
(그녀는 밤낮으로 열심히 일했다.)

DAY 07
PREVIEW

A 아는 단어/숙어에 체크(V)해보세요.

0121 **satisfied**	☐	0131 **license**	☐
0122 **sticky**	☐	0132 **replace**	☐
0123 **lend**	☐	0133 **lawyer**	☐
0124 **position**	☐	0134 **physical**	☐
0125 **snore**	☐	0135 **extreme**	☐
0126 **overall**	☐	0136 **refresh**	☐
0127 **sneeze**	☐	0137 **responsible**	☐
0128 **decrease**	☐	0138 **commute**	☐
0129 **logic**	☐	0139 **on one's feet**	☐
0130 **highlight**	☐	0140 **be likely to** Ⓥ	☐

B 사진을 보고 알맞은 단어/숙어를 써보세요.

_____ _____ _____ _____

33

0121 satisfied
[sǽtisfàid]

형 만족한, 흡족한

Are you satisfied with your job? 네 직업에 만족하니?

0122 sticky
[stíki]

형 끈적끈적한

My fingers are sticky with caramel.
내 손가락이 캐러멜로 끈적끈적하다.

0123 lend
[lend]

동 빌려주다 반 borrow

Can you lend me the book? 그 책 좀 빌려줄 수 있니?

0124 position
[pəzíʃən]

명 1 위치 2 자리, 자세 3 입장, 처지

The scientist recorded the positions of the stars.
과학자는 별들의 위치를 기록했다.

He fell asleep in a sitting position. 그는 앉은 자세로 잠들었다.

in a difficult position 곤란한 입장에 처한

0125 snore
[snɔːr]

동 코를 골다 명 코 고는 소리

I don't snore when I sleep. 나는 잘 때 코를 골지 않는다.

a loud snore 시끄럽게 코 고는 소리

0126 overall
[òuvərɔ́ːl]

형 전체의, 전반적인 부 전부, 전반적으로

She told me about the overall plan.
그녀는 내게 전반적인 계획에 대해 말해 주었다.

How much did it cost overall? 전부 얼마가 들었니?

0127 sneeze
[sniːz]

동 재채기하다 명 재채기

I sneeze a lot during the spring. 나는 봄에 재채기를 많이 한다.

hold in a sneeze 재채기를 참다

0128 decrease
[dikríːs]

동 감소하다; 줄이다 명 [díːkriːs] 감소 반 increase (동/명)

The birth rate is decreasing. 출생률이 감소하고 있다.

You should decrease your spending.
너는 너의 지출을 줄여야 한다.

a decrease in sales 매출의 감소

0129 logic
[ládʒik]

명 논리

I don't understand the logic of your argument.
나는 네 주장의 논리를 이해할 수 없다.

⊞ logical 형 논리적인

0130 highlight
[háilàit]

동 강조하다 ㉤ emphasize   명 하이라이트, 가장 중요한 부분

The key points are highlighted in blue.
요점들은 파란색으로 강조되어 있다.

the highlight of the game   경기의 하이라이트

0131 license
[láisəns]

명 면허[허가](증)   동 허가하다 ㉤ allow

When did you get your driver's license?
너는 운전면허를 언제 땄니?

The restaurant is licensed to sell alcohol.
그 식당은 술을 팔도록 허가되었다.

0132 replace
[ripléis]

동 1 대체하다, 대신하다 2 바꾸다, 교체하다 ((with))

There's nobody who can replace you.
너를 대신할 사람은 아무도 없다.

I replaced an old tire with a new one.
나는 낡은 타이어를 새것으로 교체했다.

⊞ replacement   명 1 교체, 대체 2 교체물; 대신할 사람

0133 lawyer
[lɔ́ːjər]

명 법률가, 변호사

I studied law to become a lawyer.
나는 변호사가 되기 위해 법을 공부했다.

0134 physical
[fízikəl]

형 1 신체[육체]의 ㉝ mental 2 물질의, 물질[물리]적인

He has great physical strength.   그는 체력이 강하다.

physical environment   물리적 환경

0135 extreme
[ikstríːm]

형 1 극도의, 극심한 2 지나친, 과도한

He is under extreme stress.   그는 극심한 스트레스를 받고 있다.

an extreme diet   과도한 다이어트

0136 refresh
[rifréʃ]

동 상쾌하게 하다, 원기를 회복시키다

A cool shower will refresh you.   찬물에 샤워를 하면 상쾌할 것이다.

0137 responsible
[rispánsəbl]

형 1 (~에 대해) 책임이 있는 2 (~을) 책임지고 있는

You're **responsible** for the accident. 너는 그 사고에 책임이 있다.

She is **responsible** for updating the website.
그녀는 그 웹사이트를 업데이트하는 것을 책임지고 있다.

0138 commute
[kəmjúːt]

동 통근하다

I **commute** from Hamilton to Toronto every day.
나는 매일 해밀턴에서 토론토로 통근한다.

0139 on one's feet

일어서서

She has been **on her feet** all day. 그녀는 하루 종일 서 있었다.

0140 be likely to ⓥ

~할 것 같다, ~할 가능성이 크다

The flight **is likely to** be delayed. 비행기가 지연될 것 같다.

DAY 07　CHECK-UP

정답 p.285

[1-14] 영어는 우리말로, 우리말은 영어로 쓰세요.

1 lawyer ＿＿＿＿＿＿

2 overall ＿＿＿＿＿＿

3 refresh ＿＿＿＿＿＿

4 physical ＿＿＿＿＿＿

5 extreme ＿＿＿＿＿＿

6 position ＿＿＿＿＿＿

7 decrease ＿＿＿＿＿＿

8 논리 ＿＿＿＿＿＿

9 빌려주다 ＿＿＿＿＿＿

10 통근하다 ＿＿＿＿＿＿

11 끈적끈적한 ＿＿＿＿＿＿

12 만족한, 흡족한 ＿＿＿＿＿＿

13 면허[허가]증; 허가하다 ＿＿＿＿＿＿

14 코를 골다; 코 고는 소리 ＿＿＿＿＿＿

[15-18] 우리말에 맞게 빈칸에 알맞은 말을 넣으세요.

15 You're ＿＿＿＿＿＿ for the accident. (너는 그 사고에 책임이 있다.)

16 I ＿＿＿＿＿＿ a lot during the spring. (나는 봄에 재채기를 많이 한다.)

17 The flight ＿＿＿＿＿＿ ＿＿＿＿＿＿ ＿＿＿＿＿＿ be delayed. (비행기가 지연될 것 같다.)

18 She has been ＿＿＿＿＿＿ ＿＿＿＿＿＿ ＿＿＿＿＿＿ all day. (그녀는 하루 종일 서 있었다.)

DAY 08
PREVIEW

A 아는 단어/숙어에 체크(V)해보세요.

0141 **planet**	☐	0151 **experiment**	☐
0142 **daytime**	☐	0152 **effort**	☐
0143 **revolution**	☐	0153 **compose**	☐
0144 **passage**	☐	0154 **quit**	☐
0145 **economy**	☐	0155 **hesitate**	☐
0146 **repeatedly**	☐	0156 **rescue**	☐
0147 **convenient**	☐	0157 **cure**	☐
0148 **audience**	☐	0158 **vehicle**	☐
0149 **climate**	☐	0159 **in order to** Ⓥ	☐
0150 **typical**	☐	0160 **by chance**	☐

B 사진을 보고 알맞은 단어/숙어를 써보세요.

_____ _____ _____ _____

0141 planet
[plǽnit]

명 행성

She believes there is life on other planets.
그녀는 다른 행성에 생명체가 있다고 믿는다.

0142 daytime
[déitàim]

명 낮, 주간

It will warm up in the daytime. 낮에는 날씨가 따뜻해질 것이다.

0143 revolution
[rèvəljúːʃən]

명 혁명, 변혁, 혁신

The French Revolution began in 1789.
프랑스 혁명은 1789년에 시작되었다.

Vaccines started a revolution in medicine.
예방 백신은 의료에서의 혁신이 시작되게 했다.

0144 passage
[pǽsidʒ]

명 1 통로, 복도 2 (책 등의) 구절

His office is at the end of the passage.
그의 사무실은 복도 끝에 있다.

Read the following passage. 다음 구절을 읽어라.

0145 economy
[ikɑ́nəmi]

명 1 경제, 경기 2 절약, 검약

The country's economy is growing quickly.
그 나라의 경제는 빠르게 성장하고 있다.

Buy the large economy pack instead of the smaller package. 더 작은 패키지 대신 큰 절약형 팩으로 사라.

0146 repeatedly
[ripíːtidli]

부 반복해서; 여러 차례

Try it repeatedly until you succeed.
성공할 때까지 반복해서 시도해라.

0147 convenient
[kənvíːnjənt]

형 편리한 반 inconvenient

This machine is convenient to use. 이 기계는 사용하기 편리하다.

⊕ convenience 명 편의, 편리

0148 audience
[ɔ́ːdiəns]

명 청중, 관객

There was a large audience at the concert.
그 콘서트에는 관객이 많았다.

0149 **climate**
[kláimit]

명 기후 유 weather

Jeju Island has a mild climate.
제주도는 온화한 기후를 가지고 있다.

0150 **typical**
[típikəl]

형 대표적인, 전형적인 반 unusual

This is typical Italian food. 이것은 대표적인 이탈리아 음식이다.

a typical example 전형적인 예시

0151 **experiment**
[ikspérəmənt]

명 실험 동 [ekspérəmènt] 실험[시험]하다

We did experiments with water. 우리는 물로 실험을 했다.

They experimented on rats. 그들은 쥐에게 실험했다.

0152 **effort**
[éfərt]

명 노력, 수고

He made an effort to do his work well.
그는 그의 일을 잘하기 위해 노력했다.

0153 **compose**
[kəmpóuz]

동 1 구성하다 2 작곡하다

Air is composed of various gases.
공기는 여러 가지 기체로 구성되어 있다.

compose an opera 오페라를 작곡하다

0154 **quit**
[kwit]

동 1 (직장 등을) 그만두다 2 (하던 일을) 그만하다 유 stop

He quit the company due to health problems.
그는 건강 문제로 회사를 그만뒀다.

I've slept better since I quit drinking coffee.
나는 커피 마시는 것을 그만둔 이후로 더 잘 잔다.

0155 **hesitate**
[hézitèit]

동 주저하다, 망설이다

Don't hesitate to ask any questions. 주저하지 말고 질문해라.

0156 **rescue**
[réskjuː]

동 구하다, 구조[구출]하다 명 구조, 구출

Firefighters rescued people from the fire.
소방관들이 화재에서 사람들을 구조했다.

a rescue team 구조대

0157 **cure** [kjuər]	동 치료하다 명 치료(법), 치료제
	A doctor cures sick people. 의사는 아픈 사람들을 치료한다.
	a cure for cancer 암 치료법

0158 **vehicle** [víːikl]	명 탈것, 차량
	Who is the driver of this vehicle? 이 차량의 운전자가 누구인가요?

0159 **in order to** ⓥ	~하기 위하여
	I walk every day in order to stay healthy.
	나는 건강을 유지하기 위해 매일 걷는다.

0160 **by chance**	우연히, 뜻밖에
	We met by chance at the library. 우리는 도서관에서 우연히 만났다.

DAY 08 CHECK-UP

정답 p.285

[1-14] 영어는 우리말로, 우리말은 영어로 쓰세요.

1 cure _____
2 climate _____
3 hesitate _____
4 audience _____
5 economy _____
6 revolution _____
7 experiment _____

8 행성 _____
9 편리한 _____
10 노력, 수고 _____
11 탈것, 차량 _____
12 구성하다; 작곡하다 _____
13 반복해서; 여러 차례 _____
14 통로, 복도; (책 등의) 구절 _____

[15-18] 우리말에 맞게 빈칸에 알맞은 말을 넣으세요.

15 This is _____ Italian food. (이것은 대표적인 이탈리아 음식이다.)
16 We met _____ _____ at the library. (우리는 도서관에서 우연히 만났다.)
17 He _____ the company due to health problems. (그는 건강 문제로 회사를 그만뒀다.)
18 Firefighters _____ people from the fire. (소방관들이 화재에서 사람들을 구조했다.)

DAY 09
PREVIEW

A 아는 단어/숙어에 체크(V)해보세요.

0161 **clue** ☐	0171 **difference** ☐	
0162 **unhealthy** ☐	0172 **measure** ☐	
0163 **generous** ☐	0173 **awake** ☐	
0164 **confuse** ☐	0174 **object** ☐	
0165 **genuine** ☐	0175 **respect** ☐	
0166 **participate** ☐	0176 **document** ☐	
0167 **strict** ☐	0177 **spine** ☐	
0168 **drag** ☐	0178 **addicted** ☐	
0169 **glory** ☐	0179 **talk behind one's back** ☐	
0170 **invitation** ☐	0180 **make it** ☐	

B 사진을 보고 알맞은 단어/숙어를 써보세요.

_____ _____ _____ _____

0161 clue
[kluː]

몡 단서, 실마리

I found a clue to solve the mystery.
나는 그 수수께끼를 풀 단서를 찾았다.

0162 unhealthy
[ʌnhélθi]

톙 1 건강하지 않은 2 건강에 해로운

That girl looks unhealthy. 저 소녀는 건강하지 않아 보인다.
an unhealthy diet 건강에 해로운 식습관

0163 generous
[dʒénərəs]

톙 관대한, 너그러운

My grandmother is always generous to me.
우리 할머니는 언제나 내게 너그러우시다.

0164 confuse
[kənfjúːz]

동 1 혼란시키다 2 혼동하다

The road sign confused the tourists.
그 도로 표지판은 관광객들을 혼란스럽게 했다.
I confused her with her sister. 나는 그녀와 그녀의 여동생을 혼동했다.

0165 genuine
[dʒénjuin]

톙 1 진짜의, 진품의 빤 fake 2 진심 어린, 진실된

Is that a genuine diamond? 저것은 진짜 다이아몬드이니?
a genuine friend 진실된 친구

0166 participate
[pɑːrtísəpèit]

동 참가[참여]하다 ((in)) 윤 join

He participates in many club activities.
그는 많은 동아리 활동에 참여한다.
⊞ participation 몡 참가

0167 strict
[strikt]

톙 엄한, 엄격한

She is very strict with her son. 그녀는 아들에게 매우 엄하다.
strict rules 엄격한 규칙
⊞ strictly 톗 엄격하게

0168 drag
[dræg]

동 (힘을 들여) 끌다, 끌고 가다

He dragged the sofa to the window. 그는 소파를 창 쪽으로 끌었다.

0169 glory
[glɔ́:ri]

명 영광, 영예 ㈜ honor

He enjoyed the glory of being a champion.
그는 챔피언으로서의 영예를 즐겼다.

0170 invitation
[ìnvitéiʃən]

명 초대, 초청

I received an invitation to his birthday party.
나는 그의 생일 파티에 초대를 받았다.

0171 difference
[dífərəns]

명 차이, 다름

There's no difference in price between the two rooms.
두 객실 사이에 가격 차이는 없습니다.

0172 measure
[méʒər]

동 재다, 측정하다 명 단위

I measured the height of the table. 나는 그 테이블의 높이를 쟀다.
a measure of weight 무게의 단위

0173 awake
[əwéik]

형 잠들지 않은, 깨어 있는 ㈜ asleep

I drank a lot of coffee to stay awake.
나는 깨어 있기 위해 커피를 많이 마셨다.

0174 object
[ábdʒikt]

명 1 물건, 물체 2 목표, 목적 동 [əbdʒékt] 반대하다

The object is easily broken. 그 물건은 깨지기 쉽다.
My object is to win a medal. 내 목표는 메달을 따는 것이다.
Why do you object to his idea? 너는 왜 그의 의견에 반대하니?

0175 respect
[rispékt]

명 존경(심) 동 존경하다

You should show some respect for the elderly.
연장자에 대한 존경심을 보여야 한다.
He works hard, and I respect him for that.
그는 열심히 일하고, 난 그것에 관해 그를 존경한다.

0176 document
[dákjumənt]

명 서류, 문서 ㈜ paper

Make a copy of this document. 이 서류의 복사본을 만들어라.

0177 spine
[spain]

명 등뼈, 척추

He broke his spine and can't move at all.
그는 척추가 부러져서 전혀 움직이지 못한다.

0178 addicted

[ədíktid]

형 중독된, 푹 빠져 있는

The boy is addicted to online games.
그 소년은 온라인 게임에 중독되어 있다.

0179 talk behind one's back

(뒤에서) ~를 험담하다

Don't talk behind my back. 뒤에서 내 험담을 하지 마라.

0180 make it

1 성공하다, 해내다 2 (제시간에) 도착하다

He made it as a singer. 그는 가수로 성공했다.
I don't think I can make it by six.
나는 6시까지는 도착하지 못할 것 같다.

[1-14] 영어는 우리말로, 우리말은 영어로 쓰세요.

1 drag _____

2 clue _____

3 object _____

4 confuse _____

5 invitation _____

6 participate _____

7 addicted _____

8 영광, 영예 _____

9 서류, 문서 _____

10 차이, 다름 _____

11 관대한, 너그러운 _____

12 존경(심); 존경하다 _____

13 잠들지 않은, 깨어 있는 _____

14 건강하지 않는; 건강에 해로운 _____

[15-18] 우리말에 맞게 빈칸에 알맞은 말을 넣으세요.

15 She is very _____ with her son. (그녀는 아들에게 매우 엄하다.)

16 I _____ the height of the table. (나는 그 테이블의 높이를 쟀다.)

17 Don't _____ _____ _____ _____. (뒤에서 내 험담을 하지 마라.)

18 I don't think I can _____ _____ by six. (나는 6시까지는 도착하지 못할 것 같다.)

A 아는 단어/숙어에 체크(V)해보세요.

0181 **thankful**	☐	
0182 **benefit**	☐	
0183 **communicate**	☐	
0184 **impossible**	☐	
0185 **effect**	☐	
0186 **edit**	☐	
0187 **foreign**	☐	
0188 **totally**	☐	
0189 **parade**	☐	
0190 **increase**	☐	

0191 **pleasure**	☐	
0192 **notice**	☐	
0193 **annoy**	☐	
0194 **colleague**	☐	
0195 **option**	☐	
0196 **complain**	☐	
0197 **garage**	☐	
0198 **lay**	☐	
0199 **carry out**	☐	
0200 **be based on**	☐	

B 사진을 보고 알맞은 단어/숙어를 써보세요.

1 _____ 2 _____ 3 _____ 4 _____

0181 thankful
[θǽŋkfəl]

혱 감사하는, 고맙게 여기는 ㈜ grateful

I'm very thankful for your help. 도와주셔서 정말 감사합니다.

0182 benefit
[bénəfit]

몡 혜택, 이득 동 도움이 되다, 이롭다

We enjoy the benefits of science. 우리는 과학의 혜택을 누린다.
This program benefits everyone. 이 프로그램은 모두에게 이롭다.

0183 communicate
[kəmjúːnəkèit]

동 1 연락하다, 의사소통하다 2 전하다, 전달하다

I communicate with her by email. 나는 그녀와 이메일로 연락한다.
She wants to communicate her idea to people.
그녀는 자기 생각을 사람들에게 알리고 싶어한다.

0184 impossible
[impásəbl]

혱 불가능한 ㉂ possible

It's impossible for him to arrive on time.
그가 제시간에 도착하는 것은 불가능하다.

0185 effect
[ifékt]

몡 1 효과, 영향 2 결과

Smoking has a bad effect on your health.
흡연은 건강에 나쁜 영향을 끼친다.
cause and effect 원인과 결과
＋ effective 혱 효과적인

0186 edit
[édit]

동 교정[수정]하다; 편집하다

This writing needs to be edited. 이 글은 수정될 필요가 있다.
edit a film 영화를 편집하다
＋ editor 몡 편집자

0187 foreign
[fɔ́ːrin]

혱 외국의, 자국 외의; 대외의

Many young children learn foreign languages.
많은 어린 아이들이 외국어를 배운다.

0188 totally
[tóutəli]

부 완전히, 전적으로 ㈜ completely

I totally agree with your idea.
나는 네 생각에 전적으로 동의한다.

0189 parade
[pəréid]

명 퍼레이드, 행진

There will be a parade for the winning team.
우승팀을 위한 퍼레이드가 있을 예정이다.

0190 increase
[inkríːs]

동 증가[증대]하다   명 [ínkriːs] 증가, 증대   반 decrease(동/명)

The number of tourists slightly increased.
관광객 수가 약간 증가했다.

tax increase   세금 인상

0191 pleasure
[pléʒər]

명 기쁨, 즐거움 ⊕ delight

She takes pictures for pleasure.
그녀는 즐거움을 위해 사진을 찍는다.

0192 notice
[nóutis]

명 1 알아챔, 주목 2 통지, 예고   동 알아차리다, 인지하다

Take notice of the emergency exits.   비상 출구의 위치를 알아둬라.

on short notice   촉박하게, 충분한 예고 없이

I noticed that my bag was missing.
나는 내 가방이 없어졌다는 것을 알아챘다.

0193 annoy
[ənɔ́i]

동 짜증 나게 하다, 귀찮게 하다 ⊕ irritate

His stupid questions annoyed her.
그의 바보 같은 질문들이 그녀를 짜증 나게 했다.

⊞ annoying 형 짜증스러운

0194 colleague
[káliːg]

명 (직장) 동료

She is a colleague of mine from work.
그녀는 내 직장 동료이다.

0195 option
[ápʃən]

명 선택권; 선택(할 수 있는 것)

I only had two options.   내게는 두 가지 선택권밖에 없었다.

0196 complain
[kəmpléin]

동 불평[항의]하다

People complained about the factory noise.
사람들은 공장 소음에 대해 불평했다.

0197 garage
[gərάːʤ]

囘 차고

He parked his car in the garage. 그는 차고 안에 차를 주차했다.

0198 lay
[lei]

롱 (laid-laid) 1 놓다, 두다 2 (알을) 낳다

She laid her clothes on the bed. 그녀는 침대 위에 옷을 놓았다.
All birds lay eggs. 모든 새들은 알을 낳는다.

0199 carry out

실행[수행]하다

You have to carry out the order. 너는 그 명령을 수행해야 한다.

0200 be based on

~에 근거하다, 기초하다

This film is based on a true story. 이 영화는 실화에 근거하고 있다.

DAY 10 CHECK-UP

정답 p.285

[1-14] 영어는 우리말로, 우리말은 영어로 쓰세요.

1 effect _____

2 totally _____

3 option _____

4 annoy _____

5 benefit _____

6 increase _____

7 communicate _____

8 차고 _____

9 불가능한 _____

10 (직장) 동료 _____

11 기쁨, 즐거움 _____

12 놓다, 두다; (알을) 낳다 _____

13 교정[수정]하다; 편집하다 _____

14 감사하는, 고맙게 여기는 _____

[15-18] 우리말에 맞게 빈칸에 알맞은 말을 넣으세요.

15 You have to _____ _____ the order. (너는 그 명령을 수행해야 한다.)

16 People _____ about the factory noise. (사람들은 공장 소음에 대해 불평했다.)

17 Many young children learn _____ languages. (많은 어린 아이들이 외국어를 배운다.)

18 This film _____ _____ _____ a true story.
(이 영화는 실화에 근거하고 있다.)

REVIEW TEST

DAY 06-10

정답 p.286

A 우리말에 맞게 빈칸에 알맞은 말을 넣으세요.

1 _____ environment (물리적 환경)

2 build one's _____ (경력을 쌓다)

3 a loud _____ (시끄럽게 코 고는 소리)

4 a(n) _____ in sales (매출의 감소)

5 All birds _____ eggs. (모든 새들은 알을 낳는다.)

6 The diver is holding a(n) _____ camera. (그 잠수부는 수중 카메라를 들고 있다.)

7 The automobile is a(n) _____ in our lives. (자동차는 우리 생활에서 필수품이다.)

8 My fingers are _____ with caramel. (내 손가락이 캐러멜로 끈적끈적하다.)

9 I studied law to become a(n) _____. (나는 변호사가 되기 위해 법을 공부했다.)

10 Jeju Island has a mild _____. (제주도는 온화한 기후를 가지고 있다.)

11 He is under _____ stress. (그는 극심한 스트레스를 받고 있다.)

12 The boy is _____ to online games. (그 소년은 온라인 게임에 중독되어 있다.)

B 밑줄 친 말에 유의하여 다음 문장을 해석하세요.

1 The restaurant is licensed to sell alcohol.

_____

2 She is responsible for updating the website.

_____

3 Air is composed of various gases.

_____

4 He made it as a singer.

_____

5 I walk every day in order to stay healthy.

_____

C 밑줄 친 단어와 반대인 뜻을 가진 단어를 고르세요.

1 The math question is too <u>complicated</u>.

① generous   ② satisfied   ③ realistic   ④ simple   ⑤ ashamed

2 Can you <u>lend</u> me the book?

① complain   ② borrow   ③ drag   ④ edit   ⑤ notice

3 Is that a <u>genuine</u> diamond?

① fake   ② valuable   ③ ideal   ④ legal   ⑤ convenient

4 I drank a lot of coffee to stay <u>awake</u>.

① foreign   ② asleep   ③ unhealthy   ④ strict   ⑤ rude

5 It's <u>impossible</u> for him to arrive on time.

① ashamed   ② respectful   ③ possible   ④ typical   ⑤ thankful

D 보기 에서 빈칸에 공통으로 들어갈 단어를 골라 쓰세요.

보기	support	suggest	aim	passage	replace	overall

1 I _____ to go to university.

He _____ed his gun at a bird.

2 There's nobody who can _____ you.

I _____d an old tire with a new one.

3 They showed their _____ for my opinion.

He is _____ing a large family.

4 I _____ we take a break.

The test results _____ed that I was ill.

5 His office is at the end of the _____.

Read the following _____.

CROSSWORD PUZZLE

DAY 01-10

정답 p.286

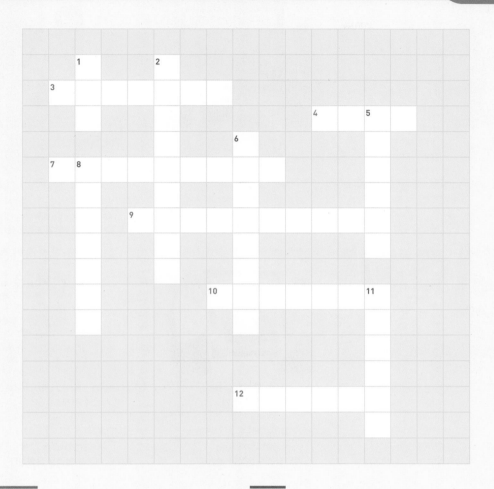

Across
3 환자; 참을성 있는
4 (돈을) 벌다
7 만족한, 흡족한
9 차이, 다름
10 목적, 목표; 용도
12 저자, 작가

Down
1 놓다, 두다; (알을) 낳다
2 필수품; 필요(성)
5 후회하다; 후회, 유감
6 관대한, 너그러운
8 걱정, 불안
11 노력, 수고

YOUR FUTURE JOBS　MUSEUM

curator
큐레이터

manages exhibitions
전시를 관리하다

docent
안내원

provides visitors with
information about artwork
관람객들에게 예술품에 대한 정보를
제공하다

archaeologist
고고학자

examines artifacts
and assists with their
preservation
유물을 조사하고 그것들의 보존을 돕다

conservator
복원가

repairs damage to
artwork
예술품의 손상을 복원하다

art handler
아트 핸들러

transports artwork
with care
주의하여 예술품을 운반하다

museum shop manager
기념품 가게 매니저

runs the museum
gift shop
박물관 기념품 상점을 운영하다

exhibit designer
전시 디자이너

plans the display and
layout of artwork
예술품의 진열 및 배치를 기획하다

archivist
기록물 관리 전문가

keeps a record of
a museum's objects
박물관 내 모든 물품에 대해 기록하다

registrar
소장품 관리 전문가

organizes the arrival and
return of loaned artwork
대여된 예술품의 도착과 반환을
관리하다

DAY 11
PREVIEW

A 아는 단어/숙어에 체크(V)해보세요.

0201 **available**	☐	0211 **opportunity**	☐
0202 **treat**	☐	0212 **staff**	☐
0203 **education**	☐	0213 **prefer**	☐
0204 **community**	☐	0214 **index**	☐
0205 **sweat**	☐	0215 **appearance**	☐
0206 **perform**	☐	0216 **swear**	☐
0207 **anxious**	☐	0217 **deny**	☐
0208 **select**	☐	0218 **confirm**	☐
0209 **successful**	☐	0219 **from now on**	☐
0210 **military**	☐	0220 **move on**	☐

B 사진을 보고 알맞은 단어/숙어를 써보세요.

_____ _____ _____ _____

0201 available
[əvéiləbl]

형 1 **이용할[구할] 수 있는** 2 (사람이) 시간이 있는 ⓐ unavailable

There are no more tickets available.
더 이상 구할 수 있는 표가 없다.

Are you available now? 너 지금 시간 있니?

0202 treat
[triːt]

동 1 **대하다, 취급하다** 2 **치료하다, 고치다**

Don't treat me like a child! 나를 어린 아이처럼 대하지 마라!

treat a disease 질병을 치료하다

➕ treatment 명 1 대우, 처리 2 치료, 처치

0203 education
[èdʒukéiʃən]

명 **교육**

I received my education at schools in London.
나는 런던에 있는 학교들에서 교육을 받았다.

➕ educational 형 교육의, 교육적인

0204 community
[kəmjúːnəti]

명 1 **공동체; 지역사회, 주민** 2 (이해 등을 공유하는) 집단, 계

The local community was happy with the new park.
그 지역 공동체는 새 공원에 대해 흡족해했다.

a business community 재계[업계]

0205 sweat
[swet]

명 **땀** 동 **땀을 흘리다**

I was covered in sweat after jogging. 조깅 후에 나는 땀에 젖었다.

She sweats a lot in summer. 그녀는 여름에 땀을 많이 흘린다.

0206 perform
[pərfɔ́ːrm]

동 1 **공연[연주]하다** 2 **수행하다**

We performed the play on the stage.
우리는 무대에서 연극을 공연했다.

She performs an important role in the team.
그녀는 팀에서 중요한 역할을 수행한다.

➕ performance 명 공연; 수행

0207 anxious
[ǽŋkʃəs]

형 1 **걱정[근심]하는** 2 **열망하는, 간절히 바라는**

I'm anxious about her safety. 나는 그녀의 안전이 걱정된다.

He is anxious to get a job. 그는 취직하기를 간절히 바란다.

0208 select
[silékt]

동 선발하다, 선택하다 ㈜ choose

The coach selected the players for the game.
코치는 그 게임을 위해 선수들을 선발했다.

⊞ selection 명 선발, 선택

0209 successful
[səksésfəl]

형 성공적인; 성공한

It was a very successful film. 그것은 매우 성공적인 영화였다.

0210 military
[mílitèri]

형 군(軍)의, 군사의 명 (the-) 군, 군대

He is wearing a military uniform. 그는 군복을 입고 있다.
I served in the military for two years. 나는 군에서 2년간 복무했다.

0211 opportunity
[ὰpərtjúːnəti]

명 기회 ㈜ chance

This is an opportunity to show my talents.
이것은 내 재능을 보여줄 기회이다.

0212 staff
[stæf]

명 (전체) 직원, 부원

The company has a staff of 20 people.
그 회사에는 20명의 직원이 있다.

a staff meeting 직원 회의

0213 prefer
[prifə́ːr]

동 (~보다) …을 좋아하다 ((to))

I prefer winter to summer. 나는 여름보다 겨울을 좋아한다.

⊞ preference 명 선호

0214 index
[índeks]

명 (책 등의) 색인

Find the word in the index. 그 단어를 색인에서 찾아봐라.

0215 appearance
[əpíːərəns]

명 1 외모, 겉모습 2 등장; 출현

Don't judge people by their appearance.
사람을 외모로 판단하지 마라.

make an appearance 등장하다

0216 swear
[swɛ́ər]

동 (swore-sworn) 1 욕을 하다 2 맹세하다

Don't swear at me. 나한테 욕하지 마라.
I swear that I won't be late again.
나는 다시는 늦지 않겠다고 맹세한다.

0217 deny
[dinái]

통 부인하다, 인정하지 않다 ↔ admit

He strongly denied stealing the money.
그는 돈을 훔쳤다는 것을 강하게 부인했다.

0218 confirm
[kənfə́ːrm]

통 1 확증하다 2 확인하다

The tests confirmed that she has cancer.
그 검사들로 그녀가 암이라는 것이 확증되었다.

confirm a reservation 예약을 확인하다

0219 from now on

지금부터, 앞으로는

From now on, I'm going to exercise every day.
지금부터, 나는 매일 운동할 것이다.

0220 move on

~로 넘어가다[이동하다]

Let's move on to the next step. 다음 단계로 넘어가자.

DAY 11 CHECK-UP

정답 p.286

[1-14] 영어는 우리말로, 우리말은 영어로 쓰세요.

1 deny _____

2 select _____

3 anxious _____

4 military _____

5 perform _____

6 successful _____

7 opportunity _____

8 교육 _____

9 확증하다; 확인하다 _____

10 땀; 땀을 흘리다 _____

11 (전체) 직원, 부원 _____

12 욕을 하다; 맹세하다 _____

13 (~보다) …을 좋아하다 _____

14 외모, 겉모습; 등장; 출현 _____

[15-18] 우리말에 맞게 빈칸에 알맞은 말을 넣으세요.

15 There are no more tickets _____. (더 이상 구할 수 있는 표가 없다.)

16 Don't _____ me like a child! (나를 어린 아이처럼 대하지 마라!)

17 _____ _____ _____, I'm going to exercise every day.

(지금부터, 나는 매일 운동할 것이다.)

18 The local _____ was happy with the new park.

(그 지역 공동체는 새 공원에 대해 흡족해했다.)

DAY 12

PREVIEW

A 아는 단어/숙어에 체크(V)해보세요.

0221 **belief**	☐	0231 **normally**	☐
0222 **abroad**	☐	0232 **acquire**	☐
0223 **kindness**	☐	0233 **addition**	☐
0224 **talented**	☐	0234 **excitement**	☐
0225 **offer**	☐	0235 **neither**	☐
0226 **forgive**	☐	0236 **fortune**	☐
0227 **manner**	☐	0237 **swallow**	☐
0228 **crowd**	☐	0238 **nowadays**	☐
0229 **companion**	☐	0239 **far from**	☐
0230 **reduce**	☐	0240 **look up**	☐

B 사진을 보고 알맞은 단어/숙어를 써보세요.

DAY 12

0221 belief
[bilíːf]

명 믿음

She has a strong belief in her teammates.
그녀는 팀원들에 대한 강한 믿음을 가지고 있다.

⊞ believe 동 믿다

0222 abroad
[əbrɔ́ːd]

부 해외에(서), 해외로

I want to study abroad. 나는 해외에서 공부하고 싶다.

0223 kindness
[káindnis]

명 친절, 상냥함; 친절한 행위[태도]

His kindness touched us deeply.
그의 친절한 행동은 우리를 크게 감동시켰다.

0224 talented
[tǽləntid]

형 재능 있는, 유능한

I heard that he's a talented designer.
나는 그가 재능 있는 디자이너라고 들었다.

0225 offer
[ɔ́ːfər]

동 제의[제안]하다, 권하다 명 제의, 제안

The man offered me some hot tea.
그 남자는 내게 따뜻한 차를 권했다.

refuse an offer 제안을 거절하다

0226 forgive
[fərgív]

동 (forgave-forgiven) 용서하다

Please forgive me for telling a lie. 제가 거짓말한 것을 용서해 주세요.

0227 manner
[mǽnər]

명 1 방식 2 태도 3 (-s) 예의

Get rid of your stress in a healthy manner.
건강한 방식으로 스트레스를 해소해라.

a friendly manner 친절한 태도

table manners 식사 예절

0228 crowd
[kraud]

명 군중, 사람들

There was a large crowd on the street.
그 거리에는 많은 사람들이 있었다.

0229 companion

[kəmpǽnjən]

명 친구, 동료 ㉠ colleague; 동반자

She is my closest companion. 그녀는 나의 가장 친한 친구이다.

a traveling companion 여행의 동반자

0230 reduce

[ridjúːs]

동 줄이다, 축소하다; (가격 등을) 낮추다 ㉠ lower

Reduce your speed at the corner. 모퉁이에서 속도를 줄여라.

➕ reduction 명 축소, 삭감; 할인

0231 normally

[nɔ́ːrməli]

부 1 보통; 일반적으로 2 정상적으로 ㉠ abnormally

Sharks don't normally attack humans.
상어는 일반적으로는 사람을 공격하지 않는다.

work normally 정상적으로 기능하다

➕ normal 형 보통의; 정상적인

0232 acquire

[əkwáiər]

동 얻다, 습득하다 ㉠ lose

Children acquire foreign languages easily.
아이들은 외국어를 쉽게 습득한다.

➕ acquisition 명 습득

0233 addition

[ədíʃən]

명 1 추가, 부가 2 추가물, 추가된 것

New additions to the library include desks and chairs.
도서관에 새로 추가된 것은 책상과 의자이다.

an addition to the family 새 식구

0234 excitement

[iksáitmənt]

명 흥분, 신남

They screamed with excitement. 그들은 흥분하여 소리쳤다.

0235 neither

[níːðər]

형 대 (둘 중) 어느 쪽도 ~아닌[아니다] 부 ~도 …도 아니다 ((nor))

Neither answer is right. 둘 중 어느 대답도 옳지 않다.

I know neither of them. 나는 그 둘 중 누구도 모른다.

He is neither rich nor poor. 그는 부유하지도 가난하지도 않다.

0236 fortune

[fɔ́ːrtʃən]

명 1 부(富), 큰 돈 2 운

She made a fortune by selling clothes.
그녀는 옷을 팔아서 큰 돈을 벌었다.

He had the good fortune to win the contest.
그는 운 좋게 시합에 이겼다.

0237 swallow
[swálou]

图 삼키다

My throat hurts when I swallow. 나는 삼킬 때 목이 아프다.

0238 nowadays
[náuədèiz]

图 요즘[오늘날]에

Nowadays my school grades are going down.
요즘에 내 학교 성적이 떨어지고 있다.

0239 far from

1 ~에서 멀리(에) 2 결코 ~이 아닌

Do you live far from here? 너는 여기서 먼 곳에 사니?

His story is far from true. 그의 이야기는 결코 진실이 아니다.

0240 look up

1 (정보를) 찾아보다 2 올려다보다

Look up the word on the Internet. 인터넷에서 그 단어를 찾아봐라.

She looked up at the stars. 그녀는 별들을 올려다보았다.

DAY 12 CHECK-UP

[1-14] 영어는 우리말로, 우리말은 영어로 쓰세요.

1 belief _____

2 fortune _____

3 manner _____

4 reduce _____

5 talented _____

6 kindness _____

7 normally _____

8 삼키다 _____

9 용서하다 _____

10 군중, 사람들 _____

11 요즘[오늘날]에 _____

12 친구, 동료; 동반자 _____

13 얻다, 습득하다 _____

14 해외에(서), 해외로 _____

[15-18] 우리말에 맞게 빈칸에 알맞은 말을 넣으세요.

15 I know _____ of them. (나는 그 둘 중 누구도 모른다.)

16 Do you live _____ _____ here? (너는 여기서 먼 곳에 사니?)

17 The man _____ me some hot tea. (그 남자는 내게 따뜻한 차를 권했다.)

18 _____ _____ the word on the Internet. (인터넷에서 그 단어를 찾아봐라.)

60

DAY 13
PREVIEW

A 아는 단어/숙어에 체크(V)해보세요.

0241 context	☐	0251 truly	☐
0242 beginning	☐	0252 avoid	☐
0243 growth	☐	0253 admit	☐
0244 per	☐	0254 smooth	☐
0245 recover	☐	0255 surface	☐
0246 economic	☐	0256 negative	☐
0247 overcome	☐	0257 status	☐
0248 manage	☐	0258 system	☐
0249 graduate	☐	0259 sign up for	☐
0250 charm	☐	0260 along with	☐

B 사진을 보고 알맞은 단어/숙어를 써보세요.

_____ _____ _____ _____

0241 context
[kάntekst]

명 1 (글의) 문맥 2 (어떤 일의) 정황, 맥락

Guess the meaning of the word from the context.
문맥을 통해 단어의 의미를 추측해 봐라.

historical context 역사적 맥락

0242 beginning
[bigíniŋ]

명 처음, 시작 ⊞ end

March is the beginning of spring. 3월은 봄의 시작이다.

⊞ begin 동 시작하다

0243 growth
[grouθ]

명 1 성장, 발육 2 (크기·수량의) 증대, 증가, 확장

Water is necessary for the growth of plants.
물은 식물의 성장에 필수적이다.

sales growth 매출액 증가

0244 per
[pər]

전 각 ~에 대해, ~마다

He drove at 80 km per hour. 그는 시속 80km로 운전했다.

per head[person] 1인당

0245 recover
[rikÁvər]

동 회복되다; 회복하다, 되찾다

I have fully recovered from my illness.
나는 병에서 완전히 회복되었다.

recover one's health 건강을 회복하다

⊞ recovery 명 회복

0246 economic
[ì:kənάmik]

형 경제(상)의

Economic conditions are getting better.
경제 상황이 좋아지고 있다.

0247 overcome
[òuvərkÁm]

동 (overcame-overcome) 극복하다, 이겨내다

He tried to overcome his fears. 그는 두려움을 극복하려고 노력했다.

0248 manage
[mǽnidʒ]

동 1 간신히 해내다 2 경영[관리]하다

He managed to catch the train. 그는 간신히 기차를 탔다.

She manages a small company. 그녀는 작은 회사를 경영한다.

0249 graduate
[grǽdʒuət]

명 졸업생 동 [grǽdʒuèit] 졸업하다 ((from))

She is a graduate of Yale. 그녀는 예일대 졸업생이다.
When did you graduate from college? 너는 대학을 언제 졸업했니?

0250 charm
[tʃɑːrm]

명 매력 동 매혹하다 ⊕ attract

He is a man of great charm. 그는 매우 매력적인 남자이다.
I was charmed by her voice. 나는 그녀의 목소리에 매혹되었다.

0251 truly
[trúːli]

부 1 정말로, 참으로 2 진심으로 ⊕ sincerely

He is a truly great doctor. 그는 정말로 훌륭한 의사이다.
I am truly thankful to all of you. 여러분 모두에게 진심으로 감사합니다.

0252 avoid
[əvɔ́id]

동 1 피하다, 회피하다 2 방지하다

He is avoiding my phone calls. 그는 내 전화를 피하고 있다.
avoid an accident 사고를 방지하다

⊞ avoidance 명 회피; 방지

0253 admit
[ədmít]

동 1 인정하다 2 (입장 등을) 허가하다

I admit that it was my mistake. 그것은 내 실수였다는 것을 인정한다.
She has been admitted to the club.
그녀는 그 동아리 가입이 허가되었다.

⊞ admission 명 인정; 허가, 입장

0254 smooth
[smuːð]

형 1 (표면이) 매끈한 ⊜ rough 2 (일이) 순조로운

Her hair feels so smooth. 그녀의 머리카락은 매우 부드럽다.
It was a smooth trip, without any problems.
아무런 문제가 없는 순조로운 여행이었다.

0255 surface
[sə́ːrfis]

명 (사물의) 표면; 지면, 수면

The surface of the road is icy. 도로 표면이 얼어 있다.
on the surface of the water 수면 위에

0256 negative
[néɡətiv]

형 1 부정적인, 나쁜; 비관적인 2 부정[거절]하는

The game had a negative effect on children.
그 게임은 아이들에게 부정적인 영향을 미쳤다.
His answer was negative. 그의 답은 부정이었다.

0257 **status**
[stéitəs]

몡 1 지위, 신분 2 (진행상의) 상태, 상황

The man has a high social status. 그 남자는 사회적 지위가 높다.

status report 현황 보고서

0258 **system**
[sístəm]

몡 1 체계, 시스템 2 제도, 체제

This building has a fire alarm system.
이 건물은 화재 경보 시스템을 갖추고 있다.

an education system 교육 제도

0259 **sign up for**

~을 신청하다

I signed up for the Spanish course. 나는 스페인어 강좌를 신청했다.

0260 **along with**

~에 덧붙여, ~와 함께

She wore red shoes along with a red cap.
그녀는 빨간색 모자와 함께 빨간색 신발을 신었다.

DAY 13 CHECK-UP

정답 p.286

[1-14] 영어는 우리말로, 우리말은 영어로 쓰세요.

1 truly _____

2 manage _____

3 surface _____

4 smooth _____

5 context _____

6 negative _____

7 overcome _____

8 경제(상)의 _____

9 처음, 시작 _____

10 매력; 매혹하다 _____

11 졸업생; 졸업하다 _____

12 각 ~에 대해, ~마다 _____

13 피하다, 회피하다; 방지하다 _____

14 회복되다; 회복하다, 되찾다 _____

[15-18] 우리말에 맞게 빈칸에 알맞은 말을 넣으세요.

15 I _____ that it was my mistake. (그것은 내 실수였다는 것을 인정한다.)

16 Water is necessary for the _____ of plants. (물은 식물의 성장에 필수적이다.)

17 I _____ _____ _____ the Spanish course.
(나는 스페인어 강좌를 신청했다.)

18 She wore red shoes _____ _____ a red cap.
(그녀는 빨간색 모자와 함께 빨간색 신발을 신었다.)

DAY 14

PREVIEW

A 아는 단어/숙어에 체크(V)해보세요.

0261 **positive**	☐		0271 **ability**	☐
0262 **neighborhood**	☐		0272 **imagine**	☐
0263 **express**	☐		0273 **performance**	☐
0264 **achieve**	☐		0274 **aid**	☐
0265 **instrument**	☐		0275 **facility**	☐
0266 **ensure**	☐		0276 **access**	☐
0267 **competition**	☐		0277 **conversation**	☐
0268 **repair**	☐		0278 **invent**	☐
0269 **enjoyable**	☐		0279 **a number of**	☐
0270 **crush**	☐		0280 **check out**	☐

B 사진을 보고 알맞은 단어/숙어를 써보세요.

0261 positive

[pázitiv]

형 1 긍정적인, 낙관적인 2 확신하는 반 uncertain

She always tries to be positive about things.
그녀는 항상 모든 일에 긍정적이려고 노력한다.

positive thoughts 낙관적인 생각

I'm positive that he will come. 나는 그가 올 것이라고 확신한다.

0262 neighborhood

[néibərhùd]

명 1 (도시의) 지역 2 인근, 근처, 이웃

He and I grew up in the same neighborhood.
그와 나는 같은 지역에서 자랐다.

Is there a market in the neighborhood? 근처에 시장이 있니?

0263 express

[iksprés]

동 표현하다, 나타내다 형 급행의

She expressed her views on the subject.
그녀는 그 주제에 대한 자신의 견해를 표현했다.

an express train 급행 열차

0264 achieve

[ətʃíːv]

동 성취하다, 이루다 유 accomplish

He worked hard to achieve his goal.
그는 목표를 성취하기 위해 열심히 일했다.

➕ achievement 명 업적, 달성

0265 instrument

[ínstrəmənt]

명 1 기구, 도구 2 악기

The doctor used an instrument to look into his nose.
의사는 그의 코를 들여다 보기 위해 기구를 사용했다.

string instrument 현악기

0266 ensure

[inʃúər]

동 반드시 ~하게 하다, 보장하다

The police ensure the safety of the people.
경찰은 국민의 안전을 보장한다.

0267 competition

[kàmpitíʃən]

명 1 경쟁 2 대회, 시합

We are in competition with two companies.
우리는 두 회사와 경쟁하고 있다.

win[lose] a competition 시합에서 이기다[지다]

0268 repair
[ripέər]

동 수리하다, 보수하다 ㈜ fix 명 수리, 보수

The road is being repaired. 그 도로는 수리되고 있다.

This radio is in need of repair. 이 라디오는 수리가 필요하다.

0269 enjoyable
[indʒɔ́iəbl]

형 재미있는, 즐거운 ⑪ unpleasant

They had an enjoyable vacation. 그들은 즐거운 휴가를 보냈다.

0270 crush
[krʌʃ]

동 1 눌러 부수다, 찌그러뜨리다 2 빻다, 찧다

I crushed an empty can. 나는 빈 깡통을 찌그러뜨렸다.

crush the garlic 마늘을 빻다

0271 ability
[əbíləti]

명 능력

He showed great musical ability. 그는 뛰어난 음악적 능력을 보였다.

0272 imagine
[imǽdʒin]

동 상상하다

Imagine that you are flying in the sky.
네가 하늘을 날고 있다고 상상해봐라.

0273 performance
[pərfɔ́ːrməns]

명 1 공연; 연주회 2 실적, 성과

The band had a live performance yesterday.
그 밴드는 어제 라이브 공연을 했다.

the country's economic performance 그 나라의 경제 실적

0274 aid
[eid]

명 1 도움 2 원조, 지원 ㈜ support

I finished my work easily with the aid of a computer.
나는 컴퓨터의 도움으로 일을 쉽게 끝냈다.

international aid 국제적 지원

0275 facility
[fəsíləti]

명 (-ies) 시설, 설비

What kind of facilities are there at the hotel?
그 호텔에는 어떤 종류의 시설이 있나요?

leisure facilities 레저 시설

0276 access
[ǽksès]

명 1 (장소·사람 등에의) 접근 2 접근[이용]권

The only access to the island is by boat.
그 섬으로의 유일한 접근법은 배편이다.

I don't have access to the system. 나는 시스템 접근 권한이 없다.

0277 conversation
[kɑ̀nvərséiʃən]

명 대화, 회화

I had a long conversation with her.
나는 그녀와 오랜 대화를 나누었다.

0278 invent
[invént]

동 발명하다

Alexander Graham Bell invented the phone.
알렉산더 그레이엄 벨이 전화를 발명했다.

0279 a number of

많은, 다수의

A number of people visited the festival.
많은 사람들이 그 축제에 방문했다.

0280 check out

1 ~을 확인[점검]하다 2 (호텔에서) 나가다, 체크아웃하다

He checked out the engine before driving.
그는 운전하기 전에 엔진을 점검했다.

When will you check out? 언제 체크아웃하실 건가요?

DAY 14 CHECK-UP

[1-14] 영어는 우리말로, 우리말은 영어로 쓰세요.

1 instrument _____
2 ensure _____
3 imagine _____
4 express _____
5 positive _____
6 enjoyable _____
7 competition _____

8 능력 _____
9 대화, 회화 _____
10 발명하다 _____
11 시설, 설비 _____
12 성취하다, 이루다 _____
13 도움; 원조, 지원 _____
14 공연; 연주회; 실적, 성과 _____

[15-18] 우리말에 맞게 빈칸에 알맞은 말을 넣으세요.

15 I _____ an empty can. (나는 빈 깡통을 찌그러뜨렸다.)

16 I don't have _____ to the system. (나는 시스템 접근 권한이 없다.)

17 This radio is in need of _____. (이 라디오는 수리가 필요하다.)

18 He _____ _____ the engine before driving.
(그는 운전하기 전에 엔진을 점검했다.)

DAY 15
PREVIEW

A 아는 단어/숙어에 체크(V)해보세요.

0281 **shoot**	☐	
0282 **organization**	☐	
0283 **rush**	☐	
0284 **peaceful**	☐	
0285 **occur**	☐	
0286 **advance**	☐	
0287 **sensitive**	☐	
0288 **reply**	☐	
0289 **attitude**	☐	
0290 **illegal**	☐	

0291 **visual**	☐	
0292 **mood**	☐	
0293 **firm**	☐	
0294 **unfortunately**	☐	
0295 **genius**	☐	
0296 **reasonable**	☐	
0297 **horror**	☐	
0298 **abandon**	☐	
0299 **come to an end**	☐	
0300 **look forward to**	☐	

B 사진을 보고 알맞은 단어/숙어를 써보세요.

_____   _____   _____   _____

0281 shoot
[ʃuːt]

동 (shot-shot) 1 (총을) 쏘다 2 (스포츠에서) 슛을 하다

The soldiers shot at the enemy. 군인들은 적군에게 총을 쐈다.

He shot and scored a goal. 그는 슛을 해서 골을 넣었다.

0282 organization
[ɔ̀ːrɡənizéiʃən]

명 1 조직, 단체, 기구 2 구조 ⓤ structure

I want to work at an international organization.
나는 국제 기구에서 일하고 싶다.

the organization of the company 회사의 구조

0283 rush
[rʌʃ]

동 돌진하다, 급하게 가다 명 1 돌진 2 혼잡

People rushed to the door. 사람들이 문 쪽으로 돌진했다.

make a rush for ~로 몰려들다, 돌진하다

rush hour 혼잡 시간대

0284 peaceful
[píːsfəl]

형 평화로운, 평온한

It was a quiet and peaceful morning.
조용하고 평화로운 아침이었다.

0285 occur
[əkə́ːr]

동 일어나다, 발생하다 ⓤ happen

A fire occurred in the factory. 그 공장에서 화재가 일어났다.

0286 advance
[ədvǽns]

동 전진하다; 진보하다 명 전진; 진보 ⓤ progress (동/명)

The army advanced slowly. 군대는 천천히 전진했다.

an advance in culture 문화의 진보

0287 sensitive
[sénsətiv]

형 예민한, 민감한

She is sensitive about her appearance.
그녀는 자신의 외모에 민감하다.

0288 reply
[riplái]

동 대답하다, 답장하다 명 대답, 답장

Please reply after you read the email.
이메일을 읽은 후에 답장해 주세요.

in reply to ~에 대한 대답[답장]으로

0289 attitude
[ǽtitʃùːd]

명 태도, 자세

I always have a positive attitude about life.
나는 항상 삶에 대해 긍정적인 태도를 가지고 있다.

0290 illegal
[ilíːgəl]

형 불법의 반 legal

It's illegal to run a red light.
빨간 불에서 달리는 것은 불법이다.

0291 visual
[víʒuəl]

형 눈에 보이는, 시각의

The movie has excellent visual effects.
그 영화는 시각적 효과가 뛰어나다.

0292 mood
[muːd]

명 1 기분 2 분위기

She is in a bad mood today. 그녀는 오늘 기분이 좋지 않다.
create a mood 분위기를 조성하다

0293 firm
[fəːrm]

형 1 단단한, 딱딱한 반 soft 2 확고한 명 회사

I can't sleep on a firm bed. 나는 딱딱한 침대에서는 못 잔다.
a firm belief 확고한 믿음
She works for a law firm. 그녀는 법률 회사에서 일한다.

0294 unfortunately
[ʌnfɔ́ːrtʃənətli]

부 불행하게도, 유감스럽게도 반 fortunately

Unfortunately, I missed the train.
유감스럽게도 나는 그 기차를 놓쳤다.

＋ unfortunate 형 불행한, 유감스러운

0295 genius
[dʒíːnjəs]

명 1 천재, 귀재 2 타고난 재능, 소질

He was a math genius. 그는 수학 천재였다.
She has a genius for making customers happy.
그녀는 고객들을 행복하게 하는 데 타고난 재능이 있다.

0296 reasonable
[ríːzənəbl]

형 1 합리적인, 타당한 2 (가격이) 적정한, 비싸지 않은

His explanation sounds reasonable. 그의 설명은 타당하게 들린다.
That's a reasonable price. 그것은 적정한 가격이다.

0297 horror

[hɔ́ːrər]

명 공포(감)

The boy cried out in horror. 그 소년은 공포에 질려 비명을 질렀다.

0298 abandon

[əbǽndən]

동 1 버리다 2 포기하다, 단념하다

It's wrong to abandon your pet. 애완동물을 버리는 것은 잘못된 것이다.
abandon one's plan 계획을 포기하다

0299 come to an end

끝나다

The vacation is coming to an end. 방학이 끝나가고 있다.

0300 look forward to

~하기를 고대[기대]하다

I'm looking forward to seeing you again.
다시 만나 뵙기를 고대하고 있습니다.

DAY 15 CHECK-UP

정답 p.287

[1-14] 영어는 우리말로, 우리말은 영어로 쓰세요.

1 firm _____

2 reply _____

3 occur _____

4 shoot _____

5 abandon _____

6 advance _____

7 sensitive _____

8 공포(감) _____

9 불법의 _____

10 태도, 자세 _____

11 기분; 분위기 _____

12 조직, 단체, 기구; 구조 _____

13 눈에 보이는, 시각의 _____

14 불행하게도, 유감스럽게도 _____

[15-18] 우리말에 맞게 빈칸에 알맞은 말을 넣으세요.

15 That's a _____ price. (그것은 적정한 가격이다.)

16 People _____ to the door. (사람들이 문 쪽으로 돌진했다.)

17 The vacation is _____ _____ _____ _____. (방학이 끝나가고 있다.)

18 I'm _____ _____ _____ seeing you again.
   (다시 만나 뵙기를 고대하고 있습니다.)

REVIEW TEST

DAY 11-15

정답 p.287

A 우리말에 맞게 빈칸에 알맞은 말을 넣으세요.

1 a traveling _____ (여행의 동반자)

2 historical _____ (역사적 맥락)

3 an education _____ (교육 제도)

4 on the _____ of the water (수면 위에)

5 _____ head (1인당)

6 Don't judge people by their _____. (사람을 외모로 판단하지 마라.)

7 My throat hurts when I _____. (나는 삼킬 때 목이 아프다.)

8 _____ conditions are getting better. (경제 상황이 좋아지고 있다.)

9 She always tries to be _____ about things. (그녀는 항상 모든 일에 긍정적이려고 노력한다.)

10 It's wrong to _____ your pet. (애완동물을 버리는 것은 잘못된 것이다.)

11 His story is _____ _____ true. (그의 이야기는 결코 진실이 아니다.)

12 She _____ _____ at the stars. (그녀는 별들을 올려다보았다.)

B 밑줄 친 말에 유의하여 다음 문장을 해석하세요.

1 He is anxious to get a job.

_____

2 They screamed with excitement.

_____

3 I have fully recovered from my illness.

_____

4 A number of people visited the festival.

_____

5 Let's move on to the next step.

_____

73

C 밑줄 친 단어와 가장 비슷한 뜻을 가진 단어를 고르세요.

1 This is an <u>opportunity</u> to show my talents.

① ability   ② chance   ③ manner   ④ charm   ⑤ community

2 <u>Reduce</u> your speed at the corner.

① lower   ② avoid   ③ confirm   ④ select   ⑤ ensure

3 I am <u>truly</u> thankful to all of you.

① normally   ② nowadays   ③ sincerely   ④ neither   ⑤ unfortunately

4 He worked hard to <u>achieve</u> his goal.

① abandon   ② express   ③ imagine   ④ deny   ⑤ accomplish

5 I finished my work easily with the <u>aid</u> of a computer.

① staff   ② access   ③ support   ④ growth   ⑤ system

D 보기 에서 빈칸에 들어갈 단어를 골라 쓰세요.

> 보기   organization   fortune   overcome   education   index
>   facility   acquire   reply

1 I received my _____ at schools in London.

2 Find the word in the _____.

3 She made a(n) _____ by selling clothes.

4 Children _____ foreign languages easily.

5 He tried to _____ his fears.

6 I want to work at an international _____.

7 Please _____ after you read the email.

DAY 16
PREVIEW

A 아는 단어/숙어에 체크(V)해보세요.

0301 **announce**	☐	0311 **research** ☐
0302 **saying**	☐	0312 **summarize** ☐
0303 **silence**	☐	0313 **detective** ☐
0304 **elect**	☐	0314 **charity** ☐
0305 **professor**	☐	0315 **mission** ☐
0306 **lastly**	☐	0316 **former** ☐
0307 **panic**	☐	0317 **scientific** ☐
0308 **guarantee**	☐	0318 **instant** ☐
0309 **calculate**	☐	0319 **B as well as A** ☐
0310 **glow**	☐	0320 **little by little** ☐

B 사진을 보고 알맞은 단어/숙어를 써보세요.

_____ _____ _____ _____

학습일 | 1차: 월 일 | 2차: 월 일

0301 announce

[ənáuns]

동 알리다, 발표하다

I will announce the winner in a minute.
곧 우승자를 발표하겠습니다.

0302 saying

[séiiŋ]

명 속담, 격언 ㈜ proverb

As the saying goes, no news is good news.
무소식이 희소식이라는 속담이 있다.

0303 silence

[sáiləns]

명 1 고요, 정적, 적막 2 침묵

Sirens broke the silence of the night.
사이렌 소리가 밤의 적막을 깼다.

a moment of silence 침묵의 순간

0304 elect

[ilékt]

동 선출하다, 선거하다

She was elected president. 그녀는 대통령으로 선출되었다.

⊞ election 명 선거

0305 professor

[prəfésər]

명 교수

He is a professor of history at a university.
그는 대학의 역사학 교수이다.

0306 lastly

[læstli]

부 끝으로, 마지막으로 ㊊ firstly

Lastly, I'd like to thank everyone for their help.
끝으로, 도와주신 모든 분에게 감사드리고 싶습니다.

0307 panic

[pǽnik]

명 극심한 공포, 공황 동 겁을 먹다, 공황 상태에 빠지다

People ran into the streets in a panic.
사람들은 공포에 질려 거리로 뛰어나갔다.

He panicked when the elevator stopped.
엘리베이터가 멈췄을 때 그는 겁을 먹었다.

0308 guarantee

[gæ̀rəntíː]

동 보장하다 명 1 보증; 보증서 2 보장(하는 것)

I can guarantee your success. 네 성공은 내가 보장할 수 있다.

The television is still under guarantee.
이 텔레비전은 아직 품질 보증 기간이 끝나지 않았다.

There's no guarantee we will win. 우리가 이긴다는 보장은 없다.

0309 calculate
[kǽlkjulèit]

통 계산하다

Did you calculate the total cost? 전체 비용을 계산해 봤니?

0310 glow
[glou]

통 (은은한 빛을 내며) 빛나다, 타다 명 (은은한) 불, 불빛 ⑨ light

The sticker glowed in the dark. 그 스티커는 어둠 속에서 빛났다.

I saw the glow of a lantern. 나는 손전등의 불빛을 봤다.

0311 research
[rísərtʃ]

명 연구, 조사 통 [risə́ːrtʃ] 연구[조사]하다

We've conducted research into how the brain works.
우리는 뇌가 어떻게 작용하는지에 대한 연구를 해 왔다.

The team is researching market trends.
그 팀은 시장의 동향을 연구하고 있다.

0312 summarize
[sʌ́məràiz]

통 요약하다

Summarize this novel in 200 to 300 words.
이 소설을 200에서 300단어 내로 요약해라.

⊕ summary 명 요약

0313 detective
[ditéktiv]

명 형사, 수사관; 탐정

The detective found a clue. 그 형사는 단서를 발견했다.

0314 charity
[tʃǽrəti]

명 자선[구호] 단체

She gave her clothes to charity.
그녀는 자신의 옷들을 자선 단체에 기부했다.

0315 mission
[míʃən]

명 1 임무 2 사명

He failed to carry out the mission. 그는 그 임무를 수행하지 못했다.

mission in life 일생의 사명

0316 former
[fɔ́ːrmər]

형 1 이전의, 전임의 2 (시간상) 과거의, 옛날의 ⑪ current

She is a former world champion. 그녀는 이전 세계 챔피언이다.

in former years 옛날에는

0317 scientific
[sàiəntífik]

형 1 과학의 2 과학[체계]적인

We did a scientific experiment in class.
우리는 수업 시간에 과학 실험을 했다.

the scientific method 과학적인 방법

0318 instant [ínstənt]
형 1 즉시의, 즉각적인 2 인스턴트의 명 잠깐, 순간

His new movie brought him **instant** success.
그의 새 영화는 그에게 즉각적인 성공을 가져다 주었다.

I don't drink **instant** coffee. 나는 인스턴트 커피를 마시지 않는다.

in an **instant** 곧, 당장

0319 B as well as A A뿐만 아니라 B도

I can speak Japanese **as well as** English.
나는 영어뿐만 아니라 일본어도 말할 수 있다.

0320 little by little 조금씩, 점점

The water level rose **little by little**. 수위가 점점 높아졌다.

DAY 16 CHECK-UP
정답 p.287

[1-14] 영어는 우리말로, 우리말은 영어로 쓰세요.

1 elect _____
2 lastly _____
3 saying _____
4 instant _____
5 former _____
6 research _____
7 detective _____

8 교수 _____
9 임무; 사명 _____
10 요약하다 _____
11 자선[구호] 단체 _____
12 알리다, 발표하다 _____
13 고요, 정적, 적막; 침묵 _____
14 과학의; 과학[체계]적인 _____

[15-18] 우리말에 맞게 빈칸에 알맞은 말을 넣으세요.

15 There's no _____ we will win. (우리가 이긴다는 보장은 없다.)

16 Did you _____ the total cost? (전체 비용을 계산해 봤니?)

17 The water level rose _____ _____ _____. (수위가 점점 높아졌다.)

18 I can speak Japanese _____ _____ _____ English.
(나는 영어뿐만 아니라 일본어도 말할 수 있다.)

78

DAY 17

PREVIEW

A 아는 단어/숙어에 체크(V)해보세요.

0321 **educate** ☐	0331 **arrange** ☐
0322 **attractive** ☐	0332 **insist** ☐
0323 **sparkle** ☐	0333 **complaint** ☐
0324 **influence** ☐	0334 **ancient** ☐
0325 **standard** ☐	0335 **moreover** ☐
0326 **myth** ☐	0336 **quarrel** ☐
0327 **shave** ☐	0337 **remove** ☐
0328 **survive** ☐	0338 **thirst** ☐
0329 **lightning** ☐	0339 **allow A to ⓥ** ☐
0330 **threat** ☐	0340 **break out** ☐

B 사진을 보고 알맞은 단어/숙어를 써보세요.

_____ _____ _____ _____

0321 educate
[édʒukèit]

동 교육하다

I was educated in a foreign country.
나는 외국에서 교육을 받았다.

+ education 명 교육

0322 attractive
[ətræktiv]

형 매력적인 반 unattractive

Her smile is very attractive. 그녀의 미소는 정말 매력적이다.

an attractive offer 매력적인 제안

0323 sparkle
[spáːrkl]

동 1 반짝이다 2 생기[활기]가 넘치다

Her ring sparkled in the sunlight. 그녀의 반지가 햇빛에 반짝였다.

He always sparkles on stage. 그는 무대에서 항상 생기가 넘친다.

0324 influence
[ínfluəns]

명 영향(력) 동 영향을 미치다 유 affect

He had a great influence on me. 그는 내게 큰 영향을 미쳤다.

Children are easily influenced by their friends.
아이들은 쉽게 친구들의 영향을 받는다.

0325 standard
[stǽndərd]

명 표준, 기준, 수준 유 level 형 일반적인, 표준의

Korea has a high standard of education.
한국은 교육 수준이 높다.

standard weight 표준 체중

0326 myth
[miθ]

명 신화; (근거 없는) 믿음

The unicorn is an animal from Greek myths.
유니콘은 그리스 신화에 나오는 동물이다.

0327 shave
[ʃeiv]

동 (수염 등을) 깎다, 면도하다

He is shaving his beard. 그는 턱수염을 깎고 있다.

0328 survive
[sərváiv]

동 살아남다, 생존하다

Only five people survived the crash.
다섯 명만이 그 추락 사고에서 살아남았다.

+ survival 명 생존

0329 lightning
[láitniŋ]

명 번개　형 아주 빠른, 번개 같은

Lightning flashed in the sky.　하늘에서 번개가 쳤다.

with lightning speed　번개 같은 속도로, 눈 깜짝할 사이에

0330 threat
[θret]

명 1 협박, 위협　2 위협적인 존재

He made a threat against my family.　그는 내 가족을 협박했다.

a threat to world peace　세계 평화에 위협적인 존재

＋ threaten 동 협박[위협]하다

0331 arrange
[əréindʒ]

동 1 정리하다; 배열하다　2 (미리) 계획하다, 준비하다

She arranged the dishes by size.　그녀는 그릇을 크기별로 정리했다.

arrange an event　행사를 준비하다

0332 insist
[insíst]

동 1 강요하다, 조르다　2 주장하다, 우기다

He insisted that I go with him.　그는 내게 함께 갈 것을 강요했다.

I insisted on my innocence.　나는 내 결백을 주장했다.

0333 complaint
[kəmpléint]

명 불평, 항의

He did his job without complaint.　그는 불평 없이 자신의 일을 했다.

make a complaint　항의를 제기하다

0334 ancient
[éinʃənt]

형 1 고대의 ⊕ modern　2 아주 오래된

The ancient Greeks believed in many gods.
고대 그리스인들은 많은 신들을 믿었다.

an ancient tree　아주 오래된 나무

0335 moreover
[mɔːróuvər]

부 게다가, 더욱이

He is handsome; moreover, he is very kind.
그는 잘생겼다. 게다가, 매우 친절하다.

0336 quarrel
[kwɔ́ːrəl]

명 (말)다툼, 싸움 ⊕ argument

I had a quarrel with my brother.　나는 형과 말다툼을 했다.

0337 remove
[rimúːv]

동 1 치우다, 옮기다　2 없애다, 제거하다

Remove your books from the table.　탁자에서 네 책들을 치워라.

Soap helps remove the dirt.
비누는 때를 제거하는 데 도움이 된다.

0338 thirst

[θəːrst]

명 목마름, 갈증

He had terrible thirst after running.
그는 달리기를 한 후 목이 너무 말랐다.

⊞ thirsty 형 목이 마른, 갈증이 나는

0339 allow A to ⓥ

A가 ~하는 것을 허락하다

My mom didn't allow me to go to the concert.
엄마는 내가 콘서트에 가는 것을 허락하지 않으셨다.

0340 break out

발생하다, 발발하다

When did the fire break out? 화재가 언제 발생했나요?

[1-14] 영어는 우리말로, 우리말은 영어로 쓰세요.

1	shave	_____	8	교육하다
2	insist	_____	9	매력적인
3	thirst	_____	10	불평, 항의
4	quarrel	_____	11	살아남다, 생존하다
5	moreover	_____	12	고대의; 아주 오래된
6	lightning	_____	13	신화; (근거 없는) 믿음
7	influence	_____	14	협박, 위협; 위협적인 존재

[15-18] 우리말에 맞게 빈칸에 알맞은 말을 넣으세요.

15 When did the fire _____ _____? (화재가 언제 발생했나요?)

16 _____ your books from the table. (탁자에서 네 책들을 치워라.)

17 Korea has a high _____ of education. (한국은 교육 수준이 높다.)

18 She _____ the dishes by size. (그녀는 그릇을 크기별로 정리했다.)

DAY 18
PREVIEW

A 아는 단어/숙어에 체크(V)해보세요.

0341 **attract**	☐	0351 **counselor**	☐
0342 **disappointed**	☐	0352 **generation**	☐
0343 **mess**	☐	0353 **persuade**	☐
0344 **likely**	☐	0354 **competitive**	☐
0345 **postpone**	☐	0355 **risk**	☐
0346 **innocent**	☐	0356 **pale**	☐
0347 **apology**	☐	0357 **consist**	☐
0348 **mostly**	☐	0358 **disappear**	☐
0349 **fortunate**	☐	0359 **from time to time**	☐
0350 **retire**	☐	0360 **keep in mind**	☐

B 사진을 보고 알맞은 단어/숙어를 써보세요.

_____ _____ _____ _____

0341 attract
[ətrǽkt]

동 1 끌어들이다 2 (주의·흥미를) 끌다

The store tried to attract more customers.
그 가게는 더 많은 손님들을 끌려고 노력했다.

attract interest 관심을 끌다

0342 disappointed
[dìsəpɔ́intid]

형 실망한, 낙담한 반 satisfied

We were disappointed with the result. 우리는 그 결과에 실망했다.

⊞ disappoint 동 실망시키다

0343 mess
[mes]

명 뒤죽박죽, 엉망진창 동 어질러 놓다, 엉망으로 만들다

My room is a mess. 내 방은 엉망진창이다.
Who messed up the kitchen? 누가 부엌을 어질러 놓았니?

0344 likely
[láikli]

형 1 ~할 것 같은 2 있음직한, 그럴듯한 부 아마, 어쩌면

She is likely to arrive late. 그녀는 늦게 도착할 것 같다.
He is the most likely student to succeed.
그는 가장 성공할 것 같은 학생이다.
He will most likely be at home. 그는 아마 집에 있을 것이다.

0345 postpone
[poustpóun]

동 미루다, 연기하다 유 delay

The game is postponed until next week.
그 경기는 다음 주까지 연기되었다.

0346 innocent
[ínəsənt]

형 1 죄가 없는, 결백한 반 guilty 2 순진한, 순결한

He is innocent of the crime. 그는 그 범죄에 대해 결백하다.
an innocent child 순진한 아이

0347 apology
[əpɑ́lədʒi]

명 사과, 사죄

I sent him a letter of apology. 나는 그에게 사과의 편지를 보냈다.

0348 mostly
[móus<i>t</i>li]

부 대부분, 대개; 주로 유 mainly

The customers were mostly women. 고객들은 대부분 여성이었다.

0349 fortunate
[fɔ́ːrtʃənit]

형 운이 좋은, 다행인 빤 unfortunate

It is fortunate that you didn't get hurt seriously.
네가 심하게 다치지 않아 다행이다.

0350 retire
[ritáiər]

동 은퇴하다, 퇴직하다

He retired from teaching last year. 그는 작년에 교직에서 은퇴했다.
⊞ retirement 명 은퇴, 퇴직

0351 counselor
[káunsələr]

명 상담가

The counselor advised me on my problems.
그 상담가는 내게 내 문제들에 관해 조언을 했다.

0352 generation
[dʒènəréiʃən]

명 1 동시대의 사람들; 세대, 대(代) 2 발생

His songs are popular with the younger generation.
그의 노래들은 젊은 세대에게 인기가 있다.

the generation of heat 열의 발생

0353 persuade
[pərswéid]

동 (~하도록) 설득하다

He persuaded me to buy a car. 그는 내게 차를 사라고 설득했다.

0354 competitive
[kəmpétətiv]

형 1 경쟁적인, 경쟁하는 2 경쟁심이 강한

We live in a highly competitive society.
우리는 매우 경쟁적인 사회에서 살고 있다.

a competitive player 경쟁심이 강한 선수

0355 risk
[risk]

명 1 위험(성) 윤 danger 2 위험 요소[요인]

Smoking increases the risk of cancer.
흡연은 암의 위험을 증가시킨다.

a fire risk 화재 위험 요인

0356 pale
[peil]

형 1 (색깔이) 옅은, 연한 2 (얼굴이) 창백한

I painted the wall pale blue. 나는 벽을 옅은 파란색으로 칠했다.
She became pale with fear. 그녀는 공포로 얼굴이 창백해졌다.

0357 consist
[kənsíst]

동 ~로 구성되다 ((of))

Each class consists of 30 students.
각 학급은 30명의 학생들로 구성된다.

0358 disappear
[disəpíər]

图 1 (시야에서) 사라지다 2 (존재가) 없어지다[사라지다]

The car **disappeared** from view. 그 차는 시야에서 사라졌다.
The rumor **disappeared** quickly. 그 소문은 빠르게 사라졌다.

0359 from time to time

때때로, 가끔

We eat lunch in the park from time to time.
우리는 가끔 공원에서 점심을 먹는다.

0360 keep in mind

명심하다, 잊지 않고 기억해 두다

We need to keep in mind what our teacher said.
우리는 선생님께서 하신 말씀을 명심해야 한다.

DAY 18 CHECK-UP

정답 p.287

[1-14] 영어는 우리말로; 우리말은 영어로 쓰세요.

1 mess _____

2 pale _____

3 mostly _____

4 attract _____

5 fortunate _____

6 innocent _____

7 generation _____

8 상담가 _____

9 사과, 사죄 _____

10 ~로 구성되다 _____

11 (~하도록) 설득하다 _____

12 미루다, 연기하다 _____

13 은퇴하다, 퇴직하다 _____

14 위험(성), 위험 요소[요인] _____

[15-18] 우리말에 맞게 빈칸에 알맞은 말을 넣으세요.

15 The car _____ from view. (그 차는 시야에서 사라졌다.)

16 We were _____ with the result. (우리는 그 결과에 실망했다.)

17 We live in a highly _____ society. (우리는 매우 경쟁적인 사회에서 살고 있다.)

18 We need to _____ _____ _____ what our teacher said.
(우리는 선생님께서 하신 말씀을 명심해야 한다.)

DAY 19
PREVIEW

A 아는 단어/숙어에 체크(V)해보세요.

0361 **policy**	☐	
0362 **solution**	☐	
0363 **request**	☐	
0364 **import**	☐	
0365 **modern**	☐	
0366 **flavor**	☐	
0367 **saving**	☐	
0368 **origin**	☐	
0369 **version**	☐	
0370 **technology**	☐	

0371 **confident**	☐
0372 **income**	☐
0373 **distant**	☐
0374 **suggestion**	☐
0375 **relieve**	☐
0376 **mental**	☐
0377 **stain**	☐
0378 **compare**	☐
0379 **now that**	☐
0380 **pay off**	☐

B 사진을 보고 알맞은 단어/숙어를 써보세요.

_____ _____ _____ _____

0361 policy
[púləsi]

몡 정책, 방침

The president announced a new policy.
대통령은 새 정책을 발표했다.

0362 solution
[səlúːʃən]

몡 해법, 해결책; 해답, 정답

We are looking for a solution to the problem.
우리는 그 문제에 대한 해결책을 찾고 있다.

0363 request
[rikwést]

몡 동 요청(하다), 부탁(하다)

You can get a sample on request.
요청하면 샘플을 받을 수 있습니다.

They requested an interview with the new director.
그들은 새 이사와의 면담을 요청했다.

0364 import
[ímpɔːrt]

몡 수입(품)   동 [impɔ́ːrt] 수입하다 吧 export(몡/동)

This is an import from Italy.   이것은 이탈리아에서 온 수입품이다.

We import coffee from Brazil.   우리는 브라질에서 커피를 수입한다.

0365 modern
[mádərn]

혱 현대의, 근대의

Pollution is a serious problem in modern society.
오염은 현대 사회에서 심각한 문제이다.

0366 flavor
[fléivər]

몡 1 맛, 풍미 2 조미료, 양념

The store has many flavors of ice cream.
그 가게에는 다양한 맛의 아이스크림이 있다.

a natural flavor 천연 조미료

0367 saving
[séiviŋ]

몡 1 (-s) 저축한 돈, 저금 2 절약(한 양)

I spent all my savings on a car. 나는 차를 사느라 저축한 돈을 모두 썼다.
Buy three and make a saving of one dollar.
세 개를 사고 1달러를 절약해라.

0368 origin
[ɔ́ːridʒin]

몡 1 기원, 유래 2 태생, 출신

The origin of the universe is still unknown.
우주의 기원은 여전히 알려지지 않고 있다.

The woman is of Asian origin. 그 여자는 아시아 태생이다.

0369 version
[və́:rʒən]

명 (이전과 다른) ~판, 형태

This is the latest version of the game.
이것은 그 게임의 최신판이다.

0370 technology
[teknálədʒi]

명 (과학) 기술

New technology is changing the world.
새로운 과학 기술은 세상을 변화시키고 있다.

⊞ technological 형 (과학) 기술의

0371 confident
[kánfidənt]

형 1 자신감 있는 2 확신하는

She is confident in her English. 그녀는 영어에 자신감이 있다.
Our team is confident of victory. 우리 팀은 승리를 확신한다.

⊞ confidence 명 자신(감); 확신

0372 income
[ínkʌm]

명 소득, 수입

I have a very good income. 나는 수입이 매우 좋다.
high[low] income 고[저]소득

0373 distant
[dístənt]

형 1 (거리가) 먼, 멀리 떨어진 ㉮ far 2 (시간이) 먼, 아득한

The man traveled to distant lands.
그 남자는 먼 곳으로 여행을 갔다.
in the distant past 아주 먼 옛날에

0374 suggestion
[sədʒéstʃən]

명 1 제안, 제의 2 시사, 암시

Can I make a suggestion? 제안을 하나 해도 될까요?
There was no suggestion that he broke any rules.
그가 어떤 규칙을 어겼다는 암시는 전혀 없었다.

0375 relieve
[rilíːv]

동 1 (고통 등을) 덜다[없애다] ㉮ ease 2 (심각성을) 완화하다[줄이다]

This medicine will relieve your pain.
이 약이 당신의 통증을 덜어줄 것이다.
relieve rush-hour traffic 혼잡시간대 교통 체증을 줄이다

0376 mental
[méntəl]

형 마음의, 정신의 2 (건강상의) 정신적인 ㉯ physical

Try to have a positive mental attitude.
긍정적인 마음가짐을 가지려고 노력해라.
mental illness 정신병

0377 stain
[stein]

동 더럽히다, 얼룩을 남기다   명 얼룩

The carpet was stained with ink. 그 카펫은 잉크로 더러워졌다.
There is a stain on your shirt. 네 셔츠에 얼룩이 있다.

0378 compare
[kəmpέər]

동 1 비교하다 2 비유하다

He compared prices online. 그는 온라인으로 가격을 비교했다.
People compare life to a journey. 사람들은 인생을 여행에 비유한다.

⊞ comparison 명 비교, 대조

0379 now that

~이므로, ~이기 때문에

I feel calm now that the test is over.
시험이 끝나서 나는 마음이 편하다.

0380 pay off

성과를 거두다, 성공하다

All these efforts will pay off. 이 모든 노력들은 성과를 거둘 것이다.

DAY 19   CHECK-UP
정답 p.287

[1-14] 영어는 우리말로, 우리말은 영어로 쓰세요.

1 stain _____

2 origin _____

3 policy _____

4 mental _____

5 distant _____

6 modern _____

7 confident _____

8 (과학) 기술 _____

9 소득, 수입 _____

10 제안, 제의; 시사, 암시 _____

11 요청(하다), 부탁(하다) _____

12 비교하다; 비유하다 _____

13 맛, 풍미; 조미료, 양념 _____

14 해법, 해결책; 해답, 정답 _____

[15-18] 우리말에 맞게 빈칸에 알맞은 말을 넣으세요.

15 This medicine will _____ your pain. (이 약이 당신의 통증을 덜어줄 것이다.)

16 We _____ coffee from Brazil. (우리는 브라질에서 커피를 수입한다.)

17 I spent all my _____ on a car. (나는 차를 사느라 저축한 돈을 모두 썼다.)

18 All these efforts will _____ _____. (이 모든 노력들은 성과를 거둘 것이다.)

DAY 20

PREVIEW

A 아는 단어/숙어에 체크(V)해보세요.

0381 **personal**	☐	0391 **essential**	☐
0382 **vivid**	☐	0392 **rid**	☐
0383 **profit**	☐	0393 **prove**	☐
0384 **imaginative**	☐	0394 **damage**	☐
0385 **impress**	☐	0395 **argue**	☐
0386 **motivate**	☐	0396 **compete**	☐
0387 **highly**	☐	0397 **immediately**	☐
0388 **consume**	☐	0398 **ignore**	☐
0389 **cruel**	☐	0399 **not only A but also B**	☐
0390 **operate**	☐	0400 **keep in touch**	☐

B 사진을 보고 알맞은 단어/숙어를 써보세요.

_____ _____ _____ _____

학습일 | 1차: 월 일 | 2차: 월 일

0381 personal

[pə́rsənəl]

형 1 개인의 2 개인적인, 사적인 ㉠ private

The song is based on his personal experiences.
그 노래는 그의 개인 경험에 근거하고 있다.

She didn't answer the personal questions.
그녀는 개인적인 질문들에는 답하지 않았다.

0382 vivid

[vívid]

형 1 (기억·묘사 등이) 생생한 ㉠ vague 2 (색 등이) 선명한

I still have vivid memories of the scene.
그 장면은 아직도 내 기억에 생생하다.

vivid blue sky 선명하게 푸른 하늘

0383 profit

[práfit]

명 (금전적인) 이익, 수익 ㉠ loss

We made a huge profit on the deal.
우리는 그 거래에서 큰 이익을 보았다.

0384 imaginative

[imǽdʒənətiv]

형 상상력이 풍부한, 창의적인

She is an imaginative writer. 그녀는 상상력이 풍부한 작가이다.

0385 impress

[ímprès]

동 깊은 인상을 주다, 감명을 주다

Her speech impressed the students.
그녀의 연설은 학생들에게 감명을 주었다.

+ impression 명 인상, 느낌; 감명

0386 motivate

[móutəvèit]

동 동기를 부여하다, 자극하다

The teacher motivated him to study hard.
선생님은 그가 공부를 열심히 하도록 동기를 부여했다.

0387 highly

[háili]

부 1 대단히, 매우 2 (수준 등이) 높이[많이], 고도로

He is a highly successful businessman.
그는 대단히 성공한 사업가이다.

highly developed 고도로 발달된

0388 consume

[kənsjú:m]

동 소비[소모]하다

The car consumes a lot of fuel. 그 차는 많은 연료를 소비한다.

+ consumption 명 소비, 소모

0389 cruel
[krúːəl]

형 잔혹한, 잔인한

I hate people who are cruel to animals.
나는 동물들에게 잔인한 사람을 싫어한다.

0390 operate
[ápərèit]

동 1 조작하다; 작동되다 2 수술하다 ((on))

Can you operate this machine? 너는 이 기계를 조작할 수 있니?

operate on a patient 환자를 수술하다

0391 essential
[isénʃəl]

형 1 없어서는 안될, 필수적인 ㊦ necessary 2 본질[근본]적인

Regular exercise is essential to good health.
규칙적인 운동은 좋은 건강에 필수적이다.

an essential difference 본질적인 차이

0392 rid
[rid]

동 (rid-rid) (~에게서) 없애다, 제거하다 ((of))

She rid her room of dust. 그녀는 방의 먼지를 제거했다.

0393 prove
[pruːv]

동 1 증명[입증]하다 2 (~임이) 드러나다

Can you prove that I'm wrong? 내가 틀렸다고 증명할 수 있니?

The painting proved to be a fake. 그 그림은 위조품으로 드러났다.

⊞ proof 명 증거

0394 damage
[dǽmidʒ]

동 손상을 입히다, 피해를 끼치다 명 손상, 피해

The building was damaged in the fire.
그 건물은 화재로 손상되었다.

do[cause] damage to ~에게 피해를 입히다

0395 argue
[áːrgjuː]

동 1 언쟁[논쟁]하다 2 주장하다

They argued about the matter. 그들은 그 문제에 대해 논쟁했다.

I argued that I needed a car. 나는 차가 필요하다고 주장했다.

⊞ argument 명 1 언쟁 2 주장

0396 compete
[kəmpíːt]

동 1 경쟁하다 2 (경기 등에) 참가하다

Several teams are competing for the prize.
그 상을 놓고 몇몇 팀들이 경쟁하고 있다.

compete in a race 경주에 참가하다

0397 immediately

[imíːdiətli]

图 즉시, 즉각

Please fix this machine immediately. 이 기계를 즉시 수리해 주세요.

⊞ immediate 웹 즉각적인

0398 ignore

[ignɔ́ːr]

동 무시하다

They ignored my advice. 그들은 내 충고를 무시했다.

0399 not only A but also B

A뿐만 아니라 B도

The movie is good for not only children but also adults.
그 영화는 아이들뿐만 아니라 어른들에게도 좋다.

0400 keep in touch

~와 접촉[연락]을 지속하다 ((with))

Do you keep in touch with him? 너는 그와 계속 연락하니?

DAY 20　CHECK-UP

정답 p.288

[1-14] 영어는 우리말로, 우리말은 영어로 쓰세요.

1 rid _____
2 prove _____
3 highly _____
4 operate _____
5 impress _____
6 essential _____
7 motivate _____

8 즉시, 즉각 _____
9 무시하다 _____
10 소비[소모]하다 _____
11 잔혹한, 잔인한 _____
12 (금전적인) 이익, 수익 _____
13 언쟁[논쟁]하다; 주장하다 _____
14 경쟁하다; (경기 등에) 참가하다 _____

[15-18] 우리말에 맞게 빈칸에 알맞은 말을 넣으세요.

15 The building was _____ in the fire. (그 건물은 화재로 손상되었다.)

16 Do you _____ _____ _____ with him? (너는 그와 계속 연락하니?)

17 She is a(n) _____ writer. (그녀는 상상력이 풍부한 작가이다.)

18 She didn't answer the _____ questions. (그녀는 개인적인 질문들에는 답하지 않았다.)

정답 p.288

A 우리말에 맞게 빈칸에 알맞은 말을 넣으세요.

1 a moment of _____ (침묵의 순간)

2 make a(n) _____ (항의를 제기하다)

3 the _____ method (과학적인 방법)

4 _____ illness (정신병)

5 _____ on a patient (환자를 수술하다)

6 _____ this novel in 200 to 300 words. (이 소설을 200에서 300단어 내로 요약해라.)

7 She was _____ president. (그녀는 대통령으로 선출되었다.)

8 He had terrible _____ after running. (그는 달리기를 한 후 목이 너무 말랐다.)

9 He is _____ his beard. (그는 턱수염을 깎고 있다.)

10 The teacher _____ him to study hard. (선생님은 그가 공부를 열심히 하도록 동기를 부여했다.)

11 The car _____ a lot of fuel. (그 차는 많은 연료를 소비한다.)

12 The movie is good for _____ _____ children _____ _____ adults. (그 영화는 아이들뿐만 아니라 어른들에게도 좋다.)

B 밑줄 친 말에 유의하여 다음 문장을 해석하세요.

1 I can <u>guarantee</u> your success.

_____

2 He had a great <u>influence</u> on me.

_____

3 Please fix this machine <u>immediately</u>.

_____

4 I feel calm <u>now that</u> the test is over.

_____

5 We eat lunch in the park <u>from time to time</u>.

_____

C 밑줄 친 단어와 반대인 뜻을 가진 단어를 고르세요.

1 The ancient Greeks believed in many gods.

① modern ② former ③ distant ④ standard ⑤ competitive

2 He is innocent of the crime.

① cruel ② pale ③ guilty ④ imaginative ⑤ disappointed

3 This is an import from Italy.

① income ② export ③ request ④ origin ⑤ policy

4 We made a huge profit on the deal.

① threat ② solution ③ mission ④ loss ⑤ risk

5 I still have vivid memories of the scene.

① likely ② vague ③ pale ④ essential ⑤ fortunate

D 보기 에서 빈칸에 공통으로 들어갈 단어를 골라 쓰세요.

| 보기 | confident | instant | prove | mess | survive | compare |

1 His new movie brought him _____ success.

I don't drink _____ coffee.

2 He _____d prices online.

People _____ life to a journey.

3 Can you _____ that I'm wrong?

The painting _____d to be a fake.

4 She is _____ in her English.

Our team is _____ of victory.

5 My room is a(n) _____.

Who _____ed up the kitchen?

CROSSWORD PUZZLE

DAY 11-20

정답 p.288

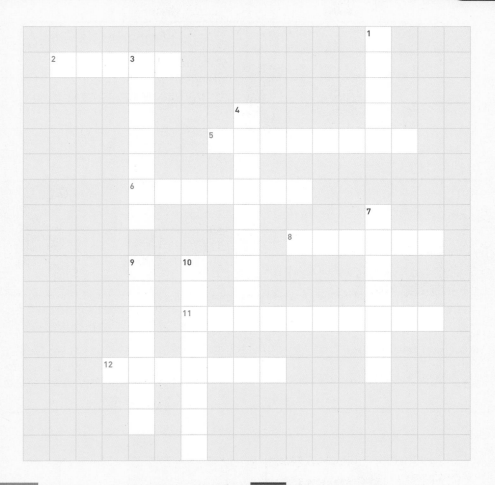

Across
2 피하다, 회피하다; 방지하다
5 (~하도록) 설득하다
6 얻다, 습득하다
8 소득, 수입
11 제안, 제의; 시사, 암시
12 비교하다; 비유하다

Down
1 군중, 사람들
3 불법의
4 처음, 시작
7 확증하다; 확인하다
9 사과, 사죄
10 미루다, 연기하다

travel planner 여행 상품 개발자

- plans travel packages and arranges travel for customers
여행 패키지 상품을 개발하고 고객의 여행을 주선하다

tour guide 여행 가이드

- introduces tourists tour attractions and culture
관광객에게 관광지와 문화를 소개하다

hotel concierge 호텔 컨시어지

- welcomes customers and provides service to them 고객을 맞이하고 서비스를 제공하다

travel writer/ guidebook writer 여행 작가/가이드북 작가

- writes reviews about places for the potential tourists 잠재 관광객을 위해 장소에 대해 후기를 작성하다

hotel chef 호텔 주방장

- studies recipes and creates dishes for hotel guests 요리법을 연구하고 호텔 숙박객을 위한 요리를 창조하다

DAY 21

PREVIEW

A 아는 단어/숙어에 체크(V)해보세요.

0401 **container**	☐	0411 **minor**	☐
0402 **paragraph**	☐	0412 **messy**	☐
0403 **term**	☐	0413 **degree**	☐
0404 **publish**	☐	0414 **religious**	☐
0405 **custom**	☐	0415 **decision**	☐
0406 **correctly**	☐	0416 **settle**	☐
0407 **attend**	☐	0417 **manual**	☐
0408 **variety**	☐	0418 **phrase**	☐
0409 **knowledge**	☐	0419 **according to**	☐
0410 **shift**	☐	0420 **be used to**	☐

B 사진을 보고 알맞은 단어/숙어를 써보세요.

_____ _____ _____ _____

0401 container
[kəntéinər]

명 1 용기, 그릇 2 (화물용) 컨테이너

I put the food in the container. 나는 용기에 음식을 담았다.

a container truck 컨테이너 트럭

0402 paragraph
[pǽrəgræf]

명 단락, 절(節)

Look at the first line of the second paragraph.
두 번째 단락의 첫 줄을 봐라.

0403 term
[təːrm]

명 1 용어 2 기간 ㊀ period

I don't know many legal terms. 나는 많은 법률 용어를 알지는 못한다.

in the long term 장기적으로

0404 publish
[pʌ́bliʃ]

동 발행하다, 출판하다 ㊀ issue

The magazine is published weekly. 그 잡지는 매주 발행된다.

⊞ publisher 명 출판사, 발행인

0405 custom
[kʌ́stəm]

명 1 풍습, 관습; (개인의) 습관 2 (-s) 관세; 세관 (통과소)

They still follow the local customs.
그들은 여전히 그 지방의 관습을 따른다.

The tourists are passing through customs.
관광객들이 세관을 통과하고 있다.

0406 correctly
[kəréktli]

부 바르게, 정확하게 ㊇ incorrectly

Please enter your password correctly.
비밀번호를 정확하게 입력하세요.

0407 attend
[əténd]

동 1 출석[참석]하다 2 (학교 등에) 다니다

He will attend the meeting. 그는 그 회의에 참석할 것이다.

My brother attends college. 우리 형은 대학에 다닌다.

0408 variety
[vəráiəti]

명 1 여러 가지, 갖가지 2 다양성 ㊀ range

That movie theater shows a variety of films.
저 영화관은 여러 종류의 영화들을 상영한다.

add variety to ~에 다양성을 더하다

0409 knowledge
[nάlidʒ]

명 지식, 학식

He has a broad knowledge of world history.
그는 세계사에 폭넓은 지식을 가지고 있다.

common knowledge 상식

0410 shift
[ʃift]

동 옮기다, 이동하다 ㈜ move 명 (입장 등의) 변화, 이동

A person's focus often shifts from one thing to another.
사람의 초점은 종종 한 곳에서 다른 곳으로 옮겨진다.

a shift in policy 정책의 변화

0411 minor
[máinər]

형 1 중요하지 않은, 사소한 ㉇ major 2 가벼운, 경미한

I made a few minor changes to the plan.
나는 그 계획에 몇 가지 사소한 수정을 가했다.

She is in the hospital for minor surgery.
그녀는 경미한 수술로 입원 중이다.

0412 messy
[mési]

형 지저분한, 어지러운 ㉇ tidy

I can't find anything in this messy room.
나는 이 지저분한 방에서 아무것도 찾을 수 없다.

0413 degree
[digrí:]

명 1 (온도·각도 따위의) 도 2 정도; 단계 3 학위

Today's temperature was 30 degrees. 오늘 기온은 30도였다.
I agree with you to some degree. 나는 어느 정도는 네게 동의한다.

get a degree 학위를 받다

0414 religious
[rilídʒəs]

형 1 종교의 2 신앙심이 깊은

He doesn't drink due to his religious beliefs.
그는 종교적 신념 때문에 술을 마시지 않는다.

My family is very religious. 우리 가족은 신앙심이 매우 깊다.

0415 decision
[disíʒən]

명 결정, 판단

You should make a decision by tomorrow.
너는 내일까지 결정을 내려야 한다.

0416 settle
[sétl]

동 1 (문제 등을) 해결하다 ㈜ resolve 2 정착하다

We have to settle the matter. 우리는 그 문제를 해결해야 한다.
They settled in the city. 그들은 그 도시에 정착했다.

0417 manual

[mǽnjuəl]

형 손으로 하는, 육체 노동의   명 소책자, 설명서

He is a manual worker. 그는 육체 노동자이다.

a product manual 제품 설명서

0418 phrase

[freiz]

명 구; 문구, 구절

What does this phrase mean? 이 구절은 무슨 의미이니?

0419 according to

1 ~에 따르면[의하면]   2 ~에 따라

According to rumors, he is already back.
소문에 의하면, 그는 이미 돌아왔다고 한다.

Nothing went according to plan. 아무것도 계획대로 되지 않았다.

0420 be used to

~에 익숙하다

She is used to getting up early. 그녀는 일찍 일어나는 것에 익숙하다.

DAY 21 CHECK-UP

정답 p.288

[1-14] 영어는 우리말로, 우리말은 영어로 쓰세요.

1 shift _____

2 messy _____

3 phrase _____

4 settle _____

5 attend _____

6 manual _____

7 publish _____

8 단락, 절(節) _____

9 지식, 학식 _____

10 결정, 판단 _____

11 용어; 기간 _____

12 바르게, 정확하게 _____

13 종교의; 신앙심이 깊은 _____

14 여러 가지, 갖가지; 다양성 _____

[15-18] 우리말에 맞게 빈칸에 알맞은 말을 넣으세요.

15 Today's temperature was 30 _____. (오늘 기온은 30도였다.)

16 _____ _____ rumors, he is already back. (소문에 의하면, 그는 이미 돌아왔다고 한다.)

17 She _____ _____ _____ getting up early.
(그녀는 일찍 일어나는 것에 익숙하다.)

18 I made a few _____ changes to the plan. (나는 그 계획에 몇 가지 사소한 수정을 가했다.)

DAY 22
PREVIEW

A 아는 단어/숙어에 체크(V)해보세요.

0421 **destination** ☐	0431 **rank** ☐
0422 **improve** ☐	0432 **abstract** ☐
0423 **novel** ☐	0433 **waterproof** ☐
0424 **spot** ☐	0434 **visible** ☐
0425 **due** ☐	0435 **probably** ☐
0426 **require** ☐	0436 **twisted** ☐
0427 **accurate** ☐	0437 **badly** ☐
0428 **section** ☐	0438 **difficulty** ☐
0429 **contrast** ☐	0439 **back and forth** ☐
0430 **cooperate** ☐	0440 **figure out** ☐

B 사진을 보고 알맞은 단어/숙어를 써보세요.

0421 destination
[dèstənéiʃən]

명 목적지, (물품의) 도착지

Our first destination on the trip is New York.
우리 여행의 첫 목적지는 뉴욕이다.

What is the destination of these products?
이 제품들의 도착지는 어디인가요?

0422 improve
[imprúːv]

동 개선하다; 나아지다 ⊕ worsen

The hotel improved its service. 그 호텔은 서비스를 개선했다.

My health has improved a lot. 내 건강은 많이 나아졌다.

⊞ improvement 명 개선

0423 novel
[návəl]

명 소설 ⊕ fiction 형 새로운, 기발한

He has written three novels. 그는 세 편의 소설을 썼다.

a novel idea 기발한 생각

0424 spot
[spɑt]

명 1 장소 2 점, 반점; 얼룩 동 발견하다

I found a good spot for fishing. 나는 낚시하기에 좋은 장소를 찾았다.

The banana has brown spots on it.
그 바나나 위에 갈색 반점들이 있다.

easy[difficult] to spot 발견하기 쉬운[어려운]

0425 due
[djuː]

형 1 ~하기로 되어 있는[예정된] 2 (돈을) 지불해야 하는

I'm due to leave at six. 나는 6시에 떠날 예정이다.

The rent is due tomorrow. 집세는 내일까지 지불해야 한다.

0426 require
[rikwáiər]

동 1 필요로 하다 2 요구하다

This job requires a lot of experience.
이 직업은 많은 경험을 필요로 한다.

You are required to follow the rules. 규칙을 따를 것이 요구된다.

0427 accurate
[ǽkjərit]

형 정확한 ⊕ precise

The numbers in the report are accurate.
그 보고서의 수치는 정확하다.

⊞ accuracy 명 정확(성)

0428 section
[sékʃən]

명 부분, 구획

Where is the fiction section in this library?
이 도서관에서 소설 구획은 어디인가요?

0429 contrast
[kəntrǽst]

동 대조[대비]하다; 대조를 이루다   명 [kántræst] 대조, 대비

The white snow contrasts with the blue sky.
하얀 눈은 파란 하늘과 대조를 이룬다.

in contrast to ~와는 대조적으로

0430 cooperate
[kouápərèit]

동 협력하다, 협동하다

We must cooperate with each other. 우리는 서로 협력해야 한다.

⊞ cooperation 명 협력, 협동

0431 rank
[ræŋk]

명 지위; 계급   동 (순위 등을) 매기다, 평가하다

He is a person of high social rank. 그는 사회적 지위가 높은 사람이다.
She is ranked among the greatest artists.
그녀는 최고의 예술가들 중 한 명으로 평가된다.

0432 abstract
[ǽbstrækt]

형 추상적인

His idea is too abstract. 그의 아이디어는 너무 추상적이다.

abstract art 추상미술

0433 waterproof
[wɔ́:tərprù:f]

형 방수(防水)의

My watch is waterproof. 내 시계는 방수가 된다.

0434 visible
[vízəbl]

형 눈에 보이는 반 invisible

The full moon is visible through the clouds.
구름 사이로 보름달이 보인다.

0435 probably
[prábəbli]

부 아마도 유 maybe

I'll probably stay home tomorrow.
나는 아마 내일 집에 있을 것이다.

0436 twisted
[twístid]

형 꼬인, 뒤틀린; 접질린, 삔

My twisted ankle is sore. 내 접질린 발목이 아프다.

0437 badly
[bǽdli]

🔸 1 틀리게; 졸렬하게 2 몹시; 심하게

He speaks Spanish badly. 그는 스페인어가 서투르다.
He misses his hometown badly. 그는 고향을 몹시 그리워한다.

0438 difficulty
[dífikʌlti]

🔸 곤란, 어려움

Do you have difficulty sleeping? 잠자는 데 어려움이 있으신가요?
without difficulty 어려움 없이

0439 back and forth

앞뒤로; 왔다갔다

I often go back and forth between Tokyo and Seoul.
나는 도쿄와 서울을 자주 왔다갔다한다.

0440 figure out

~을 이해하다[알아내다]; 생각해 내다

The police figured out how the accident happened.
경찰은 사고가 어떻게 일어났는지를 알아냈다.

DAY 22 CHECK-UP

정답 p.288

[1-14] 영어는 우리말로, 우리말은 영어로 쓰세요.

1 rank _____

2 badly _____

3 twisted _____

4 require _____

5 improve _____

6 probably _____

7 section _____

8 정확한 _____

9 추상적인 _____

10 눈에 보이는 _____

11 곤란, 어려움 _____

12 협력하다, 협동하다 _____

13 소설; 새로운, 기발한 _____

14 목적지, (물품의) 도착지 _____

[15-18] 우리말에 맞게 빈칸에 알맞은 말을 넣으세요.

15 The rent is _____ tomorrow. (집세는 내일까지 지불해야 한다.)

16 The white snow _____ with the blue sky. (하얀 눈은 파란 하늘과 대조를 이룬다.)

17 The police _____ _____ how the accident happened.
(경찰은 사고가 어떻게 일어났는지를 알아냈다.)

18 I often go _____ _____ _____ between Tokyo and Seoul.
(나는 도쿄와 서울을 자주 왔다갔다한다.)

DAY 23

PREVIEW

A 아는 단어/숙어에 체크(V)해보세요.

0441 **sight**	☐	
0442 **disappoint**	☐	
0443 **holy**	☐	
0444 **motion**	☐	
0445 **stiff**	☐	
0446 **content**	☐	
0447 **omit**	☐	
0448 **explain**	☐	
0449 **prime**	☐	
0450 **criminal**	☐	

0451 **civil**	☐	
0452 **expand**	☐	
0453 **comparison**	☐	
0454 **diverse**	☐	
0455 **assist**	☐	
0456 **drip**	☐	
0457 **worth**	☐	
0458 **sew**	☐	
0459 **regardless of**	☐	
0460 **play a role in**	☐	

B 사진을 보고 알맞은 단어/숙어를 써보세요.

_____   _____   _____   _____

0441 sight
[sait]

囘 1 시력 2 보기, 봄 3 시야

He has very good sight. 그는 시력이 매우 좋다.
at first sight 첫눈에
out of sight 보이지 않는 곳에

0442 disappoint
[dìsəpɔ́int]

图 실망시키다 ⊕ satisfy

The movie disappointed me. 그 영화는 나를 실망시켰다.
⊞ disappointment 囘 실망

0443 holy
[hóuli]

웹 신성한, 성스러운

This temple is a holy place. 이 사원은 신성한 장소이다.

0444 motion
[móuʃən]

囘 1 운동, 움직임 2 동작, 몸짓

I recorded the motion of the stars. 나는 별의 움직임을 기록했다.
hand motions 손동작

0445 stiff
[stif]

웹 1 뻣뻣한, 딱딱한 ⊕ flexible 2 (근육이) 뻐근한

This brush is too stiff. 이 붓은 너무 뻣뻣하다.
My leg muscles are stiff. 내 다리 근육이 뻐근하다.

0446 content
[kántent]

囘 1 (-s) 속에 든 것들, 내용(물); 2 (-s) 목차 웹 [kəntént] 만족하는

What are the contents of the box? 그 상자의 내용물을 무엇인가요?
the table of contents 목차표
I'm content with my job. 나는 내 직업에 만족한다.

0447 omit
[oumít]

图 생략하다, 빼다

My name was omitted from the list. 내 이름이 명단에서 빠져 있었다.
⊞ omission 囘 생략

0448 explain
[ikspléin]

图 1 설명하다 2 이유를 대다, 해명하다

He explained the plan to us. 그는 우리에게 그 계획을 설명했다.
She explained why she was late. 그녀는 왜 늦었는지 해명했다.
⊞ explanation 囘 설명; 해명

0449 prime
[praim]

형 1 주된, 주요한 2 최상[최고]의 명 전성기

Finishing on time is our prime objective.
제시간에 끝내는 것이 우리의 주된 목적이다.

prime beef 최상급 쇠고기

the prime of life 인생의 전성기

0450 criminal
[krímənl]

명 범죄자, 범인 형 범죄의

The criminal was sent to prison. 그 범죄자는 감옥으로 보내졌다.

criminal behavior 범죄 행위

0451 civil
[sívəl]

형 1 시민의 2 정중한, 예의 바른 ㊌ polite

We should protect our civil rights. 우리는 시민권을 보호해야 한다.

He was civil to his guests. 그는 자신의 손님들에게 정중했다.

0452 expand
[ikspǽnd]

동 확장[팽창]되다; 확장[팽창]시키다

Iron expands when it is heated. 쇠는 열을 받으면 팽창한다.

He tried to expand his business.
그는 그의 사업을 확장시키려고 노력했다.

0453 comparison
[kəmpǽrisən]

명 비교, 비유

In comparison with his brother, he is quite tall.
그의 남동생과 비교해보면 그는 상당히 크다.

⊞ compare 동 비교하다

0454 diverse
[divə́ːrs]

형 다양한 ㊌ various

There is diverse life in the sea. 바다에는 다양한 생물이 있다.

⊞ diversity 명 다양성

0455 assist
[əsíst]

동 돕다, 거들다 ㊌ aid

This program can assist people in finding a job.
이 프로그램은 사람들이 일자리를 찾는 것을 도울 수 있다.

⊞ assistance 명 도움, 지원

0456 drip
[drip]

동 (액체가) 똑똑 떨어지다 명 (떨어지는 액체) 방울; 방울 소리

Water was dripping from the roof.
지붕에서 물이 똑똑 떨어지고 있었다.

I used a bucket to catch the drips of water.
나는 양동이를 써서 물방울을 받았다.

0457 worth
[wəːrθ]

형 ~의[~할] 가치가 있는 명 1 (얼마) 어치 2 가치 ⑨ value

His album is worth buying. 그의 앨범은 살 가치가 있다.
40 dollars' worth of gas 기름 40달러어치
of great worth 매우 가치 있는

0458 sew
[sou]

동 바느질하다, 꿰매다

I sewed a hole in my trousers. 나는 바지에 난 구멍을 꿰맸다.

0459 regardless of

~에 상관없이

Anyone can join the event, regardless of age.
나이에 상관없이 누구든 그 행사에 참가할 수 있다.

0460 play a role in

~에서 역할을 하다

He played a huge role in his team's victory.
그는 팀의 승리에 큰 역할을 했다.

[1-14] 영어는 우리말로, 우리말은 영어로 쓰세요.

1 worth _____

2 stiff _____

3 civil _____

4 assist _____

5 sight _____

6 expand _____

7 motion _____

8 다양한 _____

9 비교, 비유 _____

10 실망시키다 _____

11 생략하다, 빼다 _____

12 신성한, 성스러운 _____

13 범죄자, 범인; 범죄의 _____

14 바느질하다, 꿰매다 _____

[15-18] 우리말에 맞게 빈칸에 알맞은 말을 넣으세요.

15 What are the _____ of the box? (그 상자의 내용물은 무엇인가요?)

16 Finishing on time is our _____ objective. (제시간에 끝내는 것이 우리의 주된 목적이다.)

17 Anyone can join the event, _____ _____ age.
(나이에 상관없이 누구든 그 행사에 참가할 수 있다.)

18 He _____ _____ huge _____ _____ his team's victory.
(그는 팀의 승리에 큰 역할을 했다.)

DAY 24

PREVIEW

A 아는 단어/숙어에 체크(V)해보세요.

0461	statue	☐	0471	nevertheless	☐
0462	dealer	☐	0472	confess	☐
0463	institute	☐	0473	credit	☐
0464	emphasize	☐	0474	tidy	☐
0465	advertise	☐	0475	explore	☐
0466	accept	☐	0476	defense	☐
0467	wisdom	☐	0477	laboratory	☐
0468	secure	☐	0478	professional	☐
0469	entire	☐	0479	go out with	☐
0470	dismiss	☐	0480	lead to	☐

B 사진을 보고 알맞은 단어/숙어를 써보세요.

_____   _____   _____   _____

0461 statue
[stǽtʃuː]

명 상(像), 조각상

A statue of the king stands in the square.
그 왕의 조각상이 광장에 서 있다.

0462 dealer
[díːlər]

명 상인, 판매업자

The car dealer offered me a fair price.
그 자동차 판매업자는 내게 합리적인 가격을 제안했다.

0463 institute
[ínstətjùːt]

명 기관, 협회

The research institute publishes a report every month.
그 연구 기관은 보고서를 매달 발행한다.

0464 emphasize
[émfəsàiz]

동 강조하다 ㈜ stress

She emphasized the importance of education.
그녀는 교육의 중요성을 강조했다.

⊞ emphasis 명 강조

0465 advertise
[ǽdvərtàiz]

동 광고하다

They are advertising the new product on TV.
그들은 그 신제품을 TV에서 광고하고 있다.

⊞ advertisement 명 광고

0466 accept
[əksépt]

동 받아들이다 ㊀ reject

He didn't accept the job offer.
그는 그 일자리 제안을 받아들이지 않았다.

0467 wisdom
[wízdəm]

명 현명함, 지혜

He is a leader of great wisdom and courage.
그는 굉장한 지혜와 용기를 가진 지도자이다.

⊞ wise 형 현명한, 지혜로운

0468 secure
[sikjúər]

형 1 안전한, 위험 없는 ㈜ safe 2 안정된, 확실한

Put your passport in a secure place. 여권을 안전한 곳에 보관해라.
a secure job 안정된 직장

0469 entire
[intáiər]

형 전체의 ⓨ whole

I spent the entire day in the library. 나는 종일을 도서관에서 보냈다.

0470 dismiss
[dismís]

동 1 (사람을) 보내다, 해산시키다 2 해고하다

The teacher dismissed the students early.
선생님은 학생들을 일찍 돌려보냈다.

She was dismissed from her job. 그녀는 직장에서 해고되었다.

0471 nevertheless
[nèvərðəlés]

부 그럼에도 불구하고

He was tired. Nevertheless, he kept driving.
그는 피곤했다. 그럼에도 불구하고, 그는 운전을 계속했다.

0472 confess
[kənfés]

동 1 (죄 · 잘못을) 자백하다 2 고백하다, 인정하다

The woman confessed her crime. 그 여자는 범행을 자백했다.

He confessed his love for her. 그는 그녀에 대한 사랑을 고백했다.

0473 credit
[krédit]

명 1 외상[신용] 거래 2 칭찬, 인정

Can I buy this on credit? 이것을 외상으로 살 수 있을까요?

take credit for ~에 대한 인정을 받다

0474 tidy
[táidi]

형 깔끔한, 정리된 ⓨ neat 동 정리하다, 정돈하다 ((up))

She keeps her house tidy. 그녀는 집을 깔끔하게 유지한다.

Why don't you tidy up your desk? 네 책상 좀 정리하지 그래?

0475 explore
[iksplɔ́:r]

동 1 탐험하다 2 조사[탐구]하다

They explored the desert. 그들은 그 사막을 탐험했다.

We need to explore the topic. 우리는 그 주제를 조사해야 한다.

⊞ explorer 명 탐험가

0476 defense
[diféns]

명 방어, 수비

The army fought in defense of its country.
그 군대는 조국을 방어하기 위해 싸웠다.

0477 laboratory
[lǽbərətɔ̀:ri]

명 실험실, 연구실

We did experiments in the laboratory.
우리는 실험실에서 실험을 했다.

0478 professional
[prəféʃənəl]

형 1 전문적인, 전문직의 2 직업적인, 프로의 반 amateur

We need someone with professional experience.
우리는 전문적 경험이 있는 사람이 필요하다.

He is a professional soccer player. 그는 프로 축구 선수이다.

0479 go out with

~와 데이트를 하다[사귀다]

He has been going out with her for three months.
그는 그녀와 3달째 사귀고 있는 중이다.

0480 lead to

~로 이어지다, 초래하다

Sunburn can lead to skin cancer.
햇빛에 의한 화상은 피부암으로 이어질 수 있다.

DAY 24 CHECK-UP

정답 p.289

[1-14] 영어는 우리말로, 우리말은 영어로 쓰세요.

1 dealer _____

2 wisdom _____

3 dismiss _____

4 secure _____

5 advertise _____

6 nevertheless _____

7 professional _____

8 전체의 _____

9 강조하다 _____

10 기관, 협회 _____

11 받아들이다 _____

12 상(像), 조각상 _____

13 실험실, 연구실 _____

14 탐험하다; 조사[탐구]하다 _____

[15-18] 우리말에 맞게 빈칸에 알맞은 말을 넣으세요.

15 Why don't you _____ up your desk? (네 책상 좀 정리하지 그래?)

16 The woman _____ her crime. (그 여자는 범행을 자백했다.)

17 Sunburn can _____ _____ skin cancer.
(햇빛에 의한 화상은 피부암으로 이어질 수 있다.)

18 He has been _____ _____ _____ her for three months.
(그는 그녀와 3달째 사귀고 있는 중이다.)

114

DAY 25

PREVIEW

A 아는 단어/숙어에 체크(V)해보세요.

0481 **twist**	☐	0491 **export**	☐
0482 **warn**	☐	0492 **interior**	☐
0483 **approve**	☐	0493 **noble**	☐
0484 **fashionable**	☐	0494 **threaten**	☐
0485 **exhausted**	☐	0495 **identity**	☐
0486 **exceed**	☐	0496 **disabled**	☐
0487 **labor**	☐	0497 **unless**	☐
0488 **despite**	☐	0498 **affect**	☐
0489 **instead**	☐	0499 **put A in danger**	☐
0490 **household**	☐	0500 **deal with**	☐

B 사진을 보고 알맞은 단어/숙어를 써보세요.

1 _____

2 _____

3 _____

4 _____

0481 twist

[twist]

동 1 구부리다 2 돌리다 3 (몸의 일부를) 돌리다, 틀다

Twist a wire and make a circle. 철사를 구부려 원을 만들어라.

I twisted the cap to the right. 나는 뚜껑을 오른쪽으로 돌렸다.

twist one's head 고개를 돌리다

0482 warn

[wɔːrn]

동 경고하다, 주의를 주다

The teacher warned us to be quiet.
선생님은 우리에게 조용히 하라고 주의를 주었다.

⊞ warning 명 경고, 주의

0483 approve

[əprúːv]

동 1 찬성하다 ((of)) 반 disapprove 2 승인하다

His parents approved of the marriage.
그의 부모님은 그 결혼을 찬성했다.

approve a plan 계획을 승인하다

⊞ approval 명 찬성

0484 fashionable

[fǽʃənəbl]

형 1 유행하는 유 trendy 2 상류층이 애용하는, 고급의

She's wearing a fashionable dress.
그녀는 유행하는 드레스를 입고 있다.

a fashionable society 상류 사회

0485 exhausted

[igzɔ́ːstid]

형 지쳐 버린, 기진맥진한

I was exhausted after walking all day long.
나는 하루 종일 걸은 후에 지쳐 버렸다.

0486 exceed

[iksíːd]

동 초과하다, 넘어서다

You exceeded the speed limit. 제한 속도를 초과하셨습니다.

0487 labor

[léibər]

명 노동, 근로

The project requires many hours of labor.
그 프로젝트는 많은 시간의 노동을 필요로 한다.

0488 despite

[dispáit]

전 ~에도 불구하고

Despite all her faults, I like her.
그녀의 모든 단점들에도 불구하고, 나는 그녀를 좋아한다.

0489 instead
[instéd]

图 대신에

He didn't drive today. Instead, he used the bus.
그는 오늘 차를 몰고 가지 않았다. 대신에, 그는 버스를 이용했다.

0490 household
[háushòuld]

图 가정, 가구   图 가정의; 가사의

Many households use this product.
많은 가정에서 이 제품을 사용한다.

household goods   가사 용품

0491 export
[ékspɔ:rt]

图 수출; 수출품   图 [ekspɔ́:rt] 수출하다 凹 import(图/图)

That TV was produced for export.
저 텔레비전은 수출용으로 제작되었다.

We export cars to the US. 우리는 미국에 차를 수출한다.

0492 interior
[intí:əriər]

图 내부   图 내부의, 실내의 凹 exterior(图/图)

Can I see the interior of the car? 차 내부를 봐도 될까요?

interior lights   내부 조명

0493 noble
[nóubl]

图 1 고결한, 숭고한 2 귀족의

We'll never forget his noble spirit.
우리는 그의 숭고한 정신을 결코 잊지 않을 것이다.

a noble family   귀족 (집안)

0494 threaten
[θrétn]

图 위협[협박]하다

Terrorists are threatening world peace.
테러리스트들이 세계 평화를 위협하고 있다.

⊞ threat 图 협박, 위협

0495 identity
[aidéntəti]

图 1 신원, 신분 2 정체성, 독자성

The identity of the thief is still unknown.
도둑의 신원은 아직도 알려지지 않았다.

loss of identity   정체성의 상실

0496 disabled
[diséibld]

图 장애를 가진

I volunteer to help disabled people.
나는 장애인들을 돕는 봉사활동을 한다.

⊞ disability 图 장애

0497 unless
[ənlés]

접 ~하지 않으면

Unless we hurry, we'll miss the bus.
서두르지 않으면, 우리는 버스를 놓칠 것이다.

0498 affect
[əfékt]

동 영향을 미치다 ⓤ influence

The weather affects our emotions.
날씨는 우리의 감정에 영향을 미친다.

0499 put A in danger

A를 위험에 빠뜨리다

Driving too fast puts people in danger.
과속은 사람들을 위험에 빠뜨린다.

0500 deal with

처리하다; 다루다

Our team deals with customer complaints.
우리 팀은 고객 불만을 처리한다.

DAY 25　CHECK-UP

정답 p.289

[1-14] 영어는 우리말로, 우리말은 영어로 쓰세요.

1 labor _____

2 affect _____

3 export _____

4 despite _____

5 interior _____

6 exhausted _____

7 household _____

8 대신에 _____

9 ~하지 않으면 _____

10 위협[협박]하다 _____

11 장애를 가진 _____

12 초과하다, 넘어서다 _____

13 찬성하다; 승인하다 _____

14 경고하다, 주의를 주다 _____

[15-18] 우리말에 맞게 빈칸에 알맞은 말을 넣으세요.

15 _____ a wire and make a circle. (철사를 구부려 원을 만들어라.)

16 The _____ of the thief is still unknown. (도둑의 신원은 아직도 알려지지 않았다.)

17 We'll never forget his _____ spirit. (우리는 그의 숭고한 정신을 결코 잊지 않을 것이다.)

18 Our team _____ _____ customer complaints. (우리 팀은 고객 불만을 처리한다.)

118

REVIEW TEST

DAY 21-25

정답 p.289

A 우리말에 맞게 빈칸에 알맞은 말을 넣으세요.

1 in the long _____ (장기적으로)

2 _____ art (추상미술)

3 at first _____ (첫눈에)

4 _____ a plan (계획을 승인하다)

5 He is a(n) _____ soccer player. (그는 프로 축구 선수이다.)

6 I put the food in the _____. (나는 용기에 음식을 담았다.)

7 We must _____ with each other. (우리는 서로 협력해야 한다.)

8 The _____ was sent to prison. (그 범죄자는 감옥으로 보내졌다.)

9 They are _____ the new product on TV. (그들은 그 신제품을 TV에서 광고하고 있다.)

10 The teacher _____ us to be quiet. (선생님은 우리에게 조용히 하라고 주의를 주었다.)

11 The project requires many hours of _____. (그 프로젝트는 많은 시간의 노동을 필요로 한다.)

12 Driving too fast _____ people _____ _____. (과속은 사람들을 위험에 빠뜨린다.)

B 밑줄 친 말에 유의하여 다음 문장을 해석하세요.

1 His album is <u>worth</u> buying.

_____

2 <u>Unless</u> we hurry, we'll miss the bus.

_____

3 She <u>emphasized</u> the importance of education.

_____

4 Do you have <u>difficulty</u> sleeping?

_____

5 Nothing went <u>according to</u> plan.

_____

C 밑줄 친 단어와 가장 비슷한 뜻을 가진 단어를 고르세요.

1 The magazine is <u>published</u> weekly.

① attended   ② explained   ③ issued   ④ confessed   ⑤ required

2 The numbers in the report are <u>accurate</u>.

① minor   ② precise   ③ twisted   ④ prime   ⑤ stiff

3 There is <u>diverse</u> life in the sea.

① civil   ② secure   ③ tidy   ④ various   ⑤ noble

4 I spent the <u>entire</u> day in the library.

① religious   ② due   ③ abstract   ④ holy   ⑤ whole

5 She's wearing a <u>fashionable</u> dress.

① messy   ② religious   ③ visible   ④ trendy   ⑤ waterproof

D 보기 에서 빈칸에 들어갈 단어를 골라 쓰세요.

보기   assist   threaten   correctly   paragraph   exhausted
        destination   export   defense

1 Look at the first line of the second _____.

2 Please enter your password _____.

3 Our first _____ on the trip is New York.

4 That TV was produced for _____.

5 This program can _____ people in finding a job.

6 The army fought in _____ of its country.

7 I was _____ after walking all day long.

DAY 26
PREVIEW

A 아는 단어/숙어에 체크(V)해보세요.

0501 **enable**	☐	0511 **neutral**	☐
0502 **progress**	☐	0512 **moral**	☐
0503 **purchase**	☐	0513 **unlike**	☐
0504 **estimate**	☐	0514 **somewhat**	☐
0505 **decorate**	☐	0515 **invest**	☐
0506 **dynamic**	☐	0516 **punish**	☐
0507 **architecture**	☐	0517 **physics**	☐
0508 **conference**	☐	0518 **amaze**	☐
0509 **profession**	☐	0519 **result in**	☐
0510 **wage**	☐	0520 **take advantage of**	☐

B 사진을 보고 알맞은 단어/숙어를 써보세요.

0501 enable
[inéibl]

동 ~할 수 있게 하다

The Internet enables us to share a lot of information.
인터넷은 우리가 많은 정보를 공유할 수 있게 해 준다.

0502 progress
[prágres]

명 진전, 진보 ㈜ improvement 동 [prəgrés] 진행되다, 진척되다

I made a lot of progress in math class.
나는 수학 수업에서 큰 진전을 이뤘다.

The work progressed smoothly. 그 일은 순조롭게 진행되었다.

0503 purchase
[pə́:rtʃəs]

명 구입, 구매 동 구입하다 ㈘ sell

They usually make purchases online.
그들은 주로 온라인에서 물건을 구입한다.

She purchased a new desk for $150.
그녀는 새 책상을 150달러에 구입했다.

0504 estimate
[éstəmèit]

동 추정하다, 어림잡다 명 [éstəmət] 추정(치)

The total cost is estimated at $5,000.
총 비용은 5천 달러로 추정된다.

a rough estimate 대략의 추정치

0505 decorate
[dékərèit]

동 장식하다, 꾸미다

I decorated my room with flowers. 나는 꽃으로 내 방을 꾸몄다.

➕ decoration 명 장식

0506 dynamic
[dainǽmik]

형 역동적인; 활동적인, 활발한 ㈜ energetic

Seoul is a dynamic city. 서울은 역동적인 도시이다.

a dynamic personality 활발한 성격

0507 architecture
[áːrkitèktʃər]

명 1 건축학 2 건축 양식

She went abroad to study architecture.
그녀는 건축학을 공부하러 외국으로 갔다.

classical architecture 고전적인 건축 양식

➕ architect 명 건축가

0508 conference
[kánfərəns]

명 회의, 회담

The conference was held in New York. 그 회의는 뉴욕에서 열렸다.

0509 profession
[prəféʃən]

명 (전문적인) 직업, 직종 ㉤ occupation

She is a doctor by profession. 그녀는 직업이 의사이다.

the teaching profession 교직

0510 wage
[weidʒ]

명 임금, 급료

Our company pays good wages.
우리 회사는 많은 임금을 지급한다.

0511 neutral
[njú:trəl]

형 중립의, 중립적인

She remained neutral when we argued.
그녀는 우리가 말다툼할 때 중립을 지켰다.

0512 moral
[mɔ́:rəl]

형 1 도덕상의, 윤리의 2 도덕적인 ㉧ immoral

That is a moral question. 그것은 도덕상의 문제이다.

a moral person 도덕적인 사람

0513 unlike
[ʌnláik]

전 1 ~와 다른 2 ~답지 않은 3 ~와 달리

His work is unlike other novels. 그의 작품은 다른 소설들과는 다르다.

It's unlike you to tell a lie. 거짓말을 하다니 너답지 않다.

Unlike him, I'm very active. 그와 달리, 나는 매우 활동적이다.

0514 somewhat
[sʌ́mʰwʌ̀t]

부 어느 정도, 다소

She looked somewhat tired. 그녀는 다소 피곤해 보였다.

0515 invest
[invést]

동 투자하다

I invested all my money in the business.
나는 그 사업에 내 모든 돈을 투자했다.

⊞ investment 명 투자

0516 punish
[pʌ́niʃ]

동 처벌하다, 벌주다

He was punished for breaking the law.
그는 법을 어겨서 처벌받았다.

⊞ punishment 명 벌, 처벌

0517 **physics**	명 물리학
[fíziks]	Einstein was a genius in physics. 아인슈타인은 물리학의 천재였다.

0518 **amaze**	동 놀라게 하다
[əméiz]	She amazed everyone by winning the game. 그녀는 그 경기에 이겨서 모두를 놀라게 했다.

0519 **result in**	(결과적으로) ~을 낳다, 야기하다
	Extreme stress may result in health problems. 과도한 스트레스는 건강 문제를 야기할 수 있다.

0520 **take advantage of**	~을 이용하다; ~을 기회로 활용하다
	You should take advantage of this chance. 너는 이번 기회를 이용해야 한다.

DAY 26 CHECK-UP

[1-14] 영어는 우리말로, 우리말은 영어로 쓰세요.

1 wage _____

2 moral _____

3 amaze _____

4 purchase _____

5 dynamic _____

6 profession _____

7 conference _____

8 물리학 _____

9 투자하다 _____

10 중립의, 중립적인 _____

11 처벌하다, 벌주다 _____

12 ~할 수 있게 하다 _____

13 건축학; 건축 양식 _____

14 장식하다, 꾸미다 _____

[15-18] 우리말에 맞게 빈칸에 알맞은 말을 넣으세요.

15 The work _____ smoothly. (그 일은 순조롭게 진행되었다.)

16 The total cost is _____ at $5,000. (총 비용은 5천 달러로 추정된다.)

17 You should _____ _____ _____ this chance.
(너는 이번 기회를 이용해야 한다.)

18 Extreme stress may _____ _____ health problems.
(과도한 스트레스는 건강 문제를 야기할 수 있다.)

DAY 27

PREVIEW

A 아는 단어/숙어에 체크(V)해보세요.

0521 **assign**	☐	0531 **current**	☐
0522 **display**	☐	0532 **cultural**	☐
0523 **input**	☐	0533 **delivery**	☐
0524 **similar**	☐	0534 **appear**	☐
0525 **public**	☐	0535 **length**	☐
0526 **squeeze**	☐	0536 **establish**	☐
0527 **declare**	☐	0537 **temper**	☐
0528 **empire**	☐	0538 **concerned**	☐
0529 **combine**	☐	0539 **be capable of**	☐
0530 **otherwise**	☐	0540 **in place**	☐

B 사진을 보고 알맞은 단어/숙어를 써보세요.

_____ _____ _____ _____

0521 assign
[əsáin]

동 (일 등을) 맡기다, 부여하다

She assigned tasks to her workers.
그녀는 팀원들에게 업무를 부여했다.

0522 display
[displéi]

동 전시[진열]하다 ⊕exhibit 명 전시, 진열

New products are displayed in the store window.
새 상품들이 가게 진열창에 진열되어 있다.

on display 전시 중인

0523 input
[ínpùt]

명 1 조언, 의견 2 투입 동 (컴퓨터에) 입력하다

I need your input on this matter.
나는 이 문제에 대한 네 조언이 필요하다.

input of money 자금의 투입

input data 데이터를 입력하다

0524 similar
[símələr]

형 비슷한, 유사한 ⊕alike

The brothers look so similar. 그 형제는 생김새가 몹시 비슷하다.

⊞ similarity 명 비슷함, 유사

0525 public
[pʌ́blik]

형 1 대중의 2 공공의 ⊕private 명 (the-) 대중, 일반 사람들

The plan had public support. 그 계획은 대중의 지지를 얻었다.

Be quiet in public places. 공공장소에서는 조용히 해라.

open to the public 대중에게 개방된

0526 squeeze
[skwiːz]

동 1 꽉 쥐다[잡다] 2 (즙 등을) 짜내다

She squeezed his hand. 그녀는 그의 손을 꽉 쥐었다.

I squeezed the juice from a lemon. 나는 레몬에서 즙을 짜냈다.

0527 declare
[diklέər]

동 선언[선포]하다

I declare the opening of the festival. 축제의 개막을 선언합니다.

0528 empire
[émpaiər]

명 제국

The Roman Empire slowly fell apart. 로마제국은 서서히 몰락했다.

rule an empire 제국을 통치하다

0529 combine

[kəmbáin]

동 1 섞다, 결합하다 2 겸(비)하다; 병행하다

Combine the flour with water. 밀가루를 물과 섞어라.

The film combines education with entertainment.
그 영화는 교육과 즐거움을 겸하고 있다.

0530 otherwise

[ʌðərwàiz]

부 그렇지 않으면

We have to run; otherwise we'll be late.
우리는 뛰어야 해. 그렇지 않으면 늦을 거야.

0531 current

[kə́:rənt]

형 현재의, 지금의 명 (물·공기의) 흐름, 해류, 기류

Let's try to understand the current situation.
현재 상황을 파악해 보자.

an air current 기류

0532 cultural

[kʌ́ltʃərəl]

형 문화의, 문화와 관련된

We should respect cultural differences.
우리는 문화적 차이를 존중해야 한다.

cultural background 문화적 배경

＋ culture 명 문화

0533 delivery

[dilívəri]

명 (우편물 등의) 배달, 배송

The restaurant makes deliveries. 그 식당은 배달을 한다.

＋ deliver 동 배달하다

0534 appear

[əpíər]

동 1 ~인 것 같다 2 나타나다, 보이게 되다 반 disappear

He appeared to be calm before the interview.
그는 인터뷰 전에 침착한 것 같았다.

appear on the stage 무대에 나타나다

0535 length

[leŋkθ]

명 1 길이 2 시간, 기간

The length of the bridge is one kilometer.
그 다리의 길이는 1km이다.

the length of stay 체류 기간

0536 establish

[istǽbliʃ]

동 1 설립하다 유 found 2 수립하다; 확립하다

The school was established in 1900.
그 학교는 1900년에 설립되었다.

establish a relationship 관계를 수립하다

0537 temper
[témpər]

명 1 성질, 성미 2 기분

My father has a quick temper. 아빠는 성질이 급하시다.

be in a good[bad] temper 기분이 좋다[나쁘다]

0538 concerned
[kənsə́:rnd]

형 1 걱정스러운, 염려하는 2 관련이 있는

I'm concerned about your health. 나는 당신의 건강이 걱정되네요.

be concerned with ~와 관련이 있다

➕ concern 동 걱정스럽게 만들다; 관련되다

0539 be capable of

~할 수 있다

He was capable of handling the situation.
그는 그 상황을 처리할 수 있었다.

0540 in place

제자리에 (있는)

Put things back in place. 물건들을 제자리에 갖다 놓아라.

DAY 27　CHECK-UP

정답 p.289

[1-14] 영어는 우리말로, 우리말은 영어로 쓰세요.

1　appear　＿＿＿＿＿＿

2　combine　＿＿＿＿＿＿

3　current　＿＿＿＿＿＿

4　public　＿＿＿＿＿＿

5　establish　＿＿＿＿＿＿

6　squeeze　＿＿＿＿＿＿

7　concerned　＿＿＿＿＿＿

8　제국　＿＿＿＿＿＿

9　선언[선포]하다　＿＿＿＿＿＿

10　비슷한, 유사한　＿＿＿＿＿＿

11　그렇지 않으면　＿＿＿＿＿＿

12　성질, 성미; 기분　＿＿＿＿＿＿

13　(우편물 등의) 배달, 배송　＿＿＿＿＿＿

14　문화의, 문화와 관련된　＿＿＿＿＿＿

[15-18] 우리말에 맞게 빈칸에 알맞은 말을 넣으세요.

15　Put things back ＿＿＿＿＿ ＿＿＿＿＿. (물건들을 제자리에 갖다 놓아라.)

16　She ＿＿＿＿＿ tasks to her workers. (그녀는 팀원들에게 업무를 부여했다.)

17　New products are ＿＿＿＿＿ in the store window.
　　(새 상품들이 가게 진열창에 진열되어 있다.)

18　He ＿＿＿＿＿ ＿＿＿＿＿ ＿＿＿＿＿ handling the situation.
　　(그는 그 상황을 처리할 수 있었다.)

DAY 28

PREVIEW

A 아는 단어/숙어에 체크(V)해보세요.

0541	transport	☐	0551	delicate	☐
0542	attention	☐	0552	frame	☐
0543	freezing	☐	0553	environmental	☐
0544	native	☐	0554	pressure	☐
0545	somewhere	☐	0555	convince	☐
0546	gravity	☐	0556	gradually	☐
0547	thrilling	☐	0557	decoration	☐
0548	childhood	☐	0558	annual	☐
0549	donate	☐	0559	be known as	☐
0550	crisis	☐	0560	in return	☐

B 사진을 보고 알맞은 단어/숙어를 써보세요.

_____ _____ _____ _____

0541 transport
[trǽnspɔ̀ːrt]

동 수송하다, 실어 나르다

The boxes will be transported by airplane.
그 상자들은 비행기로 수송될 것이다.

0542 attention
[əténʃən]

명 1 주의, 주목 2 관심, 흥미

May I have your attention, please? 주목해 주시겠습니까?
draw people's attention 사람들의 관심을 끌다

0543 freezing
[fríːziŋ]

형 몹시 추운

The river froze in the freezing weather. 몹시 추운 날씨에 강이 얼었다.

0544 native
[néitiv]

형 출생지의, 모국의 명 (~에서) 태어난 사람

What is your native language? 당신의 모국어는 무엇인가요?
He is a native of France. 그는 프랑스 태생이다.

0545 somewhere
[sʌ́mʰwɛ̀ər]

부 어딘가에[에서]

I think I met her somewhere. 나는 그녀를 어디선가 만났던 것 같다.

0546 gravity
[grǽvəti]

명 중력

Earth's gravity makes things fall to the ground.
지구의 중력은 사물이 땅으로 떨어지게 한다.

0547 thrilling
[θríliŋ]

형 아주 흥분되는, 짜릿한

It was a thrilling experience for me. 그것은 내게 짜릿한 경험이었다.

0548 childhood
[tʃáildhùd]

명 어린 시절

I had a happy childhood. 나는 행복한 어린 시절을 보냈다.
a childhood friend 어린 시절 친구, 죽마고우

0549 donate
[dóuneit]

동 1 기부[기증]하다 2 헌혈하다; (장기를) 기증하다

The actor donated a lot of money to a charity.
그 배우는 자선단체에 많은 돈을 기부했다.
donate blood 헌혈하다
⊞ donation 명 기부

0550 crisis
[kráisis]

명 위기, 고비

He managed to overcome the crisis.
그는 가까스로 위기를 극복했다.

an economic crisis 경제 위기

0551 delicate
[délikət]

형 1 연약한, 깨지기 쉬운 ⊕durable 2 섬세한 3 미묘한

This crystal vase is very delicate.
이 크리스털 꽃병은 매우 깨지기 쉽다.

He has delicate hands. 그는 섬세한 손을 가졌다.

a delicate situation 미묘한 상황

0552 frame
[freim]

명 1 틀[액자] 2 뼈대, 골격 동 틀[액자]에 넣다

I put the picture in a frame. 나는 그 그림을 액자에 넣었다.

the frame of a car 자동차의 골격

a framed photograph 액자에 끼워진 사진

0553 environmental
[invàiərənméntl]

형 환경의, 환경과 관련된

The environmental pollution is getting worse.
환경 오염이 점점 심해지고 있다.

⊞ environment 명 환경

0554 pressure
[préʃər]

명 1 압력; 기압 2 (설득·강요를 위한) 압력[압박]

The air pressure is low in the mountains. 산에서는 기압이 낮다.

put pressure on ~에게 압박을 가하다

0555 convince
[kənvíns]

동 1 확신[납득]시키다 2 설득하다 ⊕persuade

He convinced us that he was right.
그는 자신이 옳다고 우리를 납득시켰다.

We convinced her to stay. 우리는 그녀가 머물도록 설득했다.

0556 gradually
[grǽdʒəwəli]

부 서서히, 차츰 ⊕suddenly

The temperature is gradually rising. 기온이 서서히 오르고 있다.

⊞ gradual 형 점진적인, 서서히 일어나는

0557 decoration
[dèkəréiʃən]

명 장식; 장식품 ⊕ornament

That clock is for decoration. 저 시계는 장식용이다.

Christmas decorations 크리스마스 장식품

0558 annual

[ǽnjuəl]

형 1 해마다의, 연례의 2 연간의, 한 해의 ㉴ yearly

Our company's annual event is in August.
우리 회사의 연례 행사는 8월에 있다.

an annual income 연간 소득

0559 be known as

~로 알려져 있다

Kimchi is known as a healthy food.
김치는 건강한 음식으로 알려져 있다.

0560 in return

보답으로, 답례로 ((for))

I'll buy you lunch in return for your help.
도와주신 데 대한 답례로 제가 점심을 사 드리겠습니다.

[1-14] 영어는 우리말로, 우리말은 영어로 쓰세요.

1 annual _____

2 delicate _____

3 convince _____

4 transport _____

5 gradually _____

6 decoration _____

7 environmental _____

8 중력 _____

9 어린 시절 _____

10 위기, 고비 _____

11 몹시 추운 _____

12 어딘가에[에서] _____

13 주의, 주목; 관심, 흥미 _____

14 아주 흥분되는, 짜릿한 _____

[15-18] 우리말에 맞게 빈칸에 알맞은 말을 넣으세요.

15 What is your _____ language? (당신의 모국어는 무엇인가요?)

16 Kimchi _____ _____ _____ a healthy food.
   (김치는 건강한 음식으로 알려져 있다.)

17 I'll buy you lunch _____ _____ for your help.
   (도와주신 데 대한 답례로 점심을 사 드리겠습니다.)

18 I put the picture in a _____. (나는 그 그림을 액자에 넣었다.)

132

DAY 29

PREVIEW

A 아는 단어/숙어에 체크(V)해보세요.

0561	confidence	☐	0571	medical	☐
0562	graduation	☐	0572	publication	☐
0563	indoor	☐	0573	predict	☐
0564	guard	☐	0574	reserve	☐
0565	collection	☐	0575	route	☐
0566	forbid	☐	0576	discussion	☐
0567	promote	☐	0577	somehow	☐
0568	obvious	☐	0578	familiar	☐
0569	resign	☐	0579	as long as	☐
0570	depress	☐	0580	date back	☐

B 사진을 보고 알맞은 단어/숙어를 써보세요.

_____ _____ _____ _____

0561 confidence
[kánfidəns]

명 1 자신감 2 신뢰, 신임

The interviewee spoke with confidence. 면접자는 자신 있게 말했다.
public confidence 대중의 신뢰

0562 graduation
[græ̀dʒuéiʃən]

명 1 졸업 2 졸업식

He became a banker after graduation.
그는 졸업 후에 은행원이 되었다.
graduation day 졸업식 날
⊞ graduate 동 졸업하다

0563 indoor
[índɔ̀:r]

형 실내(용)의 반 outdoor

The gym has an indoor pool. 그 체육관에는 실내 수영장이 있다.
indoor sports 실내 스포츠

0564 guard
[ga:rd]

명 1 경비[경호]원 2 보초, 감시 동 보호하다, 지키다

The guards are blocking the gate. 경호원들이 문을 막고 있다.
stand[keep] guard 보초를 서다
A dog is guarding the house. 개 한 마리가 그 집을 지키고 있다.

0565 collection
[kəlékʃən]

명 1 수집품, 소장품 2 수집, 수거

He has a large collection of CDs. 그는 많은 CD를 소장하고 있다.
Trash collection is on Mondays. 쓰레기 수거는 매주 월요일이다.

0566 forbid
[fərbíd]

동 (forbade-forbidden) 금하다, 금지하다 유 prohibit

He is forbidden to leave the country. 그는 출국이 금지되었다.

0567 promote
[prəmóut]

동 1 승진시키다 2 촉진[증진]하다 3 홍보하다

I was promoted to manager. 나는 매니저로 승진되었다.
promote growth 성장을 촉진하다
promote a new product 신제품을 홍보하다

0568 obvious
[ábviəs]

형 명백한, 분명한 반 unclear

It is obvious that something is wrong.
무언가 잘못된 것이 분명하다.

0569 resign
[rizáin]

동 사직[사임]하다, 물러나다

I decided to resign from my job. 나는 사직하기로 결심했다.

0570 depress
[diprés]

동 우울하게 하다

Cloudy days depress me. 흐린 날은 나를 우울하게 한다.

⊞ depression 명 우울(증)

0571 medical
[médikəl]

형 의학의, 의료의

They received medical care in the hospital.
그들은 그 병원에서 치료를 받았다.

0572 publication
[pʌ̀bləkéiʃən]

명 출판, 발행; 출판물

Publication of his new novel was delayed.
그의 새 소설의 발행이 미루어졌다.

a weekly publication 주간 출판물

0573 predict
[pridíkt]

동 예견[예측]하다 ⊛ anticipate

It's not easy to predict who will win.
누가 이길지를 예측하기는 쉽지 않다.

⊞ prediction 명 예측, 예견

0574 reserve
[rizə́ːrv]

동 예약하다 ⊛ book

I'd like to reserve a room. 방을 하나 예약하고 싶습니다.

⊞ reservation 명 예약

0575 route
[ruːt]

명 길, 경로; 노선

What is the shortest route to the airport?
공항으로 가는 가장 빠른 경로가 뭐니?

a bus route 버스 노선

0576 discussion
[diskʌ́ʃən]

명 논의, 토론

We had a long discussion about the topic.
우리는 그 주제에 관해 긴 토론을 했다.

0577 somehow
[sʌ́mhàu]

부 1 어떻게든 2 왠지, 어쩐지

I'll find a solution somehow. 내가 어떻게든 해결책을 찾겠다.
Somehow, she looks different. 왠지, 그녀가 달라 보인다.

0578 familiar

[fəmíljər]

형 익숙한, 낯익은 맨 unfamiliar

She looks very familiar to me. 그녀는 굉장히 낯이 익다.
be familiar with ~에 익숙한, ~을 잘 아는
⊕ familiarity 명 익숙함, 낯익음

0579 as long as

~하는 한, ~하기만 하면

As long as it doesn't rain, we will go on a picnic.
비가 오지 않는 한, 우리는 소풍을 갈 것이다.

0580 date back

(~까지) 거슬러 올라가다 ((to))

This custom dates back to ancient times.
이 관습은 고대까지 거슬러 올라간다.

DAY 29 CHECK-UP

정답 p.290

[1-14] 영어는 우리말로, 우리말은 영어로 쓰세요.

1 route _____
2 resign _____
3 forbid _____
4 promote _____
5 somehow _____
6 publication _____
7 graduation _____

8 논의, 토론 _____
9 실내(용)의 _____
10 우울하게 하다 _____
11 예견[예측]하다 _____
12 명백한, 분명한 _____
13 익숙한, 낯익은 _____
14 자신감; 신뢰, 신임 _____

[15-18] 우리말에 맞게 빈칸에 알맞은 말을 넣으세요.

15 The _____ are blocking the gate. (경호원들이 문을 막고 있다.)

16 They received _____ care in the hospital. (그들은 그 병원에서 치료를 받았다.)

17 This custom _____ _____ to ancient times.
(이 관습은 고대까지 거슬러 올라간다.)

18 _____ _____ _____ it doesn't rain, we will go on a picnic.
(비가 오지 않는 한, 우리는 소풍을 갈 것이다.)

DAY 30
PREVIEW

A 아는 단어/숙어에 체크(V)해보세요.

0581 **article** ☐	0591 **contract** ☐
0582 **frankly** ☐	0592 **element** ☐
0583 **force** ☐	0593 **prevent** ☐
0584 **whisper** ☐	0594 **discourage** ☐
0585 **sudden** ☐	0595 **injury** ☐
0586 **awkward** ☐	0596 **fee** ☐
0587 **reproduce** ☐	0597 **loosen** ☐
0588 **fascinate** ☐	0598 **prior** ☐
0589 **output** ☐	0599 **make sure** ☐
0590 **broadcast** ☐	0600 **hold on to** ☐

B 사진을 보고 알맞은 단어/숙어를 써보세요.

1 _____
2 _____
3 _____
4 _____

0581 article
[á:rtikl]

명 (신문·잡지 등의) 기사, 논설

Did you read the newspaper article on the war?
너는 그 전쟁에 관한 신문 기사를 읽었니?

0582 frankly
[fræŋkli]

부 1 솔직히 2 [문장 수식] 솔직히 말해서 ㉮honestly

I'll talk to you frankly. 나는 네게 솔직히 말할 것이다.

Frankly, this report is terrible. 솔직히 말해서, 이 보고서는 형편없다.

0583 force
[fɔ:rs]

명 힘 동 억지로 ~을 시키다, 강요하다

The force of the wind blew down the trees.
바람의 힘이 나무들을 쓰러뜨렸다.

Don't force me to do it. 내게 그것을 하라고 강요하지 마라.

0584 whisper
[ʰwíspər]

동 속삭이다, 귓속말을 하다 명 속삭임

She whispered in my ear. 그녀는 내 귀에 속삭였다.

in a whisper 속삭이며, 속삭이듯이

0585 sudden
[sʌ́dn]

형 갑작스러운

I was shocked by her sudden death.
나는 그녀의 갑작스러운 죽음에 충격을 받았다.

⊞ suddenly 부 갑자기, 급작스럽게

0586 awkward
[ɔ́:kwərd]

형 1 어색한 2 곤란한; 불편한 ㉮uncomfortable

There was an awkward silence in the room.
방에 어색한 침묵이 감돌았다.

Don't ask awkward questions. 난처한 질문들을 하지 마라.

0587 reproduce
[rì:prədjú:s]

동 1 복사[복제]하다 2 번식하다

Do not reproduce the photos. 이 사진들을 복제하지 마시오.

Chickens reproduce by laying eggs. 닭은 알을 낳아 번식한다.

0588 fascinate
[fǽsənèit]

동 마음을 사로잡다, 매혹하다

The magician's trick fascinated the audience.
마술사의 묘기는 관객들의 마음을 사로잡았다.

0589 output
[áutpùt]

명 생산량, 산출량

The factory's daily output is 3,000 tons.
그 공장의 일일 생산량은 3천 톤이다.

0590 broadcast
[brɔ́:dkæst]

동 (broadcast-broadcast) 방송하다 　명 방송

The game was broadcast all over the country.
그 경기는 전국에 방송되었다.

0591 contract
[kɑ́ntrækt]

명 계약(서) 　동 [kəntrǽkt] 계약하다

I made a contract with them. 　나는 그들과 계약을 맺었다.

sign a contract 　계약서에 서명하다

He is contracted to work for three months.
그는 3개월 동안 일하기로 계약되어 있다.

0592 element
[éləmənt]

명 요소, 성분

Health is an essential element of happiness.
건강은 행복의 필수 요소이다.

0593 prevent
[privént]

동 1 방해하다, 막다 ((from)) 2 예방[방지]하다

He prevented me from leaving. 　그는 내가 떠나지 못하게 막았다.

prevent fire 　화재를 예방하다

0594 discourage
[diskə́:ridʒ]

동 1 낙담시키다 2 막다, 말리다 반 encourage

The news discouraged her. 　그 소식은 그녀를 낙담시켰다.

My parents discouraged me from traveling alone.
부모님은 내가 혼자 여행하는 것을 말렸다.

0595 injury
[índʒəri]

명 부상, 상해

Her leg injury was quite serious. 　그녀의 다리 부상은 꽤 심각했다.

0596 fee
[fi:]

명 요금, 수수료 유 charge

How much is the entrance fee? 　입장료가 얼마인가요?

tuition fee 　학비

0597 loosen
[lú:sn]

동 느슨하게 하다, 헐겁게 하다 반 tighten

He loosened his belt, as he was full.
그는 배가 불러서 허리띠를 느슨하게 했다.

0598 prior

[práiər]

형 이전의, 사전의

You need **prior** knowledge to take this class.
이 수업을 들으려면 네게 사전 지식이 필요하다.

prior notice 사전 통보

0599 make sure

1 반드시 ~하다 2 확인하다

Make sure to wash your hands before meals.
식사 전에는 반드시 손을 씻어라.

Go and **make sure** that the door is locked.
가서 문이 잠겼는지 확인해라.

0600 hold on to

1 꽉 잡다 2 고수하다, 유지하다

Hold on to my arm! 내 팔을 꽉 잡아!

She **held on to** her faith. 그녀는 자신의 신념을 고수했다.

DAY 30   CHECK-UP

정답 p.290

[1-14] 영어는 우리말로, 우리말은 영어로 쓰세요.

1 fee _____

2 prior _____

3 article _____

4 prevent _____

5 awkward _____

6 fascinate _____

7 frankly _____

8 요소, 성분 _____

9 부상, 상해 _____

10 갑작스러운 _____

11 방송하다; 방송 _____

12 계약(서); 계약하다 _____

13 복사[복제]하다; 번식하다 _____

14 느슨하게 하다, 헐겁게 하다 _____

[15-18] 우리말에 맞게 빈칸에 알맞은 말을 넣으세요.

15 She _____ in my ear. (그녀는 내 귀에 속삭였다.)

16 The news _____ her. (그 소식은 그녀를 낙담시켰다.)

17 The _____ of the wind blew down the trees. (바람의 힘이 나무들을 쓰러뜨렸다.)

18 _____ _____ to wash your hands before meals.
(식사 전에는 반드시 손을 씻어라.)

REVIEW TEST

DAY 26-30

정답 p.290

A 우리말에 맞게 빈칸에 알맞은 말을 넣으세요.

1 a rough _____ (대략의 추정치)

2 _____ background (문화적 배경)

3 an economic _____ (경제 위기)

4 a bus _____ (버스 노선)

5 _____ fire (화재를 예방하다)

6 I _____ all my money in the business. (나는 그 사업에 내 모든 돈을 투자했다.)

7 She went abroad to study _____. (그녀는 건축학을 공부하러 외국으로 갔다.)

8 Let's try to understand the _____ situation. (현재 상황을 파악해 보자.)

9 Earth's _____ makes things fall to the ground. (지구의 중력은 사물이 땅으로 떨어지게 한다.)

10 I was _____ to manager. (나는 매니저로 승진되었다.)

11 Health is an essential _____ of happiness. (건강은 행복의 필수 요소이다.)

12 Go and _____ _____ that the door is locked. (가서 문이 잠겼는지 확인해라.)

B 밑줄 친 말에 유의하여 다음 문장을 해석하세요.

1 It's unlike you to tell a lie.

_____

2 I declare the opening of the festival.

_____

3 The environmental pollution is getting worse.

_____

4 It's not easy to predict who will win.

_____

5 She held on to her faith.

_____

C 밑줄 친 단어와 반대인 뜻을 가진 단어를 고르세요.

1 Be quiet in public places.

① neutral ② obvious ③ familiar ④ private ⑤ awkward

2 The temperature is gradually rising.

① somewhat ② frankly ③ suddenly ④ somehow ⑤ somewhere

3 This crystal vase is very delicate.

① durable ② moral ③ similar ④ thrilling ⑤ dynamic

4 It is obvious that something is wrong.

① annual ② native ③ unclear ④ prior ⑤ concerned

5 He loosened his belt, as he was full.

① decorated ② tightened ③ displayed ④ donated ⑤ reserved

D 보기 에서 빈칸에 공통으로 들어갈 단어를 골라 쓰세요.

> 보기 reproduce   squeeze   discussion   combine   purchase
> collection

1 They usually make _____s online.

She _____d a new desk for $150.

2 She _____d his hand.

I _____d the juice from a lemon.

3 _____ the flour with water.

The film _____s education with entertainment.

4 He has a large _____ of CDs.

Trash _____ is on Mondays.

5 Do not _____ the photos.

Chickens _____ by laying eggs.

CROSSWORD PUZZLE

DAY 21-30

정답 p.290

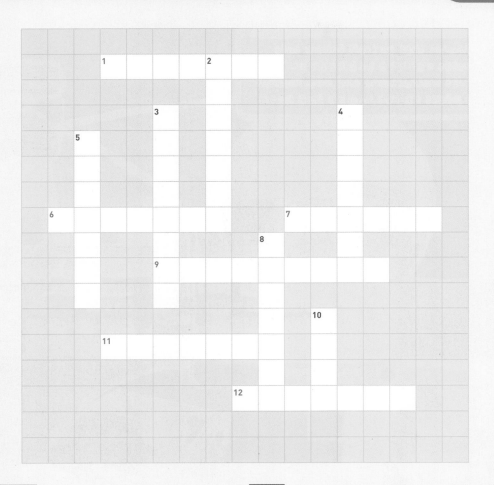

Across
1 대신에
6 다양한
7 위기, 고비
9 협력하다, 협동하다
11 비슷한, 유사한
12 요소, 성분

Down
2 탐험하다; 조사[탐구]하다
3 계약(서); 계약하다
4 예견[예측]하다
5 명백한, 분명한
8 중립의, 중립적인
10 용어; 기간

air-traffic controller 항공 교통 관제사

- ensures that aircraft follow safe routes 비행기가 안전 항로를 따르도록 하다
- gives instructions and information to pilots 조종사에게 지시를 하고 정보를 제공하다

flight attendant 비행 승무원

- ensures the safety of passengers 승객의 안전을 보장하다
- explains safety procedures 안전 수칙을 설명하다
- serves meals and drinks 식사와 음료를 제공하다

pilot 조종사

- operates aircraft 비행기를 조종하다
- gives instruction to crew 승무원에게 지시를 하다

airport police 공항 경찰

- investigate crimes related to the airport 공항과 관련된 범죄를 수사하다
- ensure the safety to people in airport 공항 내 사람들의 안전을 보장하다

aircraft mechanic 항공 정비사

- maintains and repairs aircraft 비행기를 유지 보수하며 수리하다

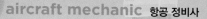

DAY 31
PREVIEW

A 아는 단어/숙어에 체크(V)해보세요.

0601 **contact** ☐	0611 **urban** ☐
0602 **permit** ☐	0612 **reflect** ☐
0603 **release** ☐	0613 **conscious** ☐
0604 **propose** ☐	0614 **bother** ☐
0605 **struggle** ☐	0615 **generally** ☐
0606 **characteristic** ☐	0616 **sweep** ☐
0607 **suffer** ☐	0617 **violate** ☐
0608 **fate** ☐	0618 **possess** ☐
0609 **precious** ☐	0619 **in balance** ☐
0610 **equal** ☐	0620 **as ~ as possible** ☐

B 사진을 보고 알맞은 단어/숙어를 써보세요.

_____   _____   _____   _____

 **DAY 31**

학습일 | 1차:　월　일 | 2차:　월　일

0601 contact
[kántækt]

명 1 (물리적) 접촉 2 연락 동 연락하다

Wash it off if it comes in contact with your skin.
그것이 피부에 접촉했다면, 그것을 씻어내라.

keep in contact with ~와 연락을 유지하다

I need to contact my parents.　나는 부모님께 연락해야 한다.

0602 permit
[pərmít]

동 허락[허가]하다 ㉤ allow 명 [pə́ːrmit] 허가(증)

Cooking is not permitted in this area.
이 구역에서 취사는 허용되지 않습니다.

a parking permit 주차 허가증

0603 release
[rilíːs]

동 1 석방[해방]하다; 놓아주다 2 공개[발표]하다

He was released from prison.　그는 감옥에서 석방되었다.

release a movie 영화를 개봉하다

0604 propose
[prəpóuz]

동 1 제안하다 2 청혼하다

He proposed a new idea.　그는 새로운 의견을 제안했다.
I proposed to my girlfriend.　나는 내 여자친구에게 청혼했다.

⊞ proposal 명 1 제안, 제의 2 청혼

0605 struggle
[strʌ́gl]

동 1 애쓰다, 분투하다 2 발버둥치다 명 투쟁, 분투

He struggled to survive.　그는 살아남기 위해 애썼다.

struggle to escape 도망치려고 발버둥치다

a struggle for freedom 자유를 위한 투쟁

0606 characteristic
[kæ̀riktərístik]

명 특징, 특성 ㉤ feature 형 독특한, 특유의 ㉤ distinctive

Each culture has its own characteristics.
각 문화는 고유의 특성을 가지고 있다.

a characteristic smell 특유의 냄새

0607 suffer
[sʌ́fər]

동 1 (병 등에) 시달리다; 고통 받다 2 (불쾌한 일을) 겪다[당하다]

I suffered from a high fever today.　나는 오늘 고열에 시달렸다.

suffer an injury 부상을 당하다

146

0608 fate
[feit]

명 운명, 숙명

I'll decide my own fate. 내 운명은 내가 결정할 것이다.

0609 precious
[préʃəs]

형 귀중한, 값비싼; 소중한 ⑲ valuable

Family is the most precious thing to me.
가족은 내게 가장 소중한 것이다.

0610 equal
[íːkwəl]

형 1 동일한, 같은 2 동등한, 평등한 동 같다, ~이다

The two boys are equal in height. 그 두 소년은 키가 똑같다.

equal right 동등한 권리

Five times two equals ten. 5 곱하기 2는 10이다.

0611 urban
[ə́ːrbən]

형 도시의 ⑪ rural

The pollution in urban areas is getting worse.
도시 지역의 공해가 악화되고 있다.

0612 reflect
[riflékt]

동 1 비추다 2 반사하다 3 반영하다, 나타내다

My face was reflected in the mirror. 내 얼굴이 거울에 비쳤다.

reflect light 빛을 반사하다

reflect one's view 견해를 반영하다

0613 conscious
[kánʃəs]

형 1 알고 있는 ((of)) ⑲ aware 2 의식이 있는

I am conscious of my weaknesses. 나는 내 약점을 알고 있다.

The patient is not conscious yet. 그 환자는 아직 의식이 없다.

0614 bother
[báðər]

동 1 괴롭히다, 귀찮게 하다 2 신경 쓰다, 애를 쓰다

I'm sorry to bother you on a holiday. 휴일에 귀찮게 해서 죄송해요.

He doesn't bother dressing up. 그는 차려입으려 애쓰지 않는다.

0615 generally
[dʒénərəli]

부 1 일반적으로 ⑪ rarely 2 대개, 보통

Children generally like sweets. 아이들은 일반적으로 단것을 좋아한다.

I generally wake up at 7 a.m. 나는 보통 오전 7시에 일어난다.

0616 sweep
[swiːp]

동 (swept-swept) 1 청소하다, 쓸다 2 (태풍 등이) 휩쓸다

I swept the leaves with a broom. 나는 빗자루로 낙엽을 쓸었다.

The storm swept across the beach. 폭풍이 해변을 휩쓸었다.

0617 violate
[vái_əlèit]

圄 1 위반하다, 어기다 2 침해하다

Don't **violate** traffic laws. 교통 법규를 위반하지 마세요.
violate one's privacy 사생활을 침해하다

0618 possess
[pəzés]

圄 소유[소지]하다 ㊦ own

Do you **possess** a driver's license? 운전면허증을 소지하고 있나요?
⊞ possession 圀 소유, 소지; 소지품

0619 in balance

균형이 잡혀, 조화하여

Keep your schoolwork and hobbies **in balance**.
학업과 취미가 균형을 이루도록 해라.

0620 as ~ as possible

될 수 있는 대로, 가급적

Call me as soon **as possible**. 가급적 빨리 내게 전화해 줘.

DAY 31 CHECK-UP

정답 p.290

[1-14] 영어는 우리말로, 우리말은 영어로 쓰세요.

1 reflect _____
2 sweep _____
3 release _____
4 contact _____
5 violate _____
6 generally _____
7 characteristic _____

8 도시의 _____
9 운명, 숙명 _____
10 소유[소지]하다 _____
11 알고 있는; 의식이 있는 _____
12 허락[허가]하다; 허가(증) _____
13 귀중한, 값비싼; 소중한 _____
14 제안하다; 청혼하다 _____

[15-18] 우리말에 맞게 빈칸에 알맞은 말을 넣으세요.

15 Call me _____ soon _____ _____. (가급적 빨리 내게 전화해 줘.)

16 I _____ from a high fever today. (나는 오늘 고열에 시달렸다.)

17 I'm sorry to _____ you on a holiday. (휴일에 귀찮게 해서 죄송해요.)

18 Keep your schoolwork and hobbies _____ _____.
(학업과 취미가 균형을 이루도록 해라.)

DAY 32
PREVIEW

A 아는 단어/숙어에 체크(V)해보세요.

0621 **expose** ☐	0631 **supply** ☐
0622 **behave** ☐	0632 **impressive** ☐
0623 **entirely** ☐	0633 **monitor** ☐
0624 **considerable** ☐	0634 **latter** ☐
0625 **joint** ☐	0635 **revise** ☐
0626 **wipe** ☐	0636 **meanwhile** ☐
0627 **beside** ☐	0637 **recall** ☐
0628 **expect** ☐	0638 **perceive** ☐
0629 **transportation** ☐	0639 **show off** ☐
0630 **encouragement** ☐	0640 **fill out** ☐

B 사진을 보고 알맞은 단어/숙어를 써보세요.

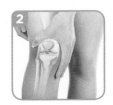

_____ _____ _____ _____

0621 expose
[ikspóuz]

동 1 드러내다, 노출시키다 2 폭로하다

Don't expose your skin to the sun for too long.
햇볕에 피부를 너무 오래 노출시키지 마라.

expose a secret 비밀을 폭로하다

0622 behave
[bihéiv]

동 행동하다, 처신하다

He behaved badly in class. 그는 수업 시간에 무례하게 행동했다.

⊕ behavior 명 행동, 태도

0623 entirely
[intáiərli]

부 전적으로, 완전히 ⊕ totally

I entirely agree with your opinion. 나는 네 의견에 전적으로 동의한다.

0624 considerable
[kənsídərəbl]

형 많은, 상당한

He spent a considerable amount of money on the trip.
그는 그 여행에 상당한 금액의 돈을 썼다.

0625 joint
[dʒɔint]

명 1 관절 2 연결 부분, 이음매 형 공동의, 합동의

He has a pain in his knee joint. 그는 무릎 관절이 아프다.

the joints of the pipes 파이프의 이음매

They are joint owners of the building.
그들은 그 건물의 공동 소유자이다.

0626 wipe
[waip]

동 닦다, 훔치다

Wipe your mouth with a napkin. 냅킨으로 네 입을 닦아라.

0627 beside
[bisáid]

전 1 ~의 옆에 2 ~에 비해 3 ~을 벗어난

She is standing beside the desk. 그녀는 책상 옆에 서 있다.

His problems seem like nothing beside mine.
그의 문제들은 내 것에 비하면 아무것도 아닌 것 같다.

beside the point 요점을 벗어난

0628 expect
[ikspékt]

동 1 기대[예상]하다 ⊕ anticipate 2 기다리다

We expected him to succeed. 우리는 그가 성공할 것으로 기대했다.

expect a visit 방문을 기다리다

0629 transportation
[trænspərtéiʃən]

명 1 운송, 수송 2 수송[교통] 수단

Air transportation is convenient and fast.
항공 수송은 편리하고 빠르다.

public transportation 대중 교통 수단

0630 encouragement
[inkɔ́:ridʒmənt]

명 격려, 장려

Her words were a great encouragement to me.
그녀의 말은 내게 큰 격려가 되었다.

0631 supply
[səplái]

명 1 공급(량) 반 demand 2 (-s) 공급품; 용품 동 공급하다

Food is in short supply. 식량 공급이 부족하다.

school supplies 학용품

This dam supplies the city with power.
이 댐은 도시에 전력을 공급한다.

0632 impressive
[imprésiv]

형 인상적인, 감명 깊은

His novel was very impressive. 그의 소설은 매우 인상적이었다.

➕ impress 동 깊은 인상을 주다, 감명을 주다

0633 monitor
[mánitər]

명 (컴퓨터 등의) 모니터, 화면 동 감시[관찰]하다

Please watch the computer monitor. 컴퓨터 모니터를 봐 주세요.

This app monitors your heart activity. 이 앱은 심장 활동을 감시한다.

0634 latter
[lǽtər]

형 후자의; 나중의, 후반의 명 (the-) 후자 반 former (형/명)

The latter part of the movie is very interesting.
그 영화의 후반부는 정말 재미있다.

the former and the latter 전자와 후자

0635 revise
[riváiz]

동 (의견·계획 등을) 변경[수정]하다; (책 등을) 개정[수정]하다

Your advice made me revise my opinion.
네 조언이 내 의견을 변경하도록 했다.

The writer revised his script five times.
그 작가는 그의 대본을 다섯 번 수정했다.

0636 meanwhile
[mí:nʰwàil]

부 그 동안[사이]에

Please clear the table. Meanwhile, I'll make lunch.
식탁 좀 치워주세요. 그 동안, 제가 점심을 준비할게요.

⁰⁶³⁷ **recall**

[rikɔ́ːl]

동 기억해내다, 상기하다

I can't recall what she said.
나는 그녀가 무슨 말을 했는지 기억나지 않는다.

⁰⁶³⁸ **perceive**

[pərsíːv]

동 인지[감지]하다 ⑨ notice

He perceived the situation had gotten worse.
그는 상황이 더 나빠졌다는 것을 인지했다.

perceive a change 변화를 감지하다

⁰⁶³⁹ **show off**

과시하다, 자랑하다

She showed off her new necklace.
그녀는 자신의 새 목걸이를 자랑했다.

⁰⁶⁴⁰ **fill out**

(정보를) 기입하다, (양식을) 작성하다

Please fill out this form. 이 양식을 작성해 주세요.

DAY 32　CHECK-UP

[1-14] 영어는 우리말로, 우리말은 영어로 쓰세요.

1 revise _____
2 recall _____
3 supply _____
4 entirely _____
5 beside _____
6 meanwhile _____
7 transportation _____

8 격려, 장려 _____
9 많은, 상당한 _____
10 닦다, 훔치다 _____
11 인지[감지]하다 _____
12 인상적인, 감명 깊은 _____
13 행동하다, 처신하다 _____
14 기대[예상]하다; 기다리다 _____

[15-18] 우리말에 맞게 빈칸에 알맞은 말을 넣으세요.

15 Please _____ _____ this form. (이 양식을 작성해 주세요.)

16 The _____ part of the movie is very interesting. (그 영화의 후반부는 정말 재미있다.)

17 She _____ _____ her new necklace. (그녀는 자신의 새 목걸이를 자랑했다.)

18 Don't _____ your skin to the sun for too long.
(햇볕에 피부를 너무 오래 노출시키지 마라.)

DAY 33
PREVIEW

A 아는 단어/숙어에 체크(V)해보세요.

0641 **practical**	☐	0651 **conserve**	☐
0642 **examine**	☐	0652 **ingredient**	☐
0643 **observe**	☐	0653 **aloud**	☐
0644 **inner**	☐	0654 **ethic**	☐
0645 **instruct**	☐	0655 **concrete**	☐
0646 **whatever**	☐	0656 **locate**	☐
0647 **convention**	☐	0657 **disease**	☐
0648 **existence**	☐	0658 **account**	☐
0649 **contain**	☐	0659 **be afraid of**	☐
0650 **interrupt**	☐	0660 **bring about**	☐

B 사진을 보고 알맞은 단어/숙어를 써보세요.

_____ _____ _____ _____

0641 practical
[prǽktikəl]

휑 1 실제적인 2 실용적인, 유용한

Do you have any practical work experience?
당신은 실제적인 업무 경험이 있나요?

a practical method 실용적인 방법

0642 examine
[igzǽmin]

동 1 조사[검토]하다 2 검사[진찰]하다

She examined the document carefully.
그녀는 그 서류를 주의 깊게 검토했다.

The dentist examined my teeth. 치과 의사가 내 이를 검사했다.

0643 observe
[əbzə́:rv]

동 1 관찰[관측]하다 2 준수하다

We observed the movement of the stars.
우리는 별들의 움직임을 관측했다.

observe the law 법을 준수하다

⊞ observation 휑 관찰, 관측

0644 inner
[ínər]

휑 1 안의, 안쪽[내부]의 ⊕ outer 2 내적인, 정신적인

They were led to an inner room. 그들은 안쪽 방으로 안내되었다.

inner beauty 내적인 아름다움

0645 instruct
[instrʌ́kt]

동 1 지시하다 ⊕ command 2 가르치다

He instructed the soldiers to attack.
그는 군인들에게 공격하라고 지시했다.

She instructs her children on table manners.
그녀는 아이들에게 식탁 예절을 가르친다.

0646 whatever
[hwʌtévər]

대 1 (~하는 것은) 무엇이든지 2 어떤 ~라도

Do whatever you want. 네가 원하는 것은 무엇이든지 해라.

Whatever she says, I don't believe her.
그녀가 어떤 말을 하든, 나는 그녀를 믿지 않는다.

0647 convention
[kənvénʃən]

명 1 총회, 협의회 2 관습, 풍습

She attends the convention every year.
그녀는 매년 그 총회에 참석한다.

a social convention 사회적인 관습

0648 existence
[igzístəns]

몡 존재

He believes in the existence of aliens. 그는 외계인의 존재를 믿는다.

⊞ exist 동 존재하다

0649 contain
[kəntéin]

동 1 들어 있다; 포함[함유]하다 2 (감정을) 억누르다

This drink contains caffeine. 이 음료에는 카페인이 들어 있다.

contain one's anger 화를 억누르다

0650 interrupt
[ìntərʌ́pt]

동 1 방해하다 ⊕ disrupt 2 중단시키다

I'm sorry to interrupt your rest. 휴식을 방해해서 미안합니다.

The game was interrupted by rain. 그 경기는 비로 중단되었다.

0651 conserve
[kánsəːrv]

동 아끼다, 아껴 쓰다; 보존[보호]하다

We need to conserve water. 우리는 물을 아껴 써야 한다.

conserve wild plants 야생 식물을 보호하다

0652 ingredient
[ingríːdiənt]

몡 1 (요리 등의) 재료[성분] 2 구성 요소

Fry all of the ingredients in a pan. 모든 재료를 팬에 볶아라.

essential ingredients 필수 구성 요소

0653 aloud
[əláud]

부 1 소리 내어 2 큰 소리로, 크게

She read the letter aloud. 그녀는 그 편지를 소리 내어 읽었다.

shout aloud 큰 소리로 외치다

0654 ethic
[éθik]

몡 1 가치 체계, 의식 2 (-s) (행동 규범으로서의) 윤리

He has a strong work ethic. 그는 강한 직업의식을 가지고 있다.

medical ethics 의료 윤리

0655 concrete
[kánkriːt]

형 1 구체적인 ⊕ abstract 2 콘크리트로 된

Can you give me a concrete example?
구체적인 예를 들어주시겠어요?

a concrete floor 콘크리트 바닥

0656 locate
[lóukeit]

동 1 (위치를) 알아[찾아]내다 2 (특정 위치에) 두다, 설치하다

They located the lost car. 그들은 분실된 차의 위치를 알아냈다.

My office is located in Chicago. 내 사무실은 시카고에 있다.

0657 disease
[dizíːz]

명 질병, 질환

Dirty water causes many diseases.
더러운 물은 많은 질병을 초래한다.

0658 account
[əkáunt]

명 1 (예금) 계좌 2 설명, 기술

I want to close my bank account. 제 은행 계좌를 해지하고 싶습니다.
a full[complete] account 자세한 설명

0659 be afraid of

~을 두려워하다

I don't like flying, as I am afraid of heights.
나는 높은 곳을 두려워하기 때문에 비행을 좋아하지 않는다.

0660 bring about

~을 일으키다, 초래하다

The war brought about many changes.
그 전쟁은 많은 변화를 초래했다.

DAY 33 CHECK-UP

정답 p.291

[1-14] 영어는 우리말로, 우리말은 영어로 쓰세요.

1 ethic _____

2 inner _____

3 aloud _____

4 locate _____

5 conserve _____

6 ingredient _____

7 whatever _____

8 존재 _____

9 질병, 질환 _____

10 지시하다; 가르치다 _____

11 (예금) 계좌; 설명, 기술 _____

12 방해하다; 중단시키다 _____

13 실제적인; 실용적인, 유용한 _____

14 관찰[관측]하다; 준수하다 _____

[15-18] 우리말에 맞게 빈칸에 알맞은 말을 넣으세요.

15 This drink _____ caffeine. (이 음료에는 카페인이 들어 있다.)

16 The dentist _____ my teeth. (치과 의사가 내 이를 검사했다.)

17 The war _____ _____ many changes. (그 전쟁은 많은 변화를 초래했다.)

18 I don't like flying, as I _____ _____ _____ heights.
(나는 높은 곳을 두려워하기 때문에 비행을 좋아하지 않는다.)

DAY 34
PREVIEW

A 아는 단어/숙어에 체크(V)해보세요.

0661	challenge	☐		
0662	committee	☐		
0663	detail	☐		
0664	justice	☐		
0665	demand	☐		
0666	weapon	☐		
0667	antique	☐		
0668	signature	☐		
0669	concern	☐		
0670	rare	☐		

0671	suspect	☐
0672	debate	☐
0673	fragile	☐
0674	government	☐
0675	resist	☐
0676	distinct	☐
0677	exist	☐
0678	embarrass	☐
0679	by oneself	☐
0680	fall off	☐

B 사진을 보고 알맞은 단어/숙어를 써보세요.

_____ _____ _____ _____

0661 challenge
[tʃǽlindʒ]

명 도전, 난제 동 도전하다; (시합 등을) 걸다

Air pollution is a major challenge today.
대기 오염은 오늘날의 주요 난제이다.

He challenged me to a game. 그는 나에게 시합을 걸었다.

0662 committee
[kəmíti]

명 위원회

The committee approved the plan. 위원회는 그 계획을 승인했다.

0663 detail
[ditéil]

명 1 세부 사항 2 (-s) 자세한 내용[정보]

He knows every detail of it. 그는 그것의 모든 세부 사항들을 알고 있다.

Please check out more details on our website.
더 자세한 내용은 저희 웹사이트에서 확인해 주세요.

0664 justice
[dʒʌ́stis]

명 1 정의; 공정 2 사법; 재판

They fought for freedom and justice.
그들은 자유와 정의를 위해 싸웠다.

a court of justice 법원

0665 demand
[dimǽnd]

명 1 요구 ⊕ request 2 수요 동 요구하다

There is a demand for higher pay. 임금 인상의 요구가 있다.

supply and demand 공급과 수요

They demanded an apology. 그들은 사과를 요구했다.

0666 weapon
[wépən]

명 무기, 병기

The bodyguard was carrying a weapon.
그 경호원은 무기를 갖고 있었다.

0667 antique
[æntíːk]

형 (가구 등이) 고미술의, 골동품인 명 고미술품, 골동품

He collects antique clocks. 그는 골동품 시계를 수집한다.

The radio is an antique. 그 라디오는 골동품이다.

0668 signature
[sígnətʃər]

명 서명

Please put your signature here. 여기에 서명해 주세요.

+ sign 동 서명하다

0669 concern

[kənsɔ́ːrn]

명 1 우려, 걱정 2 관심사   동 걱정시키다

There is great concern about crime. 범죄에 대한 우려가 크다.
the main concern 주된 관심사
His illness concerned us. 그의 병은 우리를 걱정시켰다.

0670 rare

[rɛər]

형 드문, 보기 힘든; 진귀한[희귀한] 반 common

Snow in April is extremely rare. 4월에 눈이 오는 일은 극히 드물다.
a rare book 진귀한 책

0671 suspect

[səspékt]

동 의심하다, 혐의를 두다   명 [sʌ́spekt] 용의자

I suspected him of stealing the wallet.
나는 그가 그 지갑을 훔쳤다고 의심했다.
a prime suspect 주요 용의자

0672 debate

[dibéit]

동 토론하다, 논쟁하다   명 토론, 논쟁

This topic will be debated at the meeting.
이 주제는 회의에서 토론될 예정이다.
under debate 논쟁 중인

0673 fragile

[frǽdʒəl]

형 손상되기 쉬운, 부서지기 쉬운 반 durable

The dish is fragile, so please handle it with care.
그 접시는 깨지기 쉬우니 조심히 다뤄주세요.

0674 government

[gʌ́vərnmənt]

명 정부, 정권

The government planned to support the elderly.
정부는 노인들을 지원할 계획을 세웠다.

0675 resist

[rizíst]

동 1 저항[반대]하다 2 (열 등에) 강하다 ⊕ withstand 3 참다

He resisted pressure from his boss. 그는 상사의 압력에 저항했다.
This container resists heat. 이 용기는 열에 강하다.
He cannot resist sweet things. 그는 단것이라면 참지 못한다.

0676 distinct

[distíŋkt]

형 1 다른[구분되는], 별개의 2 뚜렷한, 분명한

The two languages are quite distinct. 그 두 언어는 상당히 다르다.
There was the distinct smell of something burning.
분명히 뭔가 타는 냄새가 났다.

0677 exist

[igzíst]

동 존재하다

Does water exist on Mars? 화성에 물이 존재하나요?

+ existence 명 존재

0678 embarrass

[imbǽrəs]

동 당황스럽게 만들다, 창피하게 만들다

His loud complaining embarrassed us all.
그가 큰 소리로 불평하는 것은 우리 모두를 창피하게 만들었다.

0679 by oneself

1 혼자; 다른 사람 없이 2 혼자 힘으로

He had lunch by himself. 그는 혼자 점심을 먹었다.

I can't lift it by myself. 나 혼자 힘으로는 그것을 들 수 없다.

0680 fall off

(양·질 등이) 떨어지다

Our sales began to fall off. 우리 매출이 떨어지기 시작했다.

DAY 34 CHECK-UP

정답 p.291

[1-14] 영어는 우리말로, 우리말은 영어로 쓰세요.

1 rare _____

2 detail _____

3 justice _____

4 distinct _____

5 debate _____

6 suspect _____

7 embarrass _____

8 서명 _____

9 위원회 _____

10 무기, 병기 _____

11 존재하다 _____

12 정부, 정권 _____

13 요구; 수요; 요구하다 _____

14 손상되기 쉬운, 부서지기 쉬운 _____

[15-18] 우리말에 맞게 빈칸에 알맞은 말을 넣으세요.

15 Our sales began to _____ _____. (우리 매출이 떨어지기 시작했다.)

16 There is great _____ about crime. (범죄에 대한 우려가 크다.)

17 He cannot _____ sweet things. (그는 단것이라면 참지 못한다.)

18 Air pollution is a major _____ today. (대기 오염은 오늘날의 주요 난제이다.)

DAY 35
PREVIEW

A 아는 단어/숙어에 체크(V)해보세요.

0681 **issue** ☐	0691 **failure** ☐
0682 **rather** ☐	0692 **independent** ☐
0683 **forecast** ☐	0693 **decay** ☐
0684 **multiply** ☐	0694 **throughout** ☐
0685 **negotiate** ☐	0695 **direction** ☐
0686 **realize** ☐	0696 **imitate** ☐
0687 **summary** ☐	0697 **carnival** ☐
0688 **constantly** ☐	0698 **ultimate** ☐
0689 **construction** ☐	0699 **take A for granted** ☐
0690 **precise** ☐	0700 **be worthy of** ☐

B 사진을 보고 알맞은 단어/숙어를 써보세요.

_____ _____ _____ _____

DAY 35

학습일 | 1차: 월 일 | 2차: 월 일

0681 issue
[íʃuː]

명 주제, 쟁점; 문제

He talked about important issues. 그는 중요한 주제들에 관해 이야기했다.
She has an issue with her health. 그녀는 건강상의 문제가 있다.

0682 rather
[rǽðər]

부 1 꽤, 상당히 ㈜ quite 2 오히려, 차라리

It is rather cold today. 오늘은 날씨가 꽤 춥다.
I'm angry rather than sad. 나는 슬프기보다는 오히려 화가 난다.

0683 forecast
[fɔ́ːrkæst]

명 예측, 예보 동 예측하다, 예보하다

The weather forecast says it'll rain tomorrow.
일기예보는 내일 비가 올 것이라고 한다.

forecast the future 미래를 예측하다

0684 multiply
[mʌ́ltəplài]

동 1 곱하다 ㈜ divide 2 증가[증대]하다

Two multiplied by three is six. 2 곱하기 3은 6이다.
Sales have multiplied rapidly. 매출이 급격히 증가했다.

0685 negotiate
[nigóuʃièit]

동 협상[교섭]하다

The workers are negotiating with the company.
직원들은 회사와 협상을 하고 있다.

➕ negotiation 명 협상, 교섭

0686 realize
[ríːəlàiz]

동 1 깨닫다 2 (소망 등을) 실현하다

I realized my mistake. 나는 내 실수를 깨달았다.
realize a dream 꿈을 실현하다

0687 summary
[sʌ́məri]

명 요약, 개요

Write a summary of the book. 그 책의 요약문을 써 와라.
in summary 요약하여[간단히] 말하면

0688 constantly
[kánstəntli]

부 끊임없이, 계속 ㈜ continuously

Design trends are constantly changing.
디자인 동향은 끊임없이 변화한다.

➕ constant 형 끊임없는, 계속되는

162

0689 construction
[kənstrʌ́kʃən]

명 공사, 건설

The road is still under construction. 그 도로는 아직 공사 중이다.

⊞ construct 동 건설하다

0690 precise
[prisáis]

형 정밀한, 정확한 ⑨ exact

The program can find your precise location.
그 프로그램은 당신의 정확한 위치를 찾을 수 있다.

0691 failure
[féiljər]

명 1 실패; 실패자, 실패작 ⑪ success 2 고장

The plan ended in failure. 그 계획은 실패로 끝났다.

a power failure 전기 고장, 정전

0692 independent
[ìndipéndənt]

형 1 (국가가) 독립한 2 자립심이 강한 ⑪ dependent

Korea became independent in 1945. 한국은 1945년에 독립했다.

He is quite independent for his age.
그는 나이에 비해 매우 자립심이 강하다.

0693 decay
[dikéi]

동 썩다, 부패하다 ⑨ rot 명 부식, 부패

I left the meat outside and it decayed.
내가 고기를 밖에 두어서 그것이 부패되었다.

tooth decay 충치

0694 throughout
[θruːáut]

전 1 ~의 도처에 2 ~동안 내내, 줄곧

The company has offices throughout the world.
그 회사는 세계 도처에 사무실을 가지고 있다.

throughout the year 연중[일 년 내내]

0695 direction
[dirékʃən]

명 1 방향 2 (-s) 명령, 지시

Suddenly, the wind changed direction.
갑자기 바람의 방향이 바뀌었다.

follow directions 지시를 따르다

0696 imitate
[ímitèit]

동 본뜨다, 모방하다

Many artists imitated his style of painting.
많은 화가들이 그의 화풍을 모방했다.

⊞ imitation 명 모방; 모조품

0697 carnival

[káːrnəvəl]

명 카니발, 축제

There is a local **carnival** in May. 5월에 지역 축제가 있다.

0698 ultimate

[ʌ́ltəmit]

형 1 최종의, 궁극적인 2 최대의, 최고의

What is your **ultimate** goal? 네 최종 목표는 무엇이니?

She is the **ultimate** movie star. 그녀는 최고의 영화 배우이다.

0699 take A for granted

A를 당연한 일로 여기다

He **takes** his parents' love **for granted**.
그는 부모님의 사랑을 당연한 일로 여긴다.

0700 be worthy of

~할 가치가 있다, ~할 만하다

Your brave action **is worthy of** praise.
네 용감한 행동은 칭찬받을 만하다.

DAY 35 CHECK-UP

[1-14] 영어는 우리말로, 우리말은 영어로 쓰세요.

1 issue _____
2 decay _____
3 failure _____
4 rather _____
5 direction _____
6 constantly _____
7 throughout _____

8 공사, 건설 _____
9 요약, 개요 _____
10 협상[교섭]하다 _____
11 정밀한, 정확한 _____
12 본뜨다, 모방하다 _____
13 곱하다; 증가[증대]하다 _____
14 깨닫다; (소망 등을) 실현하다 _____

[15-18] 우리말에 맞게 빈칸에 알맞은 말을 넣으세요.

15 Korea became _____ in 1945. (한국은 1945년에 독립했다.)

16 The weather _____ says it'll rain tomorrow. (일기예보는 내일 비가 올 것이라고 한다.)

17 Your brave action _____ _____ _____ praise.
    (네 용감한 행동은 칭찬받을 만하다.)

18 He _____ his parents' love _____ _____.
    (그는 부모님의 사랑을 당연한 일로 여긴다.)

REVIEW TEST

DAY 31-35

A 우리말에 맞게 빈칸에 알맞은 말을 넣으세요.

1 _____ one's privacy (사생활을 침해하다)

2 _____ a secret (비밀을 폭로하다)

3 _____ beauty (내적인 아름다움)

4 a court of _____ (법원)

5 _____ a dream (꿈을 실현하다)

6 Wash it off if it comes in _____ with your skin. (그것이 피부에 접촉했다면, 그것을 씻어내라.)

7 My face was _____ in the mirror. (내 얼굴이 거울에 비쳤다.)

8 His novel was very _____. (그의 소설은 매우 인상적이었다.)

9 The _____ part of the movie is very interesting. (그 영화의 후반부는 정말 재미있다.)

10 They _____ the lost car. (그들은 분실된 차의 위치를 알아냈다.)

11 I left the meat outside and it _____. (내가 고기를 밖에 두어서 그것이 부패되었다.)

12 The _____ planned to support the elderly. (정부는 노인들을 지원할 계획을 세웠다.)

B 밑줄 친 말에 유의하여 다음 문장을 해석하세요.

1 He struggled to survive.

_____

2 Food is in short supply.

_____

3 Whatever she says, I don't believe her.

_____

4 It is rather cold today.

_____

5 I can't lift it by myself.

_____

C 밑줄 친 단어와 가장 비슷한 뜻을 가진 단어를 고르세요.

1 Each culture has its own characteristics.

① fates   ② features   ③ ethics   ④ challenges   ⑤ antiques

2 I entirely agree with your opinion.

① generally   ② rather   ③ constantly   ④ totally   ⑤ meanwhile

3 I'm sorry to interrupt your rest.

① disrupt   ② instruct   ③ suffer   ④ exist   ⑤ observe

4 This container resists heat.

① expects   ② concerns   ③ withstands   ④ possesses   ⑤ debates

5 The program can find your precise location.

① rare   ② distinct   ③ practical   ④ urban   ⑤ exact

D 보기 에서 빈칸에 들어갈 단어를 골라 쓰세요.

> 보기   issue   throughout   suspect   ingredient   existence
>   revise   considerable   release

1 He talked about important _____s.

2 The company has offices _____ the world.

3 I _____ed him of stealing the wallet.

4 Fry all of the _____s in a pan.

5 He believes in the _____ of aliens.

6 He spent a(n) _____ amount of money on the trip.

7 The writer _____d his script five times.

DAY 36
PREVIEW

A 아는 단어/숙어에 체크(V)해보세요.

0701 **occasion**	☐	0711 **properly**	☐
0702 **analyze**	☐	0712 **injured**	☐
0703 **mass**	☐	0713 **frighten**	☐
0704 **thread**	☐	0714 **technical**	☐
0705 **organize**	☐	0715 **indicate**	☐
0706 **individual**	☐	0716 **defeat**	☐
0707 **assume**	☐	0717 **grave**	☐
0708 **wavy**	☐	0718 **install**	☐
0709 **vast**	☐	0719 **turn out**	☐
0710 **outline**	☐	0720 **go through**	☐

B 사진을 보고 알맞은 단어/숙어를 써보세요.

_____ _____ _____ _____

0701 occasion
[əkéiʒən]

명 1 (어떤 일이 생기는) 기회, 때, 경우 2 특별한 일, 행사

On one occasion, he called me at midnight.
한 번은 그가 자정에 내게 전화를 했다.

a special occasion 특별한 행사

0702 analyze
[ǽnəlàiz]

동 분석하다; 분석적으로 검토하다

He analyzed the market situation carefully.
그는 시장 상황을 주의 깊게 분석했다.

⊞ analysis 명 분석

0703 mass
[mæs]

명 1 덩어리 2 다수, 다량 형 대량의, 대규모의

A mass of rock fell down the mountain.
바위 덩어리가 산 아래로 굴러 떨어졌다.

a mass of information 다량의 정보

mass production 대량 생산

0704 thread
[θred]

명 실 동 실을 꿰다

Please cut this thread with scissors. 이 실을 가위로 잘라 주세요.

thread a needle 바늘에 실을 꿰다

0705 organize
[ɔ́:rɡənàiz]

동 1 (어떤 일을) 준비[조직]하다 2 정리하다, 체계화하다

It's not easy to organize a meeting.
회의를 조직하는 것은 쉽지 않다.

organize one's thoughts 생각을 정리하다

0706 individual
[ìndivídʒuəl]

형 1 개개의, 개별의 2 개인의, 개인적인 명 개인

Each individual picture is slightly different.
개개의 그림들은 약간씩 다르다.

individual freedom 개인의 자유

the rights of the individual 개인의 권리

0707 assume
[əsú:m]

동 가정[추정]하다 ⊕ suppose

Let's assume that the story is true.
그 이야기가 사실이라고 가정해 보자.

⊞ assumption 명 가정

0708 wavy
[wéivi]

형 물결 모양의, 웨이브가 있는

Draw a wavy line on the paper. 종이에 물결 모양의 선을 그리세요.

0709 vast
[væst]

형 (크기·양·정도가) 광대한, 어마어마한

The Pacific is a vast ocean. 태평양은 광대한 바다이다.

0710 outline
[áutlàin]

명 1 개요 2 윤곽(선)

Write an outline of your essay. 에세이의 개요를 써라.

an outline of a face 얼굴 윤곽

0711 properly
[prápərli]

부 제대로, 적절히 반 improperly

My camera didn't work properly. 카메라가 제대로 작동하지 않았다.

⊞ proper 형 제대로 된, 적절한

0712 injured
[índʒərd]

형 부상을 입은, 다친 유 wounded

He helped the injured person. 그는 다친 사람을 도와주었다.

0713 frighten
[fráitn]

동 깜짝 놀라게 하다, 겁먹게 하다

I was frightened by the scream. 나는 비명 소리에 깜짝 놀랐다.

0714 technical
[téknikəl]

형 기술의, 기술적인

The rocket has some technical problems.
그 로켓은 약간의 기술적인 문제들이 있다.

0715 indicate
[índikèit]

동 1 나타내다, 보여주다 2 가리키다

The study indicates that the climate is changing fast.
그 연구는 기후가 빠르게 변하고 있음을 보여준다.

indicate a direction 방향을 가리키다

0716 defeat
[difíːt]

동 패배시키다, 이기다 명 패배 반 victory

The team was defeated in the final. 그 팀은 결승전에서 패배했다.

accept defeat 패배를 받아들이다

0717 grave
[gréiv]

명 무덤, 묘 유 tomb 형 심각한, 중대한

I visited my grandfather's grave. 나는 할아버지의 묘를 방문했다.

a grave situation 심각한 상황

0718 install

[instɔːl]

동 (장치 등을) 설치하다

They have installed CCTV cameras in the elevators.
그들은 엘리베이터에 CCTV를 설치했다.

➕ installation 명 설치

0719 turn out

1 되다, 되어 가다 2 ~인 것으로 드러나다

Despite many concerns, the plan turned out well.
많은 염려에도 불구하고 그 계획은 잘 되어 갔다.

The rumors turned out to be false.
그 소문들은 거짓인 것으로 드러났다.

0720 go through

경험하다, 겪다

The company went through a tough time.
그 회사는 힘든 시기를 겪었다.

DAY 36　CHECK-UP

[1-14] 영어는 우리말로, 우리말은 영어로 쓰세요.

1 vast _____

2 injured _____

3 frighten _____

4 analyze _____

5 indicate _____

6 occasion _____

7 individual _____

8 개요; 윤곽(선) _____

9 제대로, 적절히 _____

10 기술의, 기술적인 _____

11 가정[추정]하다 _____

12 (장치 등을) 설치하다 _____

13 무덤, 묘; 심각한, 중대한 _____

14 패배시키다, 이기다; 패배 _____

[15-18] 우리말에 맞게 빈칸에 알맞은 말을 넣으세요.

15 It's not easy to _____ a meeting. (회의를 조직하는 것은 쉽지 않다.)

16 The rumors _____ _____ to be false. (그 소문들은 거짓인 것으로 드러났다.)

17 The company _____ _____ a tough time. (그 회사는 힘든 시기를 겪었다.)

18 A _____ of rock fell down the mountain. (바위 덩어리가 산 아래로 굴러 떨어졌다.)

DAY 37
PREVIEW

A 아는 단어/숙어에 체크(V)해보세요.

0721	**stuff**	☐	0731	**afford**	☐
0722	**quality**	☐	0732	**coordinate**	☐
0723	**mixture**	☐	0733	**tension**	☐
0724	**contrary**	☐	0734	**develop**	☐
0725	**urge**	☐	0735	**refine**	☐
0726	**ban**	☐	0736	**scratch**	☐
0727	**lack**	☐	0737	**describe**	☐
0728	**instance**	☐	0738	**mercy**	☐
0729	**inspect**	☐	0739	**in advance**	☐
0730	**accompany**	☐	0740	**be about to** ⓥ	☐

B 사진을 보고 알맞은 단어/숙어를 써보세요.

학습일 | 1차: 월 일 | 2차: 월 일

0721 stuff
[stʌf]

몡 것[것들], 물건

There is some sticky stuff on the desk.
책상 위에 뭔가 끈적끈적한 것이 있다.

Get your stuff. 네 물건을 챙겨라.

0722 quality
[kwáləti]

몡 질(質), 품질

The quality of our goods is the best.
저희 상품의 품질은 최고입니다.

of high[poor] quality 질이 좋은[나쁜]

0723 mixture
[míkstʃər]

몡 혼합(물)

Make a mixture of milk, egg, and honey.
우유, 달걀과 꿀의 혼합물을 만드세요.

0724 contrary
[kántreri]

혱 반대의, 반대되는 몡 (the-) (정)반대, 반대되는 것

They have contrary views on the issue.
그들은 그 쟁점에 대해 반대되는 견해를 가지고 있다.

on the contrary 그와는 반대로

0725 urge
[ə:rdʒ]

동 (강력히) 권하다, 설득하다 몡 (강한) 충동, 욕구

He urged me to stay home because of the storm.
그는 태풍 때문에 나에게 집에 머무르라고 설득했다.

an urge to cry 울고 싶은 충동

0726 ban
[bæːn]

동 금지하다 ꙮ permit 몡 금지, 금지령

Swimming is banned in this river. 이 강에서는 수영이 금지되어 있다.

There is a ban on smoking in this building.
이 건물에서는 흡연 금지이다.

0727 lack
[læk]

몡 결핍, 부족 ꙮ abundance 동 ~이 없다, 부족하다

I'm tired from lack of sleep. 나는 수면 부족으로 피곤하다.

I think he lacks imagination. 내 생각에 그는 상상력이 부족하다.

0728 instance
[ínstəns]

명 보기, 사례, 경우 윤 example

Many instances of cybercrime were reported.
많은 사이버 범죄의 사례들이 보고되었다.

in this instance 이런 경우에는

0729 inspect
[inspékt]

동 조사하다, 점검하다 윤 examine

The machines are inspected once daily.
기계들은 매일 한 번씩 점검을 받는다.

0730 accompany
[əkʌ́mpəni]

동 동행하다, 동반하다; 동반되다

I'll accompany you to the party. 그 파티에 내가 너와 동행할 것이다.

fog accompanied by heavy rain 폭우를 동반한 안개

0731 afford
[əfɔ́ːrd]

동 (금전적·시간적으로) ~할 여유가 있다

We can't afford to buy a new car. 우리는 새 차를 살 여유가 없다.

0732 coordinate
[kouɔ́ːrdənèit]

동 조직화하다; 조정하다

The manager coordinated the work of several teams.
매니저는 몇 팀의 업무를 조직화했다.

0733 tension
[ténʃən]

명 1 (심리적) 긴장 2 (관계 등의) 긴장 상태

I eased my tension by taking a walk. 나는 산책으로 긴장을 풀었다.

international tension 국제적 긴장 상태

0734 develop
[divéləp]

동 1 성장[발달]하다; 성장[발달]시키다 2 개발하다

He exercises to develop his muscles.
그는 근육을 발달시키기 위해 운동을 한다.

New software was developed. 새로운 소프트웨어가 개발되었다.

0735 refine
[rifáin]

동 1 정제하다 2 개선[개량]하다

Gasoline is refined from oil. 휘발유는 원유에서 정제된다.

refine the design 디자인을 개선하다

0736 scratch
[skrætʃ]

동 긁다, 할퀴다 명 긁힌 자국

He was scratching his head. 그는 머리를 긁고 있었다.

There is a scratch on my car. 내 차에 긁힌 자국이 있다.

0737 describe
[diskráib]

⑧ (특징 등을) 말하다, 묘사하다

She described him as a gentleman. 그녀는 그를 신사로 묘사했다.

➕ description ⑲ 묘사

0738 mercy
[mə́ːrsi]

⑲ 자비

He showed no mercy to us. 그는 우리에게 자비를 보이지 않았다.

beg for mercy 자비를 구하다

0739 in advance

미리, 사전에

Please give me a call in advance. 사전에 제게 전화해 주세요.

0740 be about to ⓥ

막 ~하려고 하다

The store was about to close. 그 가게는 막 문을 닫으려던 참이었다.

DAY 37　CHECK-UP

정답 p.292

[1-14] 영어는 우리말로, 우리말은 영어로 쓰세요.

1	ban	_____	8	자비	_____
2	lack	_____	9	혼합(물)	_____
3	afford	_____	10	질(質), 품질	_____
4	stuff	_____	11	보기, 사례, 경우	_____
5	tension	_____	12	조사하다, 점검하다	_____
6	contrary	_____	13	조직화하다; 조정하다	_____
7	accompany	_____	14	정제하다; 개선[개량]하다	_____

[15-18] 우리말에 맞게 빈칸에 알맞은 말을 넣으세요.

15 Please give me a call _____ _____. (사전에 제게 전화해 주세요.)

16 New software was _____. (새로운 소프트웨어가 개발되었다.)

17 He _____ me to stay home because of rain.

(그는 태풍 때문에 나에게 집에 머무르라고 설득했다.)

18 The store _____ _____ _____ close.

(그 가게는 막 문을 닫으려던 참이었다.)

DAY 38
PREVIEW

A 아는 단어/숙어에 체크(V)해보세요.

0741 appreciate	☐	0751 ruin	☐
0742 internal	☐	0752 hybrid	☐
0743 fasten	☐	0753 expert	☐
0744 complicate	☐	0754 district	☐
0745 formal	☐	0755 frustrate	☐
0746 severe	☐	0756 absorb	☐
0747 interpreter	☐	0757 bend	☐
0748 hardly	☐	0758 concentrate	☐
0749 illustrate	☐	0759 stay away from	☐
0750 found	☐	0760 give off	☐

B 사진을 보고 알맞은 단어/숙어를 써보세요.

1 _____

2 _____

3 _____

4 _____

0741 appreciate
[əprí:ʃièit]

동 1 (진가를) 인정하다, 알아보다 2 감사하다

No one appreciated his talent. 아무도 그의 재능을 알아주지 않았다.

I appreciate your hard work. 여러분의 수고에 감사드립니다.

0742 internal
[intə́:rnl]

형 1 내부의 ⦅반⦆ external 2 체내의

I want to see the internal structure of the building.
나는 그 건물의 내부 구조를 보고 싶다.

internal bleeding 내출혈

0743 fasten
[fǽsən]

동 1 채우다, 매다 2 고정시키다

Please fasten your seat belt. 안전벨트를 매 주세요.

I fastened the rope to a tree. 나는 밧줄을 나무에 고정시켰다.

0744 complicate
[kámplikèit]

동 복잡하게 만들다 ⦅반⦆ simplify

Your anger will only complicate the situation.
네 분노는 상황을 복잡하게만 할 것이다.

⊞ complicated 형 복잡한

0745 formal
[fɔ́:rməl]

형 1 격식을 차린 ⦅반⦆ informal 2 공식적인, 정식의

You need to wear a suit to the formal event.
너는 격식을 갖춘 행사에는 정장을 입어야 한다.

a formal request 공식 요청

0746 severe
[sivíər]

형 1 심각한, 극심한 ⦅유⦆ intense 2 가혹한

I have severe pain in my chest. 나는 가슴에 심각한 통증이 있다.

severe punishment 가혹한 처벌

0747 interpreter
[intə́:rpritər]

명 통역사

I talked with an American without an interpreter.
나는 통역사 없이 미국인과 이야기했다.

⊞ interpret 동 통역하다

0748 hardly
[háːrdli]

♦ 거의 ~아니다, 없다

They hardly know each other. 그들은 서로를 거의 모른다.

0749 illustrate
[íləstrèit]

♦ 1 설명[예증]하다, 명확히 하다 2 (책 등에) 삽화를 넣다

I'll illustrate the point with an example.
예를 들어 요점을 설명하겠습니다.

an illustrated book 삽화가 들어간 책

0750 found
[faund]

♦ (founded-founded) 설립하다 ㊤ establish

The company was founded 20 years ago.
그 회사는 20년 전에 설립되었다.

0751 ruin
[rúːin]

♦ 파괴하다; 망치다 ㊤ destroy ♦ 파괴, 파멸

The city has been ruined by the war.
그 도시는 전쟁으로 파괴되었다.

go to ruin 파멸하다; 폐허가 되다

0752 hybrid
[háibrid]

♦ (동식물의) 잡종; 혼합[혼성]물

A liger is a hybrid of a lion and a tiger.
라이거는 사자와 호랑이 사이의 잡종이다.

0753 expert
[ékspəːrt]

♦ 전문가 ♦ 전문가의, 전문적인; 숙련된

She is an expert in this field. 그녀는 이 분야의 전문가이다.

an expert opinion 전문가의 의견

0754 district
[dístrikt]

♦ 지구, 지역

There were many people in the shopping district.
상점 지구에는 많은 사람들이 있었다.

0755 frustrate
[frʌ́strèit]

♦ 좌절감을 주다, 불만스럽게 만들다

Repeated failures frustrated him.
반복되는 실패는 그에게 좌절감을 주었다.

0756 absorb
[əbsɔ́ːrb]

♦ 흡수하다

A sponge can absorb water. 스펀지는 물을 흡수할 수 있다.

0757 bend

[bend]

동 (bent-bent) 1 (몸의 일부를) 굽히다; 숙이다 2 구부리다

Bend over and touch your toes. 몸을 숙여 손이 발가락에 닿게 해라.

I bent the wire into a circle. 나는 그 철사를 동그랗게 구부렸다.

0758 concentrate

[kánsəntrèit]

동 집중하다 ((on))

She wants me to concentrate on my schoolwork.
그녀는 내가 학업에 집중하기를 원한다.

⊞ concentration 명 집중(력)

0759 stay away from

~에서 떨어져 있다, 가까이 하지 않다

You should stay away from him. 너는 그를 가까이 하지 말아야 한다.

0760 give off

(소리·빛 등을) 내다, 발산하다

The machine gives off a lot of heat. 그 기계는 많은 열을 발산한다.

DAY 38 CHECK-UP

정답 p.292

[1-14] 영어는 우리말로, 우리말은 영어로 쓰세요.

1 ruin	_____	8 통역사	_____
2 found	_____	9 흡수하다	_____
3 formal	_____	10 지구, 지역	_____
4 expert	_____	11 내부의; 체내의	_____
5 illustrate	_____	12 복잡하게 만들다	_____
6 appreciate	_____	13 거의 ~아니다, 없다	_____
7 concentrate	_____	14 심각한, 극심한; 가혹한	_____

[15-18] 우리말에 맞게 빈칸에 알맞은 말을 넣으세요.

15 The machine _____ _____ a lot of heat. (그 기계는 많은 열을 발산한다.)

16 Please _____ your seat belt. (안전벨트를 매 주세요.)

17 Repeated failures _____ him. (반복되는 실패는 그에게 좌절감을 주었다.)

18 You should _____ _____ _____ him.
(너는 그를 가까이 하지 말아야 한다.)

DAY 39
PREVIEW

A 아는 단어/숙어에 체크(V)해보세요.

0761 **carve**	☐	0771 **mentor**	☐
0762 **creation**	☐	0772 **react**	☐
0763 **evidence**	☐	0773 **insult**	☐
0764 **commonly**	☐	0774 **depressed**	☐
0765 **include**	☐	0775 **intelligence**	☐
0766 **pursue**	☐	0776 **represent**	☐
0767 **trial**	☐	0777 **decline**	☐
0768 **devote**	☐	0778 **depend**	☐
0769 **pray**	☐	0779 **belong to**	☐
0770 **appropriate**	☐	0780 **call on**	☐

B 사진을 보고 알맞은 단어/숙어를 써보세요.

_____ _____ _____ _____

0761 carve
[kɑːrv]

동 1 조각하다, 깎아서 만들다　2 (글씨를) 새기다

He carved a dog out of a piece of wood.
그는 나무 조각을 깎아서 개를 만들었다.

carve one's name　이름을 새기다

0762 creation
[kriéiʃən]

명 1 창조, 창작, 창출　2 창작품

The creation of new jobs helps the economy.
새 일자리 창출은 경제를 돕는다.

The artist was explaining her own creations.
그 예술가는 그녀의 창작품을 설명하고 있었다.

0763 evidence
[évidəns]

명 증거, 근거 유 proof

Police found evidence of a crime.　경찰이 범죄의 증거를 찾아냈다.

0764 commonly
[kámənli]

부 흔히, 보통 유 often

Rosemary is commonly used in cooking.
로즈마리는 요리에 흔히 사용된다.

0765 include
[inklúːd]

동 1 포함하다　2 포함시키다 반 exclude

The price includes tax.　그 가격에는 세금이 포함되어 있다.
I included him in the project.　나는 그를 그 프로젝트에 포함시켰다.

0766 pursue
[pərsjúː]

동 1 추구하다　2 쫓다, 추적하다

People pursue their own goals.　사람들은 각자의 목표를 추구한다.
pursue the enemy　적을 쫓다

0767 trial
[tráiəl]

명 1 재판　2 (품질·성능 등의) 시험, 실험

He is on trial for stealing a car.　그는 차를 훔친 죄로 재판 중에 있다.
a trial period　시험 기간

0768 devote
[divóut]

동 (시간·노력 등을) 바치다, 쏟다 ((to))

He devoted all his energy to the project.
그는 그 프로젝트에 온 힘을 쏟았다.

＋ devoted 형 헌신적인

0769 pray
[prei]

동 빌다, 기도하다

She always prays for her daughter. 그녀는 항상 딸을 위해 기도한다.

⊞ prayer 명 기도 (내용)

0770 appropriate
[əpróupriət]

형 적절[적당]한, 알맞은 ⓨ suitable

The movie isn't appropriate for children.
그 영화는 아이들이 보기에 적절하지 않다.

0771 mentor
[mentɔːr]

명 좋은 조언자, 멘토

Every new employee needs a mentor.
모든 신입사원은 멘토가 필요하다.

0772 react
[riǽkt]

동 반응하다, 반응을 보이다

How did he react to the news? 그가 그 소식에 어떤 반응을 보였니?

⊞ reaction 명 반응, 반작용

0773 insult
[insʌ́lt]

동 모욕하다 명 [insʌlt] 모욕, 모욕적인 말[행동]

I didn't mean to insult you. 너를 모욕하려는 의도는 아니었다.

a personal insult 인신 공격

0774 depressed
[diprést]

형 우울한; 의기소침한

I was depressed about losing the game.
나는 그 경기에 져서 우울했다.

0775 intelligence
[intélidʒəns]

명 지능, 이해력

Dolphins have a high level of intelligence.
돌고래는 높은 수준의 지능을 가지고 있다.

0776 represent
[rèprizént]

동 1 대표하다 2 나타내다, 상징하다

He represented his school at the contest.
그는 그 대회에서 자신의 학교를 대표했다.

A red flag represents danger. 붉은색 깃발은 위험을 나타낸다.

0777 decline
[dikláin]

동 감소하다, 하락하다 명 감소, 하락 ⓐ rise (동/명)

The number of wild animals is declining.
야생 동물의 수가 감소하고 있다.

a sharp decline 급격한 감소

0778 **depend**
[dipénd]

图 1 (~에) 달려 있다 ((on)) 2 의존[의지]하다 ((on))

Your success depends on your effort.
성공은 네 노력에 달려 있다.

He depends too much on his parents.
그는 부모님에게 너무 많이 의존한다.

0779 **belong to**

~ 소유이다, ~에 속하다

This island belongs to France. 이 섬은 프랑스에 속한다.

0780 **call on**

방문하다, 찾아가다

May I call on you tomorrow? 내일 찾아봬도 될까요?

DAY 39 CHECK-UP

정답 p.292

[1-14] 영어는 우리말로, 우리말은 영어로 쓰세요.

1 trial   _____

2 devote   _____

3 decline   _____

4 depend   _____

5 pursue   _____

6 represent   _____

7 creation   _____

8 증거, 근거   _____

9 지능, 이해력   _____

10 빌다, 기도하다   _____

11 우울한; 의기소침한   _____

12 포함하다; 포함시키다 _____

13 적절[적당]한, 알맞은 _____

14 반응하다, 반응을 보이다 _____

[15-18] 우리말에 맞게 빈칸에 알맞은 말을 넣으세요.

15 I didn't mean to _____ you. (너를 모욕하려는 의도는 아니었다.)

16 May I _____ _____ you tomorrow? (내일 찾아봬도 될까요?)

17 This island _____ _____ France. (이 섬은 프랑스에 속한다.)

18 He _____ a dog out of a piece of wood. (그는 나무 조각을 깎아서 개를 만들었다.)

DAY 40

PREVIEW

A 아는 단어/숙어에 체크(V)해보세요.

0781 **odd**	☐		0791 **completely**	☐
0782 **conclusion**	☐		0792 **disturb**	☐
0783 **arrangement**	☐		0793 **refer**	☐
0784 **sail**	☐		0794 **adjust**	☐
0785 **fancy**	☐		0795 **steady**	☐
0786 **political**	☐		0796 **involve**	☐
0787 **impression**	☐		0797 **drown**	☐
0788 **reveal**	☐		0798 **unexpected**	☐
0789 **inquire**	☐		0799 **be free of[from]**	☐
0790 **qualify**	☐		0800 **in response to**	☐

B 사진을 보고 알맞은 단어/숙어를 써보세요.

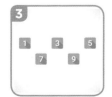

_____ _____ _____ _____

0781 odd
[ɑd]

형 1 **이상한, 묘한** ⊕strange   2 **홀수의** ⊛even

He gave me an odd look.   그는 나를 이상한 눈으로 쳐다보았다.

odd numbers   홀수

0782 conclusion
[kənklúːʒən]

명 **결론**

We reached the conclusion that he is innocent.
우리는 그가 무죄라는 결론에 도달했다.

⊞ conclude 동 결론을 내리다

0783 arrangement
[əréindʒmənt]

명 1 **준비, 마련**   2 **배치, 배열**

He finished all the arrangements for the meeting.
그는 회의 준비를 모두 끝냈다.

They changed the furniture arrangement.
그들은 가구 배치를 바꿨다.

0784 sail
[seil]

동 **항해하다; 배로 여행하다**   명 **(배의) 돛**

The ship sails across the Atlantic Ocean.
그 배는 대서양을 가로질러 항해한다.

raise the sails   돛을 올리다

0785 fancy
[fǽnsi]

형 1 **화려한, 장식의** ⊛plain   2 **값비싼, 고급의**

Her dress is really fancy.   그녀의 드레스는 정말 화려하다.

a fancy restaurant   고급 식당

0786 political
[pəlítikəl]

형 **정치의, 정치적인**

His political views are different from mine.
그의 정치적 견해는 나와 다르다.

0787 impression
[impréʃən]

명 **인상[느낌], 감상**

My first impression of him was not good.
그에 대한 내 첫인상은 좋지 않았다.

0788 reveal
[rivíːl]

동 **밝히다, 폭로하다** ⊕disclose

The reporter revealed the truth about the accident.
그 신문기자는 그 사건에 대한 진실을 폭로했다.

0789 **inquire**
[inkwáiər]

동 묻다, 알아보다

I called to inquire about the tickets.
티켓에 대해 문의하려고 전화했습니다.

⊞ inquiry 명 조사; 문의, 질의

0790 **qualify**
[kwáləfài]

동 자격을 주다; 자격을 얻다[취득하다]

This course will qualify you to teach English.
이 과정은 영어를 가르칠 수 있는 자격을 줄 것이다.

⊞ qualification 명 자격; 자격증

0791 **completely**
[kəmplí:tli]

부 완전히, 전적으로 ㈜ totally

The hotel was completely different from the picture.
그 호텔은 사진과는 완전히 달랐다.

0792 **disturb**
[distə́:rb]

동 방해하다 ㈜ disrupt

Don't disturb me while I'm working.
내가 일하고 있는 동안에는 방해하지 마라.

⊞ disturbance 명 방해

0793 **refer**
[rifə́:r]

동 1 참고[참조]하다 2 지시하다, 나타내다 3 언급하다

Please refer to the guidebook. 안내 책자를 참고하세요.
This figure refers to sales. 이 수치는 매출액을 나타낸다.
I referred to this problem in my essay.
나는 이 문제를 내 에세이에서 언급했다.

0794 **adjust**
[ədʒʌ́st]

동 1 조절[조정]하다 2 적응하다 ((to))

I adjusted the height of the chair. 나는 의자의 높이를 조절했다.
She soon adjusted to living alone. 그녀는 곧 혼자 사는 데 적응했다.

0795 **steady**
[stédi]

형 1 꾸준한 2 변함없는, 고정적인 3 흔들림 없는, 안정된

The company is showing steady growth.
그 회사는 꾸준한 성장을 보이고 있다.
a steady income 고정적인 수입
Hold the ladder steady. 사다리가 흔들리지 않게 잡아라.

0796 **involve**
[inválv]

동 1 포함[수반]하다 2 관련[연루]시키다

This plan involves a lot of risk. 이 계획은 많은 위험을 수반한다.
He was involved in an accident. 그는 사고에 연루되었다.

0797 drown
[draun]

동 물에 빠져 죽다, 익사하다

The man **drowned** in a river. 그 남자는 강에서 익사했다.

0798 unexpected
[ʌ̀nikspéktid]

형 예기치 않은, 뜻밖의

I had an **unexpected** visitor yesterday.
나는 어제 뜻밖의 손님을 맞았다.

0799 be free of [from]

~이 없다, ~을 벗어나다

Entrance **is free of** charge throughout this year.
입장은 올해 동안 죽 무료이다.

0800 in response to

~에 응하여[답하여], ~에 대한 반응으로

They reduced the price **in response** to customer demands.
그들은 고객 요구에 응하여 가격을 인하했다.

DAY 40 CHECK-UP

정답 p.292

[1-14] 영어는 우리말로, 우리말은 영어로 쓰세요.

1 odd _____

2 sail _____

3 qualify _____

4 disturb _____

5 inquire _____

6 completely _____

7 arrangement _____

8 결론 _____

9 인상[느낌], 감상 _____

10 밝히다, 폭로하다 _____

11 정치의, 정치적인 _____

12 예기치 않은, 뜻밖의 _____

13 물에 빠져 죽다, 익사하다 _____

14 조절[조정]하다; 적응하다 _____

[15-18] 우리말에 맞게 빈칸에 알맞은 말을 넣으세요.

15 Please _____ to the guidebook. (안내 책자를 참고하세요.)

16 He was _____ in an accident. (그는 사고에 연루되었다.)

17 The company is showing _____ growth. (그 회사는 꾸준한 성장을 보이고 있다.)

18 They reduced the price _____ _____ _____ customer demands.
(그들은 고객 요구에 응하여 가격을 인하했다.)

REVIEW TEST

DAY 36-40

A 우리말에 맞게 빈칸에 알맞은 말을 넣으세요.

1 accept _____ (패배를 받아들이다)

2 of high _____ (질이 좋은)

3 a(n) _____ request (공식 요청)

4 _____ one's name (이름을 새기다)

5 _____ numbers (홀수)

6 He _____ the market situation carefully. (그는 시장 상황을 주의 깊게 분석했다.)

7 Write a(n) _____ of your essay. (에세이의 개요를 써라.)

8 I'll _____ you to the party. (그 파티에 내가 너와 동행할 것이다.)

9 She is a(n) _____ in this field. (그녀는 이 분야의 전문가이다.)

10 Dolphins have a high level of _____. (돌고래는 높은 수준의 지능을 가지고 있다.)

11 We reached the _____ that he is innocent. (우리는 그가 무죄라는 결론에 도달했다.)

12 Entrance _____ _____ _____ charge throughout this year.
(입장은 올해 동안 죽 무료이다.)

B 밑줄 친 말에 유의하여 다음 문장을 해석하세요.

1 Your success depends on your effort.

_____

2 Let's assume that the story is true.

_____

3 They have contrary views on the issue.

_____

4 Your anger will only complicate the situation.

_____

5 Despite many concerns, the plan turned out well.

_____

187

C 밑줄 친 단어와 반대인 뜻을 가진 단어를 고르세요.

1 I'm tired from <u>lack</u> of sleep.

① instance   ② tension   ③ hybrid   ④ trial   ⑤ abundance

2 Swimming is <u>banned</u> in this river.

① disturbed   ② refined   ③ permitted   ④ involved   ⑤ urged

3 I want to see the <u>internal</u> structure of the building.

① vast   ② external   ③ technical   ④ contrary   ⑤ individual

4 The number of wild animals is <u>declining</u>.

① rising   ② organizing   ③ bending   ④ reacting   ⑤ developing

5 Her dress is really <u>fancy</u>.

① plain   ② wavy   ③ formal   ④ steady   ⑤ depressed

D 보기 에서 빈칸에 공통으로 들어갈 단어를 골라 쓰세요.

보기	adjust	creation	appreciate	stuff	mass	include

1 There is some sticky _____ on the desk.

Get your _____.

2 No one _____d his talent.

I _____ your hard work.

3 The _____ of new jobs helps the economy.

The artist was explaining her own _____s.

4 The price _____s tax.

I _____d him in the project.

5 I _____ed the height of the chair.

She soon _____ed to living alone.

CROSSWORD PUZZLE

DAY 31-40

정답 p.293

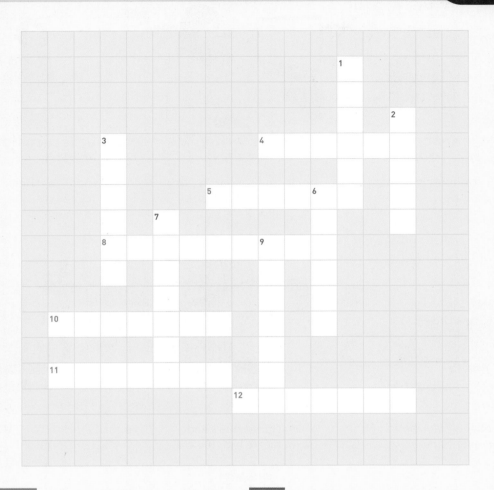

Across
4 가정[추정]하다
5 패배시키다, 이기다; 패배
8 알고 있는; 의식이 있는
10 정밀한, 정확한
11 조사하다, 점검하다
12 깨닫다; (소망 등을) 실현하다

Down
1 조절[조정]하다; 적응하다
2 반응하다, 반응을 보이다
3 기대[예상]하다; 기다리다
6 흡수하다
7 묻다, 알아보다
9 관찰[관측]하다; 준수하다

announcer
아나운서

delivers the latest
news stories
최신 뉴스 기사를 전달하다

news writer
뉴스 작가

performs research and
write news scripts
조사를 통해 뉴스 원고를
작성하다

weather forecaster
기상 캐스터

provides weather
forecast
일기 예보를 제공하다

reporter
기자

collects information about
an event and broadcasts it
사건에 대한 정보를 수집하고
방송하다

producer
프로듀서

directs the news and
communicate with the crew
뉴스를 총괄하며 직원들과
의사소통하다

camera operator
카메라 감독

records video for TV
broadcasting
TV 방송을 위한 영상을 녹화하다

editor
편집기사

edits video and prepares
it for broadcasts
비디오를 편집하며 방송을 위한
상태로 준비하다

sound engineer
음향 엔지니어

operates audio
equipment
오디오 설비를 조작하다

graphic designer
그래픽 디자이너

creates visual effects
for broadcasts
방송을 위한 시각 효과를 제작하다

DAY 41
PREVIEW

A 아는 단어/숙어에 체크(V)해보세요.

0801 **absence**	☐	0811 **democracy**	☐
0802 **aware**	☐	0812 **description**	☐
0803 **conscience**	☐	0813 **certain**	☐
0804 **pretend**	☐	0814 **alter**	☐
0805 **bind**	☐	0815 **similarity**	☐
0806 **detect**	☐	0816 **disaster**	☐
0807 **dare**	☐	0817 **wound**	☐
0808 **resident**	☐	0818 **attach**	☐
0809 **excess**	☐	0819 **cut off**	☐
0810 **strategy**	☐	0820 **be made up of**	☐

B 사진을 보고 알맞은 단어/숙어를 써보세요.

_____ _____ _____ _____

0801 absence
[ǽbsəns]

명 결석, 결근; 부재 반 presence

What was the reason for your **absence**?
네가 결석한 이유가 무엇이었니?

➕ absent 형 결석한, 결근한; 부재한

0802 aware
[əwɛ́ər]

형 알고[인식하고] 있는 반 unaware

We are well **aware** of the danger.
우리는 그 위험에 대해 잘 알고 있다.

➕ awareness 명 (무엇의 중요성에 대한) 의식[관심]

0803 conscience
[kánʃəns]

명 양심

I don't do anything against my **conscience**.
나는 내 양심에 어긋나는 행동은 하지 않는다.

0804 pretend
[priténd]

동 ~인 척하다

She **pretended** that everything was fine.
그녀는 모든 것이 괜찮은 척했다.

0805 bind
[baind]

동 (bound-bound) 묶다, 동여매다 유 tie

They **bound** his hands with rope. 그들은 그의 손을 밧줄로 묶었다.

0806 detect
[ditékt]

동 발견하다, 감지하다

It is difficult to **detect** the disease early.
그 병을 조기에 발견하기는 어렵다.

detect movement 움직임을 감지하다

0807 dare
[dɛ́ər]

동 감히 ~하다, ~할 용기가 있다

How **dare** you say such a thing? 어떻게 감히 그런 말을 할 수 있니?

0808 resident
[rézidənt]

명 거주자, 주민 형 거주하는, 살고 있는

Are you a **resident** of this city? 이 도시 거주자이신가요?

She is **resident** in Spain. 그녀는 스페인에 거주하고 있다.

0809 excess
[iksés]

명 과잉, 과도

An excess of stress is bad for your health.
스트레스 과잉은 건강에 해롭다.

⊞ excessive 형 지나친, 과도한

0810 strategy
[strǽtədʒi]

명 계획, 전략

We need a strategy for solving problems.
우리는 문제 해결을 위한 전략이 필요하다.

0811 democracy
[dimάkrəsi]

명 민주주의; 민주(주의) 국가

People have the right to vote in a democracy.
민주주의 국가에서 사람들은 투표권을 가진다.

0812 description
[diskrípʃən]

명 서술, 설명, 묘사

Can you give me a full description of the accident?
그 사고에 대해 자세히 설명해 주시겠어요?

0813 certain
[sə́ːrtən]

형 1 확실한, 확신하는 ⊛ sure 2 어떤, 특정한

I'm certain that he is right. 나는 그가 옳다고 확신한다.
at a certain place 어떤 장소에서

⊞ certainly 부 확실히

0814 alter
[ɔ́ːltər]

동 바꾸다, 변경하다; 바뀌다 ⊛ change

The ship altered its course. 그 배는 항로를 변경했다.
The situation has altered since you left.
네가 떠난 후 상황이 바뀌었다.

0815 similarity
[sìmǝlǽrəti]

명 유사성, 닮음; 유사점, 닮은 점 ⊕ difference

There is some similarity in their painting styles.
그들의 화풍은 약간 유사하다.
Chimpanzees and humans share many similarities.
침팬지와 인간에게는 유사한 점이 많다.

⊞ similar 형 유사한

0816 disaster
[dizǽstər]

명 재해, 참사; 재앙

The typhoon was a terrible natural disaster.
그 태풍은 끔찍한 자연 재해였다.

0817 wound
[wu:nd]

명 상처, 부상 ㈜injury　동 상처[부상]를 입히다 ㈜injure

She has a wound on her face. 그녀는 얼굴에 상처가 있다.

I was badly wounded in the war. 나는 전쟁에서 심한 부상을 입었다.

0818 attach
[ətǽtʃ]

동 붙이다, 부착하다 ((to))

Attach a label to each box. 각 상자에 라벨을 붙여라.

0819 cut off

1 잘라내다　2 차단하다

He cut off the tree's dead branches.
그는 죽은 나뭇가지를 잘라냈다.

The water supply has been cut off. 수도 공급이 차단되었다.

0820 be made up of

~로 이루어져 있다, 구성되어 있다

This book is made up of three parts.
이 책은 세 부분으로 구성되어 있다.

DAY 41　CHECK-UP

정답 p.293

[1-14] 영어는 우리말로, 우리말은 영어로 쓰세요.

1 alter _____

2 bind _____

3 aware _____

4 excess _____

5 certain _____

6 wound _____

7 democracy _____

8 양심 _____

9 ~인 척하다 _____

10 계획, 전략 _____

11 재해, 참사; 재앙 _____

12 서술, 설명, 묘사 _____

13 결석, 결근; 부재 _____

14 발견하다, 감지하다 _____

[15-18] 우리말에 맞게 빈칸에 알맞은 말을 넣으세요.

15 How _____ you say such a thing? (어떻게 감히 그런 말을 할 수 있니?)

16 Are you a(n) _____ of this city? (이 도시 거주자이신가요?)

17 He _____ _____ the tree's dead branches. (그는 죽은 나뭇가지를 잘라냈다.)

18 This book _____ _____ _____ _____ three parts.
(이 책은 세 부분으로 구성되어 있다.)

DAY 42
PREVIEW

A 아는 단어/숙어에 체크(V)해보세요.

0821 **creature**	☐	
0822 **further**	☐	
0823 **shallow**	☐	
0824 **inspire**	☐	
0825 **determine**	☐	
0826 **rely**	☐	
0827 **primary**	☐	
0828 **durable**	☐	
0829 **relative**	☐	
0830 **specific**	☐	

0831 **mechanic**	☐
0832 **deceive**	☐
0833 **definite**	☐
0834 **withstand**	☐
0835 **amuse**	☐
0836 **mature**	☐
0837 **separate**	☐
0838 **insurance**	☐
0839 **run out of**	☐
0840 **up close**	☐

B 사진을 보고 알맞은 단어/숙어를 써보세요.

0821 creature

[kríːtʃər]

명 생물, 생명체

Do all living creatures have bones?
모든 살아있는 생명체들은 뼈를 가지고 있니?

0822 further

[fɔ́ːrðər]

부 1 (거리가) 더 멀리 2 (정도가) 더   형 추가의 ⊛ additional

She went a step further. 그녀는 한 걸음 더 내디뎠다.

We discussed the subject further. 우리는 그 주제를 더 논의했다.

further information 추가 정보

0823 shallow

[ʃǽlou]

형 얕은 ⊕ deep

We walked across the shallow stream.
우리는 얕은 개울을 걸어서 건넜다.

0824 inspire

[inspáiər]

동 1 고무하다, 격려하다 ⊛ encourage 2 영감을 주다

His speech has inspired the younger generation.
그의 연설은 젊은 세대에게 격려가 되었다.

This dress is inspired by *hanbok*.
이 드레스는 한복에서 영감을 얻었다.

⊞ inspiration 명 영감; 영감을 주는 것

0825 determine

[ditɔ́ːrmin]

동 결정하다

The price is determined by the market.
가격은 시장에 의해 결정된다.

⊞ determination 명 (공식적인) 결정, 확정

0826 rely

[rilái]

동 의지하다; 믿다, 신뢰하다 ((on, upon))

We rely on technology a lot. 우리는 기술에 많이 의지한다.

I rely on him to tell the truth. 나는 그가 진실을 말할 거라고 믿는다.

0827 primary

[práimeri]

형 1 주된, 주요한 ⊛ principal 2 최초의, 초기의

His primary aim is to become an actor.
그의 주된 목표는 배우가 되는 것이다.

the primary stage 초기 단계

0828 durable

[djúːərəbl]

형 내구성이 있는, 오래가는 ⊕ fragile

This container is made of durable plastic.
이 용기는 내구성이 좋은 플라스틱으로 만들어졌다.

0829 relative

[rélətiv]

명 친척 형 비교상의; 상대적인

He invited only close relatives to the wedding.
그는 가까운 친척들만을 결혼식에 초대했다.

a relative advantage 상대적인 이점

⊞ relatively 분 비교적

0830 specific

[spisífik]

형 1 특정한 ⊕ particular 2 구체적인, 명확한

Do you prefer a specific brand? 너는 특정 브랜드를 선호하니?

a specific plan 구체적인 계획

0831 mechanic

[məkǽnik]

명 수리공, 정비사

The mechanic was fixing the car engine.
그 정비사는 자동차 엔진을 고치고 있었다.

0832 deceive

[disíːv]

동 속이다, 기만하다

I was completely deceived by his lies.
나는 그의 거짓말에 완전히 속았다.

0833 definite

[défənit]

형 명확한, 확실한

I'll give you a definite answer by tomorrow.
내일까지 확실한 답변을 드리겠습니다.

0834 withstand

[wiðstǽnd]

동 (withstood-withstood) 견디어 내다, 버티다

This dish can withstand high temperatures.
이 접시는 고온에 견딜 수 있다.

0835 amuse

[əmjúːz]

동 즐겁게 하다, 웃기다 ⊕ entertain

His jokes amused all of us. 그의 농담은 우리 모두를 즐겁게 했다.

0836 mature

[mətjúər]

형 1 어른스러운, 성숙한 2 성인이 된, 다 자란 ⊕ immature

They are very mature for their age.
그들은 나이에 비해 몹시 어른스럽다.

a mature penguin 다 자란 펭귄

0837 separate [sépərət]   형 1 분리된 2 별개의, 관련 없는   동 [sépərèit] 분리시키다; 분리되다

The boys use **separate** rooms. 그 소년들은 분리된 방을 쓴다.

a **separate** incident 별도의 사건

Please **separate** them from the others.
그것들은 다른 것들과 따로 분리해 주세요.

0838 insurance [inʃúːərəns]   명 보험

Every driver should have car **insurance**.
모든 운전자는 자동차 보험을 들어야 한다.

0839 run out of   ~이 떨어지다, 다 써버리다

We **ran out of** gas. 우리는 기름이 다 떨어졌다.

0840 up close   바로 가까이에(서)

I saw the singer **up close**. 나는 그 가수를 바로 가까이에서 보았다.

DAY 42   CHECK-UP

 정답 p.293

[1-14] 영어는 우리말로, 우리말은 영어로 쓰세요.

1 rely _____

2 amuse _____

3 inspire _____

4 definite _____

5 specific _____

6 determine _____

7 withstand _____

8 보험 _____

9 얕은 _____

10 생물, 생명체 _____

11 속이다, 기만하다 _____

12 친척; 비교상의; 상대적인 _____

13 내구성이 있는, 오래가는 _____

14 주된, 주요한; 최초의, 초기의 _____

[15-18] 우리말에 맞게 빈칸에 알맞은 말을 넣으세요.

15 We _____ _____ _____ gas. (우리는 기름이 다 떨어졌다.)

16 We discussed the subject _____. (우리는 그 주제를 더 논의했다.)

17 They are very _____ for their age. (그들은 나이에 비해 몹시 어른스럽다.)

18 Please _____ them from the others. (그것들은 다른 것들과 따로 분리해 주세요.)

DAY 43
PREVIEW

A 아는 단어/숙어에 체크(V)해보세요.

0841 **boost**	☐	0851 **dispose**	☐
0842 **recognize**	☐	0852 **politics**	☐
0843 **approach**	☐	0853 **tide**	☐
0844 **proverb**	☐	0854 **suppose**	☐
0845 **favor**	☐	0855 **reject**	☐
0846 **rapid**	☐	0856 **exhibit**	☐
0847 **burst**	☐	0857 **fulfill**	☐
0848 **consult**	☐	0858 **random**	☐
0849 **republic**	☐	0859 **look back on**	☐
0850 **appoint**	☐	0860 **turn in**	☐

B 사진을 보고 알맞은 단어/숙어를 써보세요.

_____ _____ _____ _____

0841 boost
[buːst]

동 신장시키다; 늘리다 반 decrease 명 1 격려, 부양책 2 상승; 증가

The new design will boost car sales.
새로운 디자인은 자동차 판매를 신장시킬 것이다.

a major boost to the economy 주요 경제 부양책

a boost in prices 물가 상승

0842 recognize
[rékəgnàiz]

동 1 알아보다 2 인정[인식]하다

I didn't recognize you at all. 나는 너를 전혀 알아보지 못했다.

Many people don't recognize their own faults.
많은 사람들이 자신의 잘못을 인정하지 않는다.

⊞ recognition 명 알아봄, 인식; 인정

0843 approach
[əpróutʃ]

동 가까이 가다[오다], 접근하다 명 1 접근법 2 다가감[옴]

The train is approaching the station. 기차가 역에 접근하고 있다.

take a new approach 새로운 접근법을 취하다

the approach of winter 겨울의 다가옴

0844 proverb
[právəːrb]

명 속담, 격언

As an old proverb says, "Honesty is the best policy."
옛 속담에서 말하듯 '정직이 최고의 정책이다.'

0845 favor
[féivər]

명 친절한 행위; 부탁 동 찬성하다, 호의를 보이다

Would you do me a favor? 제 부탁 하나 들어주시겠어요?

favor a plan 계획에 찬성하다

0846 rapid
[ræpid]

형 빠른, 급한 유 quick

Computer technology has made rapid progress.
컴퓨터 기술이 빠른 진전을 이루었다.

⊞ rapidly 부 빨리, 급속히

0847 burst
[bəːrst]

동 (burst-burst) 1 터지다; 터뜨리다 2 불쑥 가다[오다]

The balloon suddenly burst. 그 풍선은 갑자기 터졌다.

burst into tears 눈물을 터뜨리다

She burst into the room. 그녀가 불쑥 방 안으로 들어왔다.

0848 consult
[kɑ́nsʌlt]

동 상담[상의]하다

Consult your doctor before taking your medicine.
약을 먹기 전에 의사와 상담하세요.

0849 republic
[ripʌ́blik]

명 공화국

the Republic of Korea 대한민국

0850 appoint
[əpɔ́int]

동 임명[지명]하다

Our team appointed him the new captain.
우리 팀은 그를 새 주장으로 임명했다.

0851 dispose
[dispóuz]

동 버리다, 제거하다 ((of))

The factory disposed of waste illegally.
그 공장은 폐기물을 불법적으로 버렸다.

0852 politics
[pɑ́litiks]

명 1 정치, 정계 2 정치학

People have a lot of interest in politics these days.
오늘날 사람들은 정치에 많은 관심을 가진다.

a degree in politics 정치학 학위

0853 tide
[taid]

명 조수, 조류

The tide is coming in. 조수가 들어오고 있다.

high[low] tide 밀물[썰물]

0854 suppose
[səpóuz]

동 1 추측하다, 생각하다 2 가정하다

I suppose he is sick. 내 생각에 그는 아픈 것 같다.

Suppose you lost your job. 당신이 일자리를 잃었다고 가정해 봐.

0855 reject
[ridʒékt]

동 거절하다, 거부하다 반 accept

Why did you reject the offer? 너는 왜 그 제안을 거절했니?

+ rejection 명 거절, 거부

0856 exhibit
[igzíbit]

동 전시하다 유 display 명 전시품

Many paintings are exhibited in the museum.
그 박물관에는 많은 그림들이 전시되어 있다.

Don't touch the exhibits. 전시품들에 손대지 마라.

0857 fulfill
[fulfíl]

통 1 이행하다, 수행하다 ⊕ perform 2 달성하다; 성취시키다

He fulfilled all his duties quickly. 그는 그의 의무를 빠르게 수행했다.

fulfill one's dream 꿈을 달성하다

0858 random
[rǽndəm]

형 무작위의, 임의의

They took random samples for the experiment.
그들은 실험을 위해 무작위 샘플들을 뽑았다.

in random order 무작위순으로

0859 look back on

되돌아보다, 회상하다

I often look back on my childhood.
나는 자주 어린 시절을 회상한다.

0860 turn in

~을 제출하다

Did you turn in your report? 너는 네 보고서를 제출했니?

DAY 43 CHECK-UP

정답 p.293

[1-14] 영어는 우리말로, 우리말은 영어로 쓰세요.

1 tide _____

2 rapid _____

3 burst _____

4 favor _____

5 fulfill _____

6 boost _____

7 politics

8 속담, 격언 _____

9 임명[지명]하다 _____

10 상담[상의]하다 _____

11 전시하다; 전시품 _____

12 무작위의, 임의의 _____

13 버리다, 제거하다 _____

14 추측하다, 생각하다; 가정하다 _____

[15-18] 우리말에 맞게 빈칸에 알맞은 말을 넣으세요.

15 The train is _____ the station. (기차가 역에 접근하고 있다.)

16 I didn't _____ you at all. (나는 너를 전혀 알아보지 못했다.)

17 Did you _____ _____ your report? (너는 네 보고서를 제출했니?)

18 I often _____ _____ _____ my childhood.
(나는 자주 어린 시절을 회상한다.)

DAY 44

PREVIEW

A 아는 단어/숙어에 체크(V)해보세요.

0861	**mention**	☐	0871	**polish**	☐
0862	**crop**	☐	0872	**reward**	☐
0863	**coincide**	☐	0873	**destroy**	☐
0864	**priority**	☐	0874	**costly**	☐
0865	**population**	☐	0875	**mend**	☐
0866	**evident**	☐	0876	**grateful**	☐
0867	**temporary**	☐	0877	**resource**	☐
0868	**aspect**	☐	0878	**caution**	☐
0869	**intend**	☐	0879	**fit into**	☐
0870	**chase**	☐	0880	**pass away**	☐

B 사진을 보고 알맞은 단어/숙어를 써보세요.

_____ _____ _____ _____

0861 mention
[ménʃən]

동 (간단히) 말하다, 언급하다

He mentioned nothing about the rumor.
그는 그 소문에 관해서 아무것도 언급하지 않았다.

0862 crop
[krɑp]

명 (농)작물; 수확량

Rice is the main crop of this area. 쌀은 이 지역의 주요 농작물이다.

decrease in the potato crop 감자 수확량의 감소

0863 coincide
[kòuinsáid]

동 1 동시에 일어나다 2 일치하다, 아주 비슷하다

The two events coincided. 그 두 사건은 동시에 일어났다.

His idea coincides with mine. 그의 생각은 내 것과 일치한다.

➕ coincidence 명 동시 발생; 우연의 일치

0864 priority
[praió:rəti]

명 우선 사항, 우선적으로 할 것

Safety is the top priority for me. 안전이 내게는 최우선 사항이다.

0865 population
[pàpjuléiʃən]

명 인구, (모든) 주민

What's the population of the city? 그 도시의 인구는 얼마나 되니?

population growth 인구 증가

0866 evident
[évidənt]

형 분명한, 눈에 띄는 ⊕ obvious

It is evident that he lied to me. 그가 내게 거짓말한 것이 분명하다.

0867 temporary
[témpərèri]

형 일시적인, 임시의 ⊕ permanent

The effects of this drug are temporary.
이 약의 효과는 일시적이다.

temporary job 임시직

0868 aspect
[æspekt]

명 측면

Look at the problem from every aspect.
그 문제를 모든 측면에서 살펴봐라.

0869 intend
[inténd]

동 ~할 작정이다, 의도하다 유 mean

I didn't intend to hurt you. 너에게 상처를 줄 의도는 아니었다.

+ intention 명 의도

0870 chase
[tʃeis]

동 뒤쫓다, 추적[추격]하다 명 추적, 추격

The hunter is chasing a deer. 그 사냥꾼은 사슴을 뒤쫓고 있다.

a car chase 자동차 추격

0871 polish
[páliʃ]

동 닦다, 광을 내다 명 광택(제)

He polished his shoes with a brush. 그는 신발을 솔로 닦았다.

floor polish 바닥 광택제

0872 reward
[riwɔ́ːrd]

명 보상 동 보상[보답]을 하다

I got a reward for my efforts. 나는 노력에 대한 보상을 받았다.

The company rewarded them with a bonus.
회사는 그들에게 보너스로 보상을 해 주었다.

0873 destroy
[distrɔ́i]

동 파괴하다 유 ruin

The war destroyed many historic buildings.
그 전쟁은 많은 역사적 건물을 파괴했다.

0874 costly
[kɔ́ːstli]

형 많은 돈이 드는, 값이 비싼 반 cheap

It was costly to buy new computers for the school.
학교에 새 컴퓨터를 사는 것은 많은 돈이 들었다.

0875 mend
[mend]

동 수선[수리]하다, 고치다 유 repair

My father is mending the roof. 아버지는 지붕을 수리하고 계신다.

0876 grateful
[gréitfəl]

형 감사하는, 고맙게 여기는

I am deeply grateful for your kindness.
당신의 친절에 깊이 감사드립니다.

0877 resource
[ríːsɔ̀ːrs]

명 (-s) 자원, 재원

The country is poor in natural resources.
그 나라는 천연자원이 부족하다.

0878 caution

[kɔ́ːʃən]

명 조심, 신중

This should be treated with caution.
이것은 조심해서 다뤄져야 한다.

⊕ cautious 형 조심스러운, 신중한

0879 fit into

~에 꼭 들어맞다, 적합하다

The new sofa fits into the space. 새 소파는 그 공간에 꼭 맞는다.

0880 pass away

사망하다

She passed away last month. 그녀는 지난달에 세상을 떠났다.

DAY 44 CHECK-UP

정답 p.293

[1-14] 영어는 우리말로, 우리말은 영어로 쓰세요.

1 destroy _____

2 mend _____

3 polish _____

4 intend _____

5 evident _____

6 caution _____

7 mention _____

8 측면 _____

9 (농)작물; 수확량 _____

10 자원, 재원 _____

11 인구, (모든) 주민 _____

12 일시적인, 임시의 _____

13 보상; 보상[보답]을 하다 _____

14 우선 사항, 우선적으로 할 것 _____

[15-18] 우리말에 맞게 빈칸에 알맞은 말을 넣으세요.

15 The two events _____. (그 두 사건은 동시에 일어났다.)

16 The hunter is _____ a deer. (그 사냥꾼은 사슴을 뒤쫓고 있다.)

17 She _____ _____ last month. (그녀는 지난달에 세상을 떠났다.)

18 The new sofa _____ _____ the space. (새 소파는 그 공간에 꼭 맞는다.)

DAY 45
PREVIEW

A 아는 단어/숙어에 체크(V)해보세요.

0881 **adopt**	☐	
0882 **confine**	☐	
0883 **slope**	☐	
0884 **encounter**	☐	
0885 **obey**	☐	
0886 **dedication**	☐	
0887 **comment**	☐	
0888 **modify**	☐	
0889 **portion**	☐	
0890 **outstanding**	☐	

0891 **prohibit**	☐	
0892 **seldom**	☐	
0893 **fund**	☐	
0894 **capture**	☐	
0895 **penalty**	☐	
0896 **satisfy**	☐	
0897 **continent**	☐	
0898 **dust**	☐	
0899 **no longer**	☐	
0900 **make a difference**	☐	

B 사진을 보고 알맞은 단어/숙어를 써보세요.

_____ _____ _____ _____

0881 adopt
[ədápt]

동 1 입양하다 2 채택하다

The couple decided to adopt a child.
그 부부는 아이를 입양하기로 결정했다.

adopt a policy 정책을 채택하다

⊞ adoption 명 입양; 채택

0882 confine
[kənfáin]

동 1 한정하다, 제한하다 2 가두다

Please confine your speech to one subject.
연설을 한 가지 주제로 한정해 주세요.

He was confined in a small room. 그는 작은 방에 갇혔다.

0883 slope
[sloup]

명 경사면, 비탈

The car drove up the slope slowly.
그 차는 경사면을 천천히 올라갔다.

a mountain slope 산비탈

0884 encounter
[inkáuntər]

동 (위험 등에) 맞닥뜨리다 명 (뜻밖의) 만남, 접촉

We encountered many difficulties. 우리는 많은 난관에 맞닥뜨렸다.

a brief encounter 짧은 만남

0885 obey
[oubéi]

동 복종[순종]하다, 따르다 반 disobey

He always obeys his parents. 그는 항상 그의 부모님에게 순종한다.

obey the rules 규칙을 따르다

0886 dedication
[dèdikéiʃən]

명 전념, 헌신

I admire her dedication to her children.
나는 그녀의 자식에 대한 헌신을 존경한다.

⊞ dedicate 동 (시간·노력을) 바치다, 전념하다

0887 comment
[kάment]

명 논평, 언급 동 논평[비평]하다

She made no comment on the issue.
그녀는 그 주제에 대해 아무런 논평도 하지 않았다.

He commented on my work. 그는 내 작품에 대해 논평했다.

0888 modify
[mádifài]

동 수정하다, 변경하다

The plan has been modified. 그 계획은 수정되었다.

⊕ modification 명 수정, 변경

0889 portion
[pɔ́:rʃən]

명 1 일부, 부분 ⑨ part 2 1인분

I save only a small portion of my income.
나는 수입의 적은 일부만 저축한다.

I ordered one portion of chicken soup.
나는 닭고기 수프 1인분을 주문했다.

0890 outstanding
[àutstǽndiŋ]

형 뛰어난, 걸출한; 두드러진

Her writing skills are outstanding. 그녀의 문장력은 뛰어나다.

an outstanding achievement 두드러진 성과

0891 prohibit
[prouhíbit]

동 금하다, 금지하다 ⑪ permit

Smoking is prohibited inside this building.
이 건물 내에서의 흡연은 금지되어 있다.

0892 seldom
[séldəm]

부 좀처럼[거의] ~않는 ⑪ often

She seldom eats breakfast. 그녀는 거의 아침을 먹지 않는다.

0893 fund
[fʌnd]

명 기금, 자금

We set up a fund for cancer patients.
우리는 암 환자들을 위한 기금을 조성했다.

0894 capture
[kǽptʃər]

동 붙잡다, 포획하다 ⑨ catch

They captured wild animals illegally.
그들은 야생동물을 불법적으로 포획했다.

0895 penalty
[pénəlti]

명 1 처벌, 형벌; 벌금 2 (축구 등의) 페널티킥; 페널티골

The man was given the death penalty.
그 남자는 사형을 선고받았다.

take a penalty kick 페널티킥을 차다

0896 satisfy
[sǽtisfài]

동 1 (사람을) 만족시키다 2 (요구 등을) 채우다, 충족시키다

It's hard to satisfy everyone. 모두를 만족시키기는 힘들다.

satisfy the requirements 자격 요건을 충족시키다

⊕ satisfaction 명 만족(감)

0897 continent

[kάntənənt]

명 대륙, 육지

Africa is a large continent. 아프리카는 큰 대륙이다.

⊞ continental 형 대륙의

0898 dust

[dʌst]

명 먼지, 티끌

The floor was covered with dust. 바닥이 먼지로 덮여 있었다.

0899 no longer

더 이상 ~아닌

He no longer works here. 그는 더 이상 여기서 일하지 않는다.

0900 make a difference

변화를 가져오다, 차이를 만들다

Your vote can make a difference.
여러분의 한 표가 변화를 가져올 수 있습니다.

DAY 45　CHECK-UP

정답 p.293

[1-14] 영어는 우리말로, 우리말은 영어로 쓰세요.

1 modify _____

2 encounter _____

3 prohibit _____

4 confine _____

5 capture _____

6 seldom _____

7 outstanding _____

8 대륙, 육지 _____

9 기금, 자금 _____

10 전념, 헌신 _____

11 입양하다; 채택하다 _____

12 먼지, 티끌 _____

13 일부, 부분; 1인분 _____

14 논평, 언급; 논평[비평]하다 _____

[15-18] 우리말에 맞게 빈칸에 알맞은 말을 넣으세요.

15 It's hard to _____ everyone. (모두를 만족시키기는 힘들다.)

16 He always _____ his parents. (그는 항상 그의 부모님에게 순종한다.)

17 He _____ _____ works here. (그는 더 이상 여기서 일하지 않는다.)

18 Your vote can _____ _____ _____.
(여러분의 한 표가 변화를 가져올 수 있습니다.)

A 우리말에 맞게 빈칸에 알맞은 말을 넣으세요.

1 _____ movement (움직임을 감지하다)

2 a(n) _____ advantage (상대적인 이점)

3 take a new _____ (새로운 접근법을 취하다)

4 _____ growth (인구 증가)

5 _____ a policy (정책을 채택하다)

6 We need a(n) _____ for solving problems. (우리는 문제 해결을 위한 전략이 필요하다.)

7 Do all living _____ have bones? (모든 살아있는 생명체들은 뼈를 가지고 있니?)

8 People have a lot of interest in _____ these days. (오늘날 사람들은 정치에 많은 관심을 가진다.)

9 They took _____ samples for the experiment. (그들은 실험을 위해 무작위 샘플들을 뽑았다.)

10 Safety is the top _____ for me. (안전이 내게는 최우선 사항이다.)

11 We set up a(n) _____ for cancer patients. (우리는 암 환자들을 위한 기금을 조성했다.)

12 The water supply has been _____ _____. (수도 공급이 차단되었다.)

B 밑줄 친 말에 유의하여 다음 문장을 해석하세요.

1 Can you give me a full <u>description</u> of the accident?

   _____

2 Many people don't <u>recognize</u> their own faults.

   _____

3 The effects of this drug are <u>temporary</u>.

   _____

4 I admire her <u>dedication</u> to her children.

   _____

5 I saw the singer <u>up close</u>.

   _____

C 밑줄 친 단어와 가장 비슷한 뜻을 가진 단어를 고르세요.

1 I'm certain that he is right.

① aware   ② sure   ③ further   ④ grateful   ⑤ mature

2 His primary aim is to become an actor.

① specific   ② separate   ③ principal   ④ definite   ⑤ shallow

3 He fulfilled all his duties quickly.

① performed   ② determined   ③ attached   ④ altered   ⑤ inspired

4 It is evident that he lied to me.

① random   ② dare   ③ costly   ④ rapid   ⑤ obvious

5 I save only a small portion of my income.

① resource   ② aspect   ③ reward   ④ part   ⑤ resident

D 보기 에서 빈칸에 들어갈 단어를 골라 쓰세요.

보기	comment	consult	disaster	shallow	excess
	insurance	durable	deceive		

1 A(n) _____ of stress is bad for your health.

2 The typhoon was a terrible natural _____.

3 I was completely _____d by his lies.

4 Every driver should have car _____.

5 _____ your doctor before taking the medicine.

6 This container is made of _____ plastic.

7 She made no _____ on the issue.

DAY 46

PREVIEW

A 아는 단어/숙어에 체크(V)해보세요.

0901 **relate**	☐	0911 **whether**	☐
0902 **occupy**	☐	0912 **harm**	☐
0903 **plural**	☐	0913 **extend**	☐
0904 **justify**	☐	0914 **impact**	☐
0905 **blend**	☐	0915 **parallel**	☐
0906 **philosophy**	☐	0916 **respond**	☐
0907 **paste**	☐	0917 **murder**	☐
0908 **immigrate**	☐	0918 **candidate**	☐
0909 **insight**	☐	0919 **come up with**	☐
0910 **cease**	☐	0920 **on purpose**	☐

B 사진을 보고 알맞은 단어/숙어를 써보세요.

_____ _____ _____ _____

0901 relate
[riléit]

동 관련[관계]시키다

Can you relate this movie to your life?
이 영화를 네 인생과 관련시킬 수 있니?

0902 occupy
[ákjupài]

동 (공간·시간을) 차지하다

This sofa occupies too much space.
이 소파는 너무 많은 공간을 차지한다.

0903 plural
[plúrəl]

명 복수형 형 복수형의 반 singular (명/형)

"Children" is the plural of "child." 'children'은 'child'의 복수형이다.

a plural noun 복수형 명사

0904 justify
[dʒʌstəfài]

동 정당화하다, 옳음을 증명하다

Don't try to justify your actions. 네 행동을 정당화하려고 하지 마라.

+ justification 명 정당화

0905 blend
[blend]

동 섞다, 혼합하다; 섞이다 유 mix

Blend the eggs, flour, and milk together.
달걀, 밀가루, 그리고 우유를 함께 섞어라.

Oil and water don't blend. 기름과 물은 섞이지 않는다.

0906 philosophy
[filásəfi]

명 1 철학 2 인생관, 세계관

He teaches philosophy at the university.
그는 대학에서 철학을 가르친다.

a philosophy of life 인생관, 인생 철학

0907 paste
[peist]

명 (붙이는) 풀 동 풀로 붙이다

I put some paste on the stamp. 나는 우표에 풀칠을 했다.

He pasted the poster on the wall. 그는 그 포스터를 벽에 붙였다.

0908 immigrate
[íməgrèit]

동 이주해 오다, 이민 오다

Our family immigrated to the United States.
우리 가족은 미국으로 이민을 왔다.

참고 emigrate 동 이민을 가다, 이주하다

0909 insight
[ínsàit]

명 통찰력

He has amazing insight into the future.
그는 미래에 대한 뛰어난 통찰력을 가지고 있다.

0910 cease
[siːs]

동 그치다, 중단되다; 중단하다 반 continue

The fighting has finally ceased. 그 싸움은 마침내 중단되었다.

cease production 생산을 중단하다

0911 whether
[hwéðər]

접 1 ~인지 (아닌지) 유 if 2 ~이든 (아니든)

Let me know whether you can come. 네가 올 수 있는지 알려줘.

Whether it rains or not, we will play soccer.
비가 오든 안 오든, 우리는 축구를 할 것이다.

0912 harm
[haːrm]

명 해, 손해 동 해치다, 손상시키다 유 damage (명/동)

The virus caused harm to my computer.
그 바이러스가 내 컴퓨터에 해를 끼쳤다.

The dam can harm the environment. 그 댐은 환경을 해칠 수 있다.

+ harmful 형 해로운

0913 extend
[iksténd]

동 1 확대[확장]하다 2 연장하다 3 (손·발 등을) 뻗다

The city extended the road. 그 도시는 도로를 확장했다.

extend a visa 비자를 연장하다

extend one's arm 팔을 뻗다

0914 impact
[ímpækt]

명 1 영향, 효과 2 충돌, 충격

Her speech had an impact on the students.
그녀의 연설은 학생들에게 영향을 끼쳤다.

on impact 충돌 시에

0915 parallel
[pǽrəlèl]

형 1 평행의, 나란한 2 유사한

The road and the river are parallel to each other.
그 도로와 강은 서로 평행하다.

a parallel instance 유사한 경우

0916 respond
[rispánd]

동 1 대답하다; 답장을 보내다 2 반응하다

I didn't respond to her question. 나는 그녀의 질문에 답하지 않았다.

respond to climate change 기후 변화에 반응하다

0917 murder
[mə́:rdər]

명 살인(죄), 살해   동 살해하다

He is in prison for murder. 그는 살인죄로 감옥에 있다.
A man was murdered last night. 한 남성이 어젯밤에 살해되었다.
⊞ murderer 명 살인자

0918 candidate
[kǽndidèit]

명 후보자

He is a strong candidate for president.
그는 유력한 대통령 후보이다.

0919 come up with

(해답 등을) 찾아내다, 생각해내다

Has anyone come up with a solution?
해결책을 생각해낸 사람이 있니?

0920 on purpose

고의로, 일부러

He dropped the cup on purpose. 그는 일부러 컵을 떨어뜨렸다.

정답 p.294

DAY 46 CHECK-UP

[1-14] 영어는 우리말로, 우리말은 영어로 쓰세요.

1	harm _____	8	통찰력 _____
2	cease _____	9	후보자 _____
3	respond _____	10	관련[관계]시키다 _____
4	occupy _____	11	복수형; 복수형의 _____
5	impact _____	12	평행의, 나란한; 유사한 _____
6	whether _____	13	이주해 오다, 이민 오다 _____
7	philosophy _____	14	정당화하다, 옳음을 증명하다 _____

[15-18] 우리말에 맞게 빈칸에 알맞은 말을 넣으세요.

15 The city _____ the road. (그 도시는 도로를 확장했다.)

16 He dropped the cup _____ _____. (그는 일부러 컵을 떨어뜨렸다.)

17 He is in prison for _____. (그는 살인죄로 감옥에 있다.)

18 Has anyone _____ _____ _____ a solution?
(해결책을 생각해낸 사람이 있니?)

DAY 47

PREVIEW

A 아는 단어/숙어에 체크(V)해보세요.

0921 **brilliant**	☐	0931 **pronunciation**	☐
0922 **provide**	☐	0932 **contribute**	☐
0923 **religion**	☐	0933 **budget**	☐
0924 **register**	☐	0934 **chemical**	☐
0925 **diligent**	☐	0935 **continuous**	☐
0926 **moderate**	☐	0936 **explode**	☐
0927 **claim**	☐	0937 **potential**	☐
0928 **endure**	☐	0938 **ceremony**	☐
0929 **desperate**	☐	0939 **catch up**	☐
0930 **oppose**	☐	0940 **be filled with**	☐

B 사진을 보고 알맞은 단어/숙어를 써보세요.

_____ _____ _____ _____

0921 brilliant
[bríljənt]

형 1 훌륭한, 멋진; 뛰어난 2 아주 밝은, 눈부신

That's a brilliant idea! 그거 아주 멋진 생각이구나!

a brilliant blue sky 아주 밝은 푸른 하늘

0922 provide
[prəváid]

동 제공하다, 공급하다 ((with, for)) ⓊＳ supply

The hotel provides great service.
그 호텔은 뛰어난 서비스를 제공한다.

0923 religion
[rilídʒən]

명 종교

What is your religion? 네 종교가 뭐니?

freedom of religion 종교의 자유

⊞ religious 형 종교의

0924 register
[rédʒistər]

동 등록하다, (출생 등을) 신고하다 명 등록부; 명부

I want to register for the cooking class.
나는 그 요리 강좌에 등록하고 싶다.

register a marriage 혼인신고를 하다

a register of births 출생 명부

⊞ registration 명 등록

0925 diligent
[dílidʒənt]

형 부지런한, 성실한 ⓦ idle

The boss praised the diligent worker.
그 사장은 성실한 직원을 칭찬했다.

⊞ diligence 명 부지런함, 성실

0926 moderate
[mádərit]

형 1 보통의, 중간의 2 적당한

Cook the onions over moderate heat. 양파를 중간 불에 요리해라.

moderate speed 적당한 속도

0927 claim
[kleim]

동 명 1 주장(하다) 2 요구[청구](하다)

He claimed that he knew nothing about it.
그는 그것에 대해 아무것도 모른다고 주장했다.

a claim for damages 손해 배상 청구

0928 endure
[indjúər]

동 견디다, 참다

He couldn't endure the headache. 그는 두통을 참을 수 없었다.

0929 desperate
[déspərit]

형 1 자포자기한, 될 대로 되라는 식의 2 필사적인

As his business failed, he became desperate.
사업이 실패하여, 그는 자포자기하였다.

desperate effort 필사적인 노력

0930 oppose
[əpóuz]

동 반대하다 ⊕ support

I strongly oppose this plan. 나는 이 계획에 강력히 반대한다.

⊞ opposition 명 반대

0931 pronunciation
[prənʌ̀nsiéiʃən]

명 발음

What is the correct pronunciation of this word?
이 단어의 정확한 발음은 무엇이니?

0932 contribute
[kəntríbjuːt]

동 1 기부[기증]하다 ⊕ donate 2 기여[공헌]하다; 원인이 되다

They contributed money to help poor people.
그들은 가난한 사람들을 도우려고 돈을 기부했다.

Her effort contributed to her success.
그녀의 노력은 그녀의 성공에 기여했다.

0933 budget
[bʌ́dʒit]

명 예산, (지출 예상) 비용

The company set its yearly budget. 그 회사는 일 년치 예산을 짰다.

a low-budget film 저예산 영화

0934 chemical
[kémikəl]

형 화학적인; 화학(상)의 명 화학 물질[약품]

The chemical reaction created heat. 화학 반응으로 열이 발생했다.

toxic chemical 독성 화학 물질

0935 continuous
[kəntínjuəs]

형 계속되는, 끊임없는

There was a continuous line of cars.
끊임없는 자동차들의 행렬이 이어졌다.

0936 explode
[iksplóud]

동 폭발하다; 폭파시키다

A bomb exploded in the park. 공원에서 폭탄이 폭발했다.

⊞ explosion 명 폭발

0937 potential
[pəténʃəl]

[형] 가능성이 있는, 잠재적인   [명] 가능성, 잠재력

Be aware of potential problems. 잠재적인 문제들을 알고 있어라.

The business has potential for growth. 그 사업은 성장 가능성이 있다.

0938 ceremony
[sérəmòuni]

[명] 의식, 식

The opening ceremony will be at 9 a.m.
개회식은 오전 아홉 시에 있을 예정입니다.

a graduation ceremony 졸업식

0939 catch up

(사람·정도·수준을) 따라잡다 ((with))

I ran to catch up with her. 나는 그녀를 따라잡으려고 달렸다.

0940 be filled with

~로 가득 차다

The bucket is filled with dirty water.
그 양동이는 더러운 물로 가득 차 있다.

DAY 47   CHECK-UP

정답 p.294

[1-14] 영어는 우리말로, 우리말은 영어로 쓰세요.

1 claim _____
2 endure _____
3 oppose _____
4 potential _____
5 brilliant _____
6 chemical _____
7 continuous _____

8 종교 _____
9 발음 _____
10 의식, 식 _____
11 부지런한, 성실한 _____
12 폭발하다; 폭파시키다 _____
13 예산, (지출 예상) 비용 _____
14 보통의, 중간의; 적당한 _____

[15-18] 우리말에 맞게 빈칸에 알맞은 말을 넣으세요.

15 I want to _____ for the cooking class. (나는 그 요리 강좌에 등록하고 싶다.)

16 I ran to _____ _____ with her. (나는 그녀를 따라잡으려고 달렸다.)

17 As his business failed, he became _____. (사업이 실패하여, 그는 자포자기하였다.)

18 The bucket _____ _____ _____ dirty water.
(그 양동이는 더러운 물로 가득 차 있다.)

DAY 48

PREVIEW

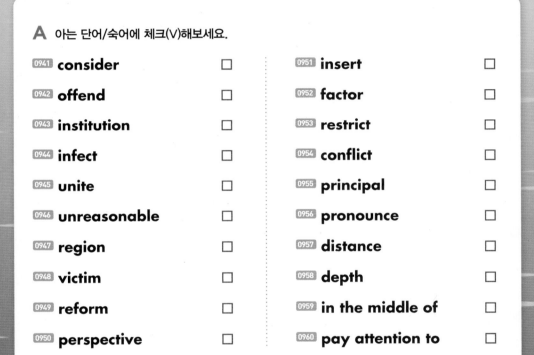

A 아는 단어/숙어에 체크(V)해보세요.

0941 **consider** ☐	0951 **insert** ☐
0942 **offend** ☐	0952 **factor** ☐
0943 **institution** ☐	0953 **restrict** ☐
0944 **infect** ☐	0954 **conflict** ☐
0945 **unite** ☐	0955 **principal** ☐
0946 **unreasonable** ☐	0956 **pronounce** ☐
0947 **region** ☐	0957 **distance** ☐
0948 **victim** ☐	0958 **depth** ☐
0949 **reform** ☐	0959 **in the middle of** ☐
0950 **perspective** ☐	0960 **pay attention to** ☐

B 사진을 보고 알맞은 단어/숙어를 써보세요.

_____   _____   _____   _____

0941 consider
[kənsídər]

동 1 잘 생각하다, 숙고하다 2 ~로 여기다 3 고려[배려]하다

I'm considering changing jobs. 나는 이직을 할지 생각 중이다.

He considers himself smart. 그는 자신이 똑똑하다고 여긴다.

You should consider others in public places.
공공장소에서는 타인을 배려해야 한다.

0942 offend
[əfénd]

동 1 화나게 하다 2 불쾌감을 주다, 거스르다

She was offended by his rude jokes.
그녀는 그의 무례한 농담에 화가 났다.

Saying bad words can offend people.
나쁜 말을 하는 것은 사람들을 불쾌하게 할 수 있다.

0943 institution
[ìnstitʃúːʃən]

명 1 기관, 단체 2 제도, 관습

A university is an institution of higher education.
대학은 고등 교육 기관이다.

the institution of marriage 결혼 제도

0944 infect
[infékt]

동 병을 옮기다, 감염시키다

She is infected with the virus. 그녀는 바이러스에 감염되었다.

⊞ infection 명 감염

0945 unite
[júːnait]

동 연합하다

Two groups united against a common enemy.
두 집단은 공동의 적에 맞서 연합했다.

0946 unreasonable
[ʌnríːzənəbl]

형 불합리한, 부당한 ⊞ fair

I can't accept your unreasonable request.
네 불합리한 요구는 받아들일 수 없다.

0947 region
[ríːdʒən]

명 지역, 지방 ⊞ area

The region is famous for its beautiful beaches.
그 지역은 아름다운 해변으로 유명하다.

0948 victim
[víktim]

명 희생자, 피해자

He is one of the victims of the accident.
그는 그 사고의 희생자들 중 한 명이다.

0949 reform
[rifɔ́ːrm]

동 개혁[개선]하다 명 개혁, 개선

They tried to reform the old system.
그들은 옛 제도를 개선하기 위해 노력했다.

economic reform 경제 개혁

0950 perspective
[pərspéktiv]

명 관점, 시각

Let's look at the problem from a different perspective.
그 문제를 다른 관점에서 보자.

0951 insert
[insə́ːrt]

동 1 넣다, 끼우다 2 (말 등을) 써 넣다, 삽입하다

Insert a coin and press the button. 동전을 넣고 버튼을 눌러라.
insert a sentence into a paragraph 문단에 한 문장을 삽입하다

0952 factor
[fǽktər]

명 요인, 요소, 원인

Heavy rain was a major factor in the delay.
폭우가 지체의 주요 원인이었다.

0953 restrict
[ristríkt]

동 1 (크기 등을) 제한하다 2 (법 등으로) 제한[통제]하다 ⊕ limit

The school restricts the number of students to 200.
그 학교는 학생 수를 200명으로 제한한다.

Access to this area is restricted. 이곳의 접근은 제한되어 있다.

0954 conflict
[kánflikt]

명 갈등[충돌] 동 [kənflíkt] 상충하다

There is a serious conflict between the two countries.
두 국가 간에 심각한 갈등이 있다.

The results of the study conflict with common beliefs.
그 연구 결과는 일반적인 생각과 상충한다.

0955 principal
[prínsəpəl]

형 주요한, 주된 ⊕ minor 명 교장

What is the principal reason for the failure?
실패의 주된 원인이 무엇이니?

a high school principal 고등학교 교장

0956 pronounce
[prənáuns]

동 발음하다

I don't know how to pronounce this word.
나는 이 단어를 어떻게 발음하는지 모르겠다.

⊞ pronunciation 명 발음

0957 distance
[dístəns]

명 1 거리, 간격 2 먼 곳

Is the distance short enough to walk? 걸어갈 만큼 가까운 거리니?
from a distance 멀리서

0958 depth
[depθ]

명 깊이

The lake is 30 meters in depth. 그 호수는 깊이가 30 미터이다.

0959 in the middle of

~의 도중에; ~의 한복판에

The phone rang in the middle of dinner.
저녁 식사 도중에 전화벨이 울렸다.

0960 pay attention to

~에 주의를 기울이다, 유념하다

He paid attention to her explanation.
그는 그녀의 설명에 주의를 기울였다.

DAY 48 CHECK-UP

정답 p.294

[1-14] 영어는 우리말로, 우리말은 영어로 쓰세요.

1 factor _____

2 offend _____

3 region _____

4 conflict _____

5 restrict _____

6 perspective _____

7 unreasonable _____

8 깊이 _____

9 연합하다 _____

10 발음하다 _____

11 희생자, 피해자 _____

12 거리, 간격; 먼 곳 _____

13 병을 옮기다, 감염시키다 _____

14 개혁[개선]하다; 개혁, 개선 _____

[15-18] 우리말에 맞게 빈칸에 알맞은 말을 넣으세요.

15 I'm _____ changing jobs. (나는 이직을 할지 생각 중이다.)

16 _____ a coin and press the button. (동전을 넣고 버튼을 눌러라.)

17 He _____ _____ _____ her explanation.
   (그는 그녀의 설명에 주의를 기울였다.)

18 The phone rang _____ _____ _____ _____ dinner.
   (저녁 식사 도중에 전화벨이 울렸다.)

DAY 49
PREVIEW

A 아는 단어/숙어에 체크(V)해보세요.

0961 crack ☐	0971 border ☐
0962 editor ☐	0972 incident ☐
0963 guilty ☐	0973 mechanical ☐
0964 convert ☐	0974 cooperative ☐
0965 attempt ☐	0975 construct ☐
0966 regulate ☐	0976 launch ☐
0967 consequence ☐	0977 exactly ☐
0968 migrate ☐	0978 prey ☐
0969 distinguish ☐	0979 look into ☐
0970 miserable ☐	0980 take part in ☐

B 사진을 보고 알맞은 단어/숙어를 써보세요.

1	2	3	4
_____	_____	_____	_____

0961 crack

[krǽk]

图 금이 가다; 금이 가게 하다　명 (갈라진) 금

The glass cracked when I dropped it.
내가 유리잔을 떨어뜨리자 그것은 금이 갔다.

There is a crack in the wall.　벽에 금이 가 있다.

0962 editor

[édit∂r]

명 (신문 · 잡지 등의) 편집자, 교정자; 편집장

She is an editor at a newspaper.　그녀는 신문사의 편집자이다.

0963 guilty

[gílti]

형 1 죄를 범한, 유죄의 ⑪ innocent　2 죄책감이 드는

The judge concluded that he was guilty.
판사는 그가 유죄라는 결론을 내렸다.

I felt guilty about lying.　나는 거짓말한 것에 대해 죄책감이 들었다.

0964 convert

[kənvə́ːrt]

图 전환시키다, 개조하다

How can we convert light into energy?
어떻게 빛을 에너지로 전환할 수 있을까?

0965 attempt

[ətémpt]

图 시도하다　명 시도 ㉌ try (图/명)

I attempted to fix the car.　나는 그 차를 고치려고 시도했다.

make an attempt 시도하다

0966 regulate

[régjulèit]

图 규제하다, 통제하다

The use of these drugs is regulated by law.
이 약들의 사용은 법으로 규제되어 있다.

⊞ regulation 명 규제, 통제

0967 consequence

[kánsəkwèns]

명 결과 ㉌ result

A minor error can have serious consequences.
사소한 실수가 심각한 결과를 가져올 수 있다.

in consequence　그 결과

0968 migrate

[máigreit]

图 1 (철새 등이) 이동하다　2 (다른 지역으로) 이주하다

Some birds migrate south for the winter.
몇몇 새들은 겨울을 나기 위해 남쪽으로 이동한다.

His family migrated to Japan.　그의 가족은 일본으로 이주했다.

0969 distinguish
[distíŋgwiʃ]

동 1 구별하다 2 특징짓다, 차이를 나타내다

You need to distinguish between fact and opinion.
너는 사실과 의견을 구분할 필요가 있다.

A long neck distinguishes the giraffe. 긴 목이 기린의 특징이다.

0970 miserable
[mízərəbl]

형 비참한, 불행한

He was in a miserable situation after the accident.
그는 그 사고 이후로 불행한 상황에 처해 있었다.

0971 border
[bɔ́:rdər]

명 국경, 경계 동 (국경·경계를) 접하다

The enemy crossed the border. 적군이 국경을 넘었다.

The U.S. borders Canada. 미국은 캐나다와 국경을 접하고 있다.

0972 incident
[ínsidənt]

명 사건, 일어난 일

The incident completely changed my life.
그 사건은 나의 삶을 완전히 바꿔 놓았다.

without incident 아무 일 없이, 무사히

0973 mechanical
[məkǽnikəl]

형 기계(상)의; 기계에 의한, 기계로 작동되는

My car has mechanical problems. 내 차는 기계적인 결함이 있다.

a mechanical toy 기계 장치로 된 장난감

0974 cooperative
[kouápərèitiv]

형 협력적인, 협동하는

Children learn a lot through cooperative activities.
아이들은 협동하는 활동을 통해 많은 것을 배운다.

＋ cooperate 동 협력[합동]하다

0975 construct
[kənstrʌ́kt]

동 1 건설하다 ⊕ build 2 구성하다

They constructed a bridge between the cities.
그들은 도시 간에 다리를 건설했다.

construct a paragraph 단락을 구성하다

＋ construction 명 건설; 구성

0976 launch
[lɔ:ntʃ]

동 1 시작하다; 발사하다 2 (상품을) 출시하다 명 발사; 출시

They launched a new campaign. 그들은 새 캠페인을 시작했다.

launch a new product 신제품을 출시하다

When is the rocket launch? 로켓 발사가 언제니?

0977 exactly
[igzǽktli]

튄 정확히, 꼭, 틀림없이 ⊕ precisely

What **exactly** did she say? 그녀가 정확히 뭐라고 했니?

⊞ exact 刨 정확한

0978 prey
[prei]

명 먹이, 사냥감 ⊞ predator

Zebras are often the **prey** of lions.
얼룩말은 보통 사자의 먹이가 된다.

0979 look into

~을 조사하다

The police will **look into** the case. 경찰이 그 사건을 조사할 것이다.

0980 take part in

~에 참여하다

Every student should **take part in** the school festival.
모든 학생들은 학교 축제에 참여해야 한다.

DAY 49 CHECK-UP

[1-14] 영어는 우리말로, 우리말은 영어로 쓰세요.

1 crack _____
2 guilty _____
3 launch _____
4 exactly _____
5 incident _____
6 distinguish _____
7 consequence _____

8 먹이, 사냥감 _____
9 비참한, 불행한 _____
10 시도하다; 시도 _____
11 협력적인, 협동하는 _____
12 규제하다, 통제하다 _____
13 전환시키다, 개조하다 _____
14 국경, 경계; (국경·경계를) 접하다 _____

[15-18] 우리말에 맞게 빈칸에 알맞은 말을 넣으세요.

15 My car has _____ problems. (내 차는 기계적인 결함이 있다.)

16 The police will _____ _____ the case. (경찰이 그 사건을 조사할 것이다.)

17 Some birds _____ south for the winter.
(몇몇 새들은 겨울을 나기 위해 남쪽으로 이동한다.)

18 Every student should _____ _____ _____ the school festival.
(모든 학생들은 학교 축제에 참여해야 한다.)

228

DAY 50
PREVIEW

A 아는 단어/숙어에 체크(V)해보세요.

0981 **following**	☐	
0982 **owe**	☐	
0983 **hatch**	☐	
0984 **attain**	☐	
0985 **artificial**	☐	
0986 **exchange**	☐	
0987 **charge**	☐	
0988 **electricity**	☐	
0989 **load**	☐	
0990 **effective**	☐	

0991 **complement**	☐	
0992 **significant**	☐	
0993 **dynasty**	☐	
0994 **wander**	☐	
0995 **meditate**	☐	
0996 **productive**	☐	
0997 **evaluate**	☐	
0998 **outcome**	☐	
0999 **make up for**	☐	
1000 **care about**	☐	

B 사진을 보고 알맞은 단어/숙어를 써보세요.

1 _____

2 _____

3 _____

4 _____

0981 following
[fálouiŋ]

형 1 (시간상으로) 다음의 2 다음에 나오는 ⊕ previous

I met her the following day. 나는 그녀를 다음날 만났다.

The correct answers are on the following page.
정답은 다음 장에 있다.

0982 owe
[ou]

동 1 (돈을) 빚지고 있다 2 ~은 … 덕분이다

He owes me $500. 그는 내게 5백 달러를 빚지고 있다.

I owe my success to him. 내가 성공한 것은 그의 덕분이다.

0983 hatch
[hætʃ]

동 (알 등이) 부화하다; 부화시키다

How long does it take for the eggs to hatch?
알이 부화하는 데 얼마나 걸리니?

0984 attain
[ətéin]

동 달성하다, 이루다 ⊛ accomplish

The novel attained great success. 그 소설은 큰 성공을 거두었다.

0985 artificial
[à:rtifíʃəl]

형 1 인공적인, 인조의 ⊕ natural 2 꾸민, 거짓의

This food contains no artificial colors.
이 음식에는 인공 색소가 들어있지 않다.

an artificial smile 거짓 웃음

0986 exchange
[ikstʃéindʒ]

동 교환하다; 주고받다 명 교환; 주고받음

They exchanged gifts on Christmas.
그들은 크리스마스에 선물을 주고받았다.

I gave him my book in exchange for his.
나는 내 책을 그의 책과 교환했다.

0987 charge
[tʃɑːrdʒ]

명 1 요금 2 책임, 담당 동 (요금을) 청구하다

The repairs are free of charge. 수리는 무료이다.

in charge of ~을 책임지고, ~을 담당하여

The hotel charged $10 for breakfast.
그 호텔은 조식 요금으로 10달러를 청구했다.

0988 electricity
[ilektrísəti]

명 전기

Suddenly the electricity went out. 전기가 갑자기 나갔다.

0989 load
[loud]

명 짐, 화물 동 (짐을) 싣다

I was carrying a load on my back. 나는 등에 짐을 지고 있었다.

He loaded the truck with goods. 그는 트럭에 상품을 실었다.

0990 effective
[iféktiv]

형 효과적인, 효력이 있는 반 ineffective

What is an effective way to treat a cold?

감기를 치료하는 효과적인 방법은 무엇이니?

➕ effect 명 효과

0991 complement
[kámpləmènt]

동 보완[보충]하다 명 [kámpləmənt] 보완물, 보충하는 것

The team members complement each other.

팀원들은 서로를 보완해 준다.

This sauce is the perfect complement to the dish.

이 소스는 그 요리에 완벽한 보완물이다.

0992 significant
[signífikənt]

형 중요한, 의미 있는 유 meaningful

His study was a significant achievement in science.

그의 연구는 과학계에 의미 있는 업적이었다.

0993 dynasty
[dáinəsti]

명 왕조, 왕가

The Joseon dynasty was founded in 1392.

조선 왕조는 1392년에 세워졌다.

0994 wander
[wándər]

동 (정처 없이) 돌아다니다, 헤매다

Don't wander around late at night. 밤늦게 돌아다니지 마라.

0995 meditate
[méditèit]

동 명상하다

Yoga is a good way to meditate. 요가는 명상하는 좋은 방법이다.

➕ meditation 명 명상, 묵상

0996 productive
[prədʌ́ktiv]

형 생산하는; 생산적인

This is a highly productive farm. 이곳은 매우 생산성 높은 농장이다.

productive activities 생산적인 활동

0997 evaluate
[ivǽljuèit]

동 평가하다

They evaluated the players' abilities.
그들은 선수들의 능력을 평가했다.

⊞ evaluation 명 평가

0998 outcome
[áutkÀm]

명 결과

What was the outcome of the game? 그 경기 결과는 어땠니?

the final outcome 최종 결과

0999 make up for

(손실 등을) 메우다, 보충하다

The company tried to make up for the loss.
그 회사는 손실을 메우기 위해 노력했다.

1000 care about

~에 신경을 쓰다, ~에 관심을 가지다

She cares about her looks. 그녀는 자신의 외모에 신경을 쓴다.

DAY 50 CHECK-UP

정답 p.294

[1-14] 영어는 우리말로, 우리말은 영어로 쓰세요.

1 hatch　＿＿＿＿＿

2 attain　＿＿＿＿＿

3 artificial　＿＿＿＿＿

4 outcome　＿＿＿＿＿

5 exchange　＿＿＿＿＿

6 following　＿＿＿＿＿

7 significant　＿＿＿＿＿

8 전기　＿＿＿＿＿

9 왕조, 왕가　＿＿＿＿＿

10 명상하다　＿＿＿＿＿

11 평가하다　＿＿＿＿＿

12 생산하는; 생산적인　＿＿＿＿＿

13 짐, 화물; (짐을) 싣다　＿＿＿＿＿

14 (정처 없이) 돌아다니다, 헤매다　＿＿＿＿＿

[15-18] 우리말에 맞게 빈칸에 알맞은 말을 넣으세요.

15 The repairs are free of ＿＿＿＿＿. (수리는 무료이다.)

16 He ＿＿＿＿＿ me $500. (그는 내게 5백 달러를 빚지고 있다.)

17 The team members ＿＿＿＿＿ each other. (팀원들은 서로를 보완해 준다.)

18 The company tried to ＿＿＿＿＿ ＿＿＿＿＿ ＿＿＿＿＿ the loss.
(그 회사는 손실을 메우기 위해 노력했다.)

232

REVIEW TEST

DAY 46-50

정답 p.295

A 우리말에 맞게 빈칸에 알맞은 말을 넣으세요.

1 a(n) _____ noun (복수형 명사)

2 freedom of _____ (종교의 자유)

3 a low-_____ film (저예산 영화)

4 _____ activities (생산적인 활동)

5 _____ a sentence into a paragraph (문단에 한 문장을 삽입하다)

6 Don't try to _____ your actions. (네 행동을 정당화하려고 하지 마라.)

7 They _____ gifts on Christmas. (그들은 크리스마스에 선물을 주고받았다.)

8 What is the correct _____ of this word? (이 단어의 정확한 발음은 무엇이니?)

9 She is _____ with the virus. (그녀는 바이러스에 감염되었다.)

10 The enemy crossed the _____. (적군이 국경을 넘었다.)

11 You need to _____ between fact and opinion. (너는 사실과 의견을 구분할 필요가 있다.)

12 Is the _____ short enough to walk? (걸어갈 만큼 가까운 거리니?)

B 밑줄 친 말에 유의하여 다음 문장을 해석하세요.

1 I met her the <u>following</u> day.

_____

2 The lake is 30 meters in <u>depth</u>.

_____

3 This sofa <u>occupies</u> too much space.

_____

4 The <u>chemical</u> reaction created heat.

_____

5 Heavy rain was a major <u>factor</u> in the delay.

_____

C 밑줄 친 단어와 반대인 뜻을 가진 단어를 고르세요.

1 The boss praised the <u>diligent</u> worker.

① idle   ② continuous   ③ guilty   ④ cooperative   ⑤ desperate

2 I strongly <u>oppose</u> this plan.

① regulate   ② claim   ③ support   ④ endure   ⑤ reform

3 I can't accept your <u>unreasonable</u> request.

① effective   ② fair   ③ miserable   ④ desperate   ⑤ brilliant

4 Zebras are often the <u>prey</u> of lions.

① region   ② load   ③ dynasty   ④ victim   ⑤ predator

5 This food contains no <u>artificial</u> colors.

① significant   ② parallel   ③ principal   ④ natural   ⑤ moderate

D 보기 에서 빈칸에 공통으로 들어갈 단어를 골라 쓰세요.

> 보기   conflict   charge   launch   construct   harm
> potential

1 The virus caused _____ to my computer.

The dam can _____ the environment.

2 The repairs are free of _____.

The hotel _____d $10 for breakfast.

3 There is a serious _____ between the two countries.

The results of the study _____ with common beliefs.

4 Be aware of _____ problems.

The business has _____ for growth.

5 They _____ed a new campaign.

When is the rocket _____?

CROSSWORD PUZZLE

DAY 41-50

정답 p.295

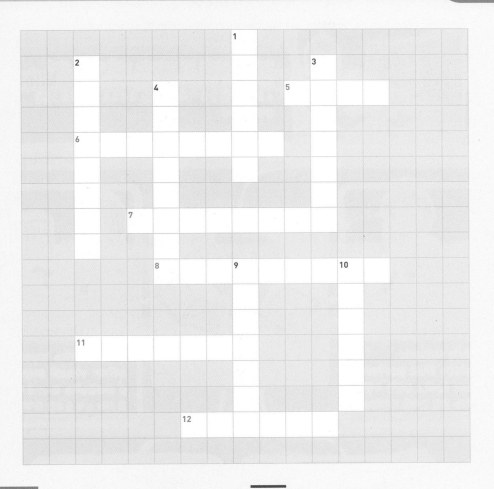

Across
5 기금, 자금
6 평가하다
7 친척; 비교상의; 상대적인
8 일시적인, 임시의
11 전환시키다, 개조하다
12 수정하다, 변경하다

Down
1 관련[관계]시키다
2 보통의, 중간의; 적당한
3 추측하다, 생각하다; 가정하다
4 부지런한, 성실한
9 ~인 척하다
10 지역, 지방

computer programmer 컴퓨터 프로그래머

· writes code to create software and updates existing programs

소프트웨어를 만들기 위한 코드를 작성하고 기존 프로그램을 업데이트하다

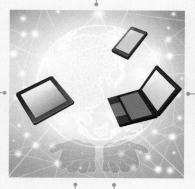

robotic scientist
로봇 과학자

· builds robotic devices that perform many tasks 다양한 역할을 수행하는 로봇 장치를 제작하다

graphic web designer
그래픽 웹디자이너

· creates the layout and other visual aspects of a website 웹사이트의 레이아웃과 기타 시각 효과를 제작하다

3D modeler
3차원 모형 작가

· builds three-dimensional computer models 3차원의 컴퓨터 모형을 제작하다

drone pilot 드론 조종사

· examines drones before flying them and operates drones 비행 전에 드론을 점검하고 드론을 조종하다

DAY 51
PREVIEW

1001	grab	☐	1011	phase	☐
1002	flexible	☐	1012	command	☐
1003	appeal	☐	1013	seek	☐
1004	instinct	☐	1014	frequent	☐
1005	transform	☐	1015	permanent	☐
1006	activate	☐	1016	transfer	☐
1007	flesh	☐	1017	generate	☐
1008	hollow	☐	1018	average	☐
1009	extraordinary	☐	1019	put out	☐
1010	attraction	☐	1020	get along with	☐

B 사진을 보고 알맞은 단어/숙어를 써보세요.

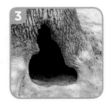

1001 grab
[græb]

동 붙잡다, 움켜잡다 ㈜ seize

The woman grabbed her child's hand tightly.
그 여자는 자기 아이의 손을 꽉 붙잡았다.

1002 flexible
[fléksəbl]

형 1 융통성 있는 2 잘 구부러지는, 유연한

His schedule is very flexible. 그의 스케줄은 몹시 융통성이 있다.
a flexible body 유연한 몸

1003 appeal
[əpíːl]

명 동 1 간청(하다), 호소(하다) 2 매력(이 있다)

He made an appeal for help. 그는 도와달라고 간청했다.
Her speech appealed to the people.
그녀의 연설은 사람을 끄는 매력이 있었다.

1004 instinct
[instíŋkt]

명 1 본능 2 직감

Every animal has an instinct for survival.
모든 동물은 생존 본능이 있다.
I follow my instincts to make decisions.
나는 결정을 내리기 위해 내 직감을 따른다.

1005 transform
[trænsfɔ́ːrm]

동 바꾸다, 변형시키다

We transformed the old factory into a museum.
우리는 그 오래된 공장을 박물관으로 바꾸었다.

1006 activate
[ǽktivèit]

동 작동시키다; 활성화시키다 ㊀ stop

Hit the green button to activate the system.
시스템을 작동시키려면 초록색 버튼을 눌러라.

1007 flesh
[fleʃ]

명 1 (사람·동물의) 살 2 (사람의) 피부

The flesh of this fish is tender. 이 생선의 살은 부드럽다.
This special effect looks like real human flesh.
이 특수 효과는 진짜 사람의 피부처럼 보인다.

1008 hollow
[hálou]

형 속이 빈

The pipe is hollow inside. 그 파이프는 속이 비어 있다.

1009 extraordinary
[ikstrɔ́:rdənèri]

형 비상한, 비범한

He has extraordinary musical talent.
그는 비범한 음악적 재능을 가지고 있다.

1010 attraction
[ətrǽkʃən]

명 1 명소, 명물 2 매력(적인 요소)

The Eiffel Tower is a major tourist attraction.
에펠탑은 주요 관광 명소이다.

I don't see the attraction of going to loud parties.
나는 시끄러운 파티에 가는 것의 매력을 모르겠다.

1011 phase
[feiz]

명 단계, 국면 ⊕ stage

The project is in the planning phase.
그 프로젝트는 계획 단계에 있다.

a new phase 새로운 국면

1012 command
[kəmǽnd]

명 동 1 명령(하다) ⊕ order 2 지휘(하다)

They followed the captain's commands.
그들은 선장의 명령에 따랐다.

command an army 군대를 지휘하다

1013 seek
[si:k]

동 (sought-sought) 1 찾다 2 (충고 등을) 구하다, 청하다

We are seeking a new house. 우리는 새 집을 찾고 있다.

seek advice 충고를 구하다

1014 frequent
[frí:kwənt]

형 자주 일어나는, 빈번한

Thank you for your frequent visits.
자주 방문해 주셔서 감사 드립니다.

⊞ frequently 부 자주, 흔히

1015 permanent
[pə́:rmənənt]

형 영구적인, 영속하는 ⊕ temporary

The accident caused permanent damage to his sight.
그 사고는 그의 시력에 영구적인 손상을 초래했다.

1016 transfer
[trænsfə́:r]

동 이동[이전/이송]하다; 환승하다 명 [trǽnsfər] 이동; 환승

They transferred the patient to a hospital.
그들은 그 환자를 병원으로 이송했다.

transfer from a bus to a train 버스에서 기차로 갈아타다

transfer of power 권력 이동

1017 generate
[dʒénərèit]

동 발생시키다; 일으키다, 초래하다

Wind power **generates** electricity. 풍력은 전기를 발생시킨다.

generate interest 흥미를 일으키다

1018 average
[ǽvəridʒ]

명형 1 평균(의) 2 보통[평균] 수준(의); 평범(한)

I sleep an **average** of six hours a day.
나는 하루에 평균 6시간을 잔다.

an **average** teenager 평범한 십 대

1019 put out

(불을) 끄다

Firefighters **put out** the fire. 소방관들이 화재를 진압했다.

1020 get along with

~와 잘 지내다

He doesn't **get along with** his coworkers.
그는 직장동료들과 잘 지내지 못한다.

DAY 51 CHECK-UP

정답 p.295

[1-14] 영어는 우리말로, 우리말은 영어로 쓰세요.

1 seek _____

2 grab _____

3 flesh _____

4 phase _____

5 average _____

6 generate _____

7 transform _____

8 속이 빈 _____

9 본능; 직감 _____

10 비상한, 비범한 _____

11 영구적인, 영속하는 _____

12 명령(하다); 지휘(하다) _____

13 자주 일어나는, 빈번한 _____

14 작동시키다; 활성화시키다 _____

[15-18] 우리말에 맞게 빈칸에 알맞은 말을 넣으세요.

15 He made a(n) _____ for help. (그는 도와달라고 간청했다.)

16 The Eiffel Tower is a major tourist _____. (에펠탑은 주요 관광 명소이다.)

17 His schedule is very _____. (그의 스케줄은 몹시 융통성이 있다.)

18 He doesn't _____ _____ _____ his coworkers.
   (그는 직장동료들과 잘 지내지 못한다.)

DAY 52
PREVIEW

A 아는 단어/숙어에 체크(V)해보세요.

1021 proof	☐	1031 remark	☐
1022 harvest	☐	1032 range	☐
1023 expense	☐	1033 imply	☐
1024 disgust	☐	1034 horizon	☐
1025 interpret	☐	1035 rob	☐
1026 whistle	☐	1036 official	☐
1027 theory	☐	1037 identify	☐
1028 thorough	☐	1038 govern	☐
1029 species	☐	1039 pass by	☐
1030 seize	☐	1040 stare at	☐

B 사진을 보고 알맞은 단어/숙어를 써보세요.

_____ _____ _____ _____

1021 proof
[pru:f]

명 증명, 증거(물)

Do you have proof that I lied? 내가 거짓말을 했다는 증거가 있니?

1022 harvest
[háːrvist]

명 1 수확(기), 추수 2 수확물 동 수확[추수]하다

Thanksgiving celebrates the fall harvest.
추수감사절은 가을 추수를 기념한다.

a good[poor] harvest 풍작[흉작]

When do you harvest grapes? 포도를 언제 수확하니?

1023 expense
[ikspéns]

명 돈, 비용; 경비

The expense of having a dog is high.
개를 키우는 것은 비용이 많이 든다.

traveling expenses 여행 경비

1024 disgust
[disgʌ́st]

명 역겨움, 넌더리 동 역겹게 하다 반 delight

She held her nose in disgust. 그녀는 역겨움에 코를 막았다.

The smell of fish disgusted me. 생선 냄새가 나를 역겹게 했다.

1025 interpret
[intə́ːrprit]

동 1 해석[이해]하다 2 통역하다

I interpreted his silence as an agreement.
나는 그의 침묵을 동의로 해석했다.

She doesn't speak English, so I'll interpret for her.
그녀는 영어를 할 줄 모르므로 내가 통역할 것이다.

1026 whistle
[hwísl]

명 호각, 호루라기; 휘파람 동 휘파람[호루라기]을 불다

He blew his whistle. 그는 호루라기를 불었다.

He is good at whistling tunes. 그는 휘파람으로 노래를 잘 부른다.

1027 theory
[θíːəri]

명 이론, 학설

Many scientists tried to prove the theory.
많은 과학자들은 그 이론을 증명하려고 노력했다.

1028 thorough
[θə́ːrou]

형 빈틈없는, 철저한 반 careless

He is thorough about everything. 그는 매사에 빈틈이 없다.

1029 **species**

[spíːʃiːz]

명 (분류상의) 종(種)

New species of marine life is discovered.
새로운 종의 해양생물이 발견되었다.

1030 **seize**

[siːz]

동 1 와락 붙잡다 ㉤ grab 2 장악하다

The guards seized the man in the lobby.
경비원들은 그 남자를 로비에서 붙잡았다.

The military seized the town. 군대가 그 마을을 장악했다.

1031 **remark**

[rimάːrk]

명 발언, 논평

I was shocked by her rude remark.
나는 그녀의 무례한 발언에 충격을 받았다.

1032 **range**

[reinʤ]

명 1 (같은 종류의) 다양성 2 범위 동 (범위가) ~에서 … 사이이다

The flower shop sells a huge range of plants.
그 꽃집은 굉장히 다양한 식물을 판다.

It's hard to find a house in our price range.
우리의 가격 범위 안에서 집을 찾기가 어렵다.

Their ages range from 5 to 7. 그들의 나이는 5세에서 7세 사이이다.

1033 **imply**

[implái]

동 1 넌지시 비치다[나타내다] 2 암시[시사]하다, 함축하다

He implied that I was wrong. 그는 내가 틀렸음을 넌지시 비쳤다.

The sentence implies many things. 그 문장은 많은 것을 암시한다.

1034 **horizon**

[həráizən]

명 (the-) 지평[수평]선

The sun began to rise above the horizon.
해가 수평선 위로 떠오르기 시작했다.

⊞ horizontal 형 수평의, 가로의

1035 **rob**

[rɑb]

동 (돈 · 재산을) 강탈하다, 털다

They were planning to rob the bank.
그들은 은행을 털 계획을 세우고 있었다.

⊞ robbery 명 강도 (사건)

1036 **official**

[əfíʃəl]

형 1 직무[공무]상의 2 공식적인, 공인된 명 공무원, 관리

He made an official visit to China. 그는 공무상 중국을 방문했다.

an official announcement 공식 발표

a government official 정부 공무원

243

1037 identify

[aidéntəfài]

동 (~임을) 확인하다, 알아보다

The store owner was able to identify the thief.
그 가게 주인은 도둑을 알아볼 수 있었다.

1038 govern

[ɡʌ́vərn]

동 다스리다, 통치하다 ⑨ rule

The king has governed the country for 10 years.
그 왕은 나라를 10년 간 통치해왔다.

1039 pass by

1 (~을) 지나가다 2 (시간이) 지나다

Does this bus pass by City Hall? 이 버스는 시청을 지나가나요?
Time is passing by. 시간이 흘러가고 있다.

1040 stare at

응시하다, 빤히 쳐다보다

Why are you staring at me like that?
나를 왜 그렇게 빤히 쳐다보니?

DAY 52 CHECK-UP

정답 p.295

[1-14] 영어는 우리말로, 우리말은 영어로 쓰세요.

1 seize _____

2 harvest _____

3 govern _____

4 remark _____

5 proof _____

6 identify _____

7 thorough _____

8 돈, 비용; 경비 _____

9 이론, 학설 _____

10 지평[수평]선 _____

11 (분류상의) 종(種) _____

12 해석[이해]하다; 통역하다 _____

13 역겨움, 넌더리; 역겹게 하다 _____

14 (돈·재산을) 강탈하다, 털다 _____

[15-18] 우리말에 맞게 빈칸에 알맞은 말을 넣으세요.

15 The sentence _____ many things. (그 문장은 많은 것을 암시한다.)

16 Why are you _____ _____ me like that? (나를 왜 그렇게 빤히 쳐다보니?)

17 Does this bus _____ _____ City Hall? (이 버스는 시청을 지나가나요?)

18 The flower shop sells a huge _____ of plants. (그 꽃집은 굉장히 다양한 식물을 판다.)

DAY 53

PREVIEW

A 아는 단어/숙어에 체크(V)해보세요.

1041 **adapt**	☐	
1042 **pave**	☐	
1043 **blame**	☐	
1044 **psychology**	☐	
1045 **translate**	☐	
1046 **particular**	☐	
1047 **external**	☐	
1048 **immediate**	☐	
1049 **chop**	☐	
1050 **quantity**	☐	

1051 **nerve**	☐	
1052 **assess**	☐	
1053 **poverty**	☐	
1054 **conquer**	☐	
1055 **literature**	☐	
1056 **feature**	☐	
1057 **dramatic**	☐	
1058 **remarkable**	☐	
1059 **turn into**	☐	
1060 **on average**	☐	

B 사진을 보고 알맞은 단어/숙어를 써보세요.

1041	**adapt** [ədǽpt]	동 적응[순응]하다 ⊕ adjust

It's not easy to **adapt** to a new environment.
새로운 환경에 적응하는 것은 쉽지 않다.

1042	**pave** [peiv]	동 (도로·길 등을) 포장하다

The road is **paved** with concrete. 그 도로는 콘크리트로 포장되어 있다.

1043	**blame** [bleim]	동 비난하다, ~을 탓하다 명 책임, 탓

He **blamed** me for the accident. 그는 그 사고를 내 탓으로 돌렸다.
You should take the **blame** for your mistake.
너는 네 실수에 대한 책임을 져야 한다.

1044	**psychology** [saikálədʒi]	명 1 심리학 2 심리

He majored in **psychology**. 그는 심리학을 전공했다.
the **psychology** of the teenager 십 대의 심리
+ psychological 형 심리의, 심리적인

1045	**translate** [trænsléit]	동 번역[통역]하다

His book was **translated** into 15 languages.
그의 책은 15개의 언어로 번역되었다.
+ translation 명 번역[통역]

1046	**particular** [pərtíkjulər]	형 특별한; 특정한 ⊕ specific

Do you have any **particular** plans tonight?
오늘 밤에 특별한 계획 있니?
a **particular** topic 특정한 주제

1047	**external** [ikstə́ːrnəl]	형 1 외부의, 밖의 2 외부로부터 오는, 외부적인 ⊛ internal

I like the **external** appearance of the building.
나는 그 건물의 외관이 마음에 든다.
external pressure 외부 압력

1048	**immediate** [imíːdiət]	형 즉각적인 ⊕ instant

The medicine had an **immediate** effect.
그 약은 즉각적인 효과가 있었다.

1049 chop

[tʃɑp]

동 썰다[다지다]; (장작 등을) 패다

Chop the onions and potatoes. 양파와 감자를 썰어라.

1050 quantity

[kwántəti]

명 양(量), 수량, 분량

The farm grows a large quantity of corn.
그 농장은 많은 양의 옥수수를 기른다.

quantity and quality 양과 질

1051 nerve

[nəːrv]

명 1 신경 2 (-s) 긴장, 불안

He suffered nerve damage in both legs.
그는 두 다리에 신경 손상을 입었다.

calm one's nerves 긴장을 가라앉히다

1052 assess

[əsés]

동 1 (특성 등을) 재다, 평가하다 2 (가치·양·금액 등을) 평가하다

The coach assessed the player's ability.
그 코치는 그 선수의 능력을 평가했다.

The government will assess the flood damage.
정부는 홍수 피해 정도를 평가할 것이다.

1053 poverty

[pávərti]

명 빈곤, 가난 반 wealth

The policy helped people get out of poverty.
그 정책은 사람들이 가난에서 벗어나도록 도왔다.

1054 conquer

[káŋkər]

동 1 (나라·영토를) 정복하다 2 (곤란 등을) 극복하다

This place was once conquered by Napoleon.
이곳은 한때 나폴레옹에게 정복당했었다.

conquer a fear 두려움을 극복하다

1055 literature

[lítərətʃər]

명 문학

I like to read classic works of literature.
나는 고전 문학 작품 읽는 것을 좋아한다.

1056 feature

[fíːtʃər]

명 특징, 특색 동 특징으로 삼다, 특별히 포함하다

The best feature of my house is a large pool.
우리 집의 가장 좋은 특징은 넓은 수영장이다.

This restaurant features a variety of desserts.
이 식당은 다양한 디저트를 특징으로 한다.

1057 dramatic

[drəmǽtik]

형 1 급격한, 갑작스러운 2 감격적인, 인상적인

There was a dramatic increase in crime.
범죄의 급격한 증가가 있었다.

a dramatic victory 감격적인 승리

1058 remarkable

[rimάːrkəbl]

형 주목할 만한, 놀랄 만한 ㉠extraordinary

She has remarkable musical talent.
그녀는 놀랄 만한 음악적 재능을 가지고 있다.

1059 turn into

~이 되다, ~으로 변하다

The land turned into desert. 그 땅은 사막으로 변했다.

1060 on average

평균적으로; 대체로

On average, women live longer than men.
평균적으로, 여성은 남성보다 오래 산다.

[1-14] 영어는 우리말로, 우리말은 영어로 쓰세요.

1 nerve _____

2 translate _____

3 blame _____

4 assess _____

5 feature _____

6 dramatic _____

7 particular _____

8 문학 _____

9 빈곤, 가난 _____

10 즉각적인 _____

11 심리학; 심리 _____

12 양(量), 수량, 분량 _____

13 (도로 · 길 등을) 포장하다 _____

14 썰다[다지다]; (장작 등을) 패다 _____

[15-18] 우리말에 맞게 빈칸에 알맞은 말을 넣으세요.

15 The land _____ _____ desert. (그 땅은 사막으로 변했다.)

16 This place was once _____ by Napoleon. (이곳은 한때 나폴레옹에게 정복당했었다.)

17 It's not easy to _____ to a new environment. (새로운 환경에 적응하는 것은 쉽지 않다.)

18 _____ _____, women live longer than men.
(평균적으로, 여성은 남성보다 오래 산다.)

DAY 54
PREVIEW

A 아는 단어/숙어에 체크(V)해보세요.

1061 stroke	☐	1071 quarter	☐
1062 incredible	☐	1072 weep	☐
1063 seal	☐	1073 diminish	☐
1064 constant	☐	1074 spare	☐
1065 heritage	☐	1075 counsel	☐
1066 secretary	☐	1076 splendid	☐
1067 enormous	☐	1077 electric	☐
1068 evolve	☐	1078 undergo	☐
1069 sacrifice	☐	1079 put off	☐
1070 solid	☐	1080 stand for	☐

B 사진을 보고 알맞은 단어/숙어를 써보세요.

| 1 | 2 | 3 | 4 |

_____ _____ _____ _____

249

DAY 54

학습일 | 1차: 월 일 | 2차: 월 일

1061 stroke
[strouk]

명 1 (공을 치는) 타격, 스트로크 2 뇌졸중

He hit the ball with a backhand stroke.
그는 백핸드 스트로크로 공을 쳤다.

suffer a stroke 뇌졸중을 일으키다

1062 incredible
[inkrédəbl]

형 1 놀라운, 대단한, 믿어지지 않을 정도인 2 믿을 수 없는

He has an incredible memory. 그는 놀라운 기억력을 가지고 있다.

an incredible story 믿을 수 없는 이야기

1063 seal
[siːl]

동 봉하다; 밀폐하다 명 봉인, 봉함

Please seal the envelope before you mail it.
우편을 보내기 전에 봉투를 봉해 주세요.

break a seal 봉인을 뜯다[개봉하다]

1064 constant
[kánstənt]

형 1 끊임없는, 계속되는 ⊕ continuous 2 일정한, 불변의

Children need constant attention.
아이들은 끊임없는 관심이 필요하다.

a constant speed 일정한 속도

1065 heritage
[héritidʒ]

명 유산; 전통

Our country has a rich cultural heritage.
우리나라는 풍부한 문화유산을 가지고 있다.

1066 secretary
[sékrətèri]

명 비서

I'll leave a message with your secretary.
비서에게 메시지를 남기겠습니다.

1067 enormous
[inɔ́ːrməs]

형 막대한, 거대한 ⊕ tiny

The singer got an enormous number of letters.
그 가수는 막대한 수의 편지를 받았다.

1068 evolve
[iválv]

동 1 진화하다; 진화시키다 2 발전시키다

Is it true that humans evolved from monkeys?
사람이 원숭이에서 진화했다는 것이 사실이니?

evolve a plan 계획을 발전시키다

1069 sacrifice
[sǽkrəfàis]

통 희생하다 명 희생

She sacrificed her life to save her child.
그녀는 아이를 구하려고 목숨을 희생했다.

The player made sacrifices for the team.
그 선수는 팀을 위해 희생했다.

1070 solid
[sɑ́lid]

형 고체의, 고형의 명 고체, 고형물

Ice is the solid form of water. 얼음은 물의 고체 형태이다.

liquids and solids 액체와 고체

1071 quarter
[kwɔ́:rtər]

명 1 4분의 1 2 15분

I cut the pizza into quarters. 나는 피자를 4등분했다.

It's a quarter to six. 6시 15분 전이다.

참고 half 명 절반; 30분

1072 weep
[wi:p]

통 (wept-wept) 눈물을 흘리다, 울다

She wept for the loss of her mother.
그녀는 어머니를 잃고 눈물을 흘렸다.

1073 diminish
[dimíniʃ]

통 줄어들다, 감소하다; 줄이다, 감소시키다 반 increase

His strength diminished with age.
나이가 들면서 그의 체력이 저하되었다.

diminish the value of ~의 가치를 감소시키다

1074 spare
[spɛər]

형 1 예비의 2 남는, 쓰지 않는 통 할애하다, 내주다

Do you have a spare tire? 예비 타이어를 가지고 있니?

a spare bedroom 남는 침실

Can you spare me an hour? 한 시간만 내주시겠어요?

1075 counsel
[káunsəl]

명 조언, 충고 ⊛ advice 통 상담을 하다

I need some wise counsel from an expert.
나는 전문가의 현명한 조언이 필요하다.

I counsel teenagers about their problems.
나는 그들의 문제에 대해 십 대들을 상담한다.

➕ counselor 명 상담가

1076 splendid
[splɛ́ndid]

형 인상적인, 아름다운

This place has a splendid view. 이곳은 전망이 아름답다.

1077 electric

[iléktrik]

형 전기의, 전기로 움직이는

I turned on the electric heater. 나는 전기 히터를 켰다.

참고 electricity 명 전기

1078 undergo

[ʌ̀ndərgóu]

동 (underwent-undergone) 겪다, 받다

The town has undergone great changes.
그 동네는 큰 변화를 겪었다.

undergo surgery 수술을 받다

1079 put off

미루다, 연기하다

Let's put off the meeting until tomorrow. 회의를 내일로 연기하자.

1080 stand for

~을 나타내다[의미하다]

FYI stands for "for your information."
FYI 는 'for your information(참고로 말하자면)'을 나타낸다.

정답 p.295

DAY 54　CHECK-UP

[1-14] 영어는 우리말로, 우리말은 영어로 쓰세요.

1 weep _____

2 enormous _____

3 splendid _____

4 counsel _____

5 undergo _____

6 diminish _____

7 constant _____

8 비서 _____

9 유산; 전통 _____

10 4분의 1; 15분 _____

11 희생하다; 희생 _____

12 전기의, 전기로 움직이는 _____

13 봉하다; 밀폐하다; 봉인, 봉함 _____

14 고체의, 고형의; 고체, 고형물 _____

[15-18] 우리말에 맞게 빈칸에 알맞은 말을 넣으세요.

15 Do you have a(n) _____ tire? (예비 타이어를 가지고 있니?)

16 Is it true that humans _____ from monkeys?

(사람이 원숭이에서 진화했다는 것이 사실이니?)

17 Let's _____ _____ the meeting until tomorrow. (회의를 내일로 연기하자.)

18 FYI _____ _____ "for your information."

(FYI는 'for your information(참고로 말하자면)'을 나타낸다.)

DAY 55
PREVIEW

A 아는 단어/숙어에 체크(V)해보세요.

1081 **utilize** ☐	1091 **substitute** ☐
1082 **neglect** ☐	1092 **upward** ☐
1083 **atmosphere** ☐	1093 **interfere** ☐
1084 **yield** ☐	1094 **intense** ☐
1085 **finance** ☐	1095 **cultivate** ☐
1086 **distribute** ☐	1096 **fright** ☐
1087 **sufficient** ☐	1097 **pregnant** ☐
1088 **rusty** ☐	1098 **prejudice** ☐
1089 **rotate** ☐	1099 **put away** ☐
1090 **scatter** ☐	1100 **stick to** ☐

B 사진을 보고 알맞은 단어/숙어를 써보세요.

_____ _____ _____ _____

DAY 55

학습일 | 1차: 월 일 | 2차: 월 일

1081 utilize
[júːtəlàiz]

동 이용하다, 활용하다

Ancient people utilized bones to make tools.
고대 사람들은 도구를 만들기 위해 뼈를 이용했다.

1082 neglect
[niglékt]

동 1 돌보지 않다, 방치하다 2 소홀히하다, 등한시하다

The garden has been neglected for years.
그 정원은 수년간 방치되어 있었다.

Don't neglect your duty. 네 직무를 등한시하지 마라.

1083 atmosphere
[ǽtməsfìər]

명 1 (지구의) 대기; (특정 장소의) 공기 2 분위기

Smoke from factories pollutes the atmosphere.
공장에서 나오는 매연이 대기를 오염시킨다.

a relaxed atmosphere 편안한 분위기

1084 yield
[jiːld]

동 (수익·결과 등을) 내다, 산출[생산]하다

Our company yielded a large profit this year.
우리 회사는 올해 큰 수익을 냈다.

1085 finance
[fáinæns]

명 1 재정, 재무 2 (-s) 자금, 재원

She is an expert in finance. 그녀는 재정 전문가이다.

a lack of finances 자금 부족

⊞ financial 형 재정[재무]의

1086 distribute
[distríbjuːt]

동 나누어 주다, 분배[배부]하다

They distributed food to the poor.
그들은 가난한 사람들에게 음식을 나눠 주었다.

1087 sufficient
[səfíʃənt]

형 충분한 ⑲ enough

There is sufficient food for everyone.
모든 사람이 먹기에 충분한 음식이 있다.

1088 rusty
[rʌ́sti]

형 녹이 슨

My old bike is rusty in many places.
내 낡은 자전거는 여러 군데 녹이 슬어 있다.

254

1089 rotate
[róuteit]

동 회전하다[시키다]

The earth **rotates** once every 24 hours.
지구는 24시간마다 한 번 회전한다.

⊞ rotation 명 회전, 자전

1090 scatter
[skǽtər]

동 1 (흩)뿌리다 2 (뿔뿔이) 흩어지다, 흩어지게 만들다 반 gather

He **scattered** the seeds on the ground. 그는 땅에 씨를 뿌렸다.

The crowd **scattered** in all directions. 군중은 사방으로 흩어졌다.

1091 substitute
[sʌ́bstitjùːt]

동 대신 쓰다; 대신하다 명 대리(인); 대용품

You can **substitute** margarine for butter.
마가린을 버터 대신 써도 좋다.

a **substitute** for meat 고기 대용품

1092 upward
[ʌ́pwərd]

부 위쪽으로 형 위를 향한; (양·가격이) 상승하는 반 downward(부/형)

The warm air moves **upward**. 따뜻한 공기는 위로 올라간다.

an **upward** movement 상승 운동, 상승세

1093 interfere
[ìntərfíər]

동 간섭하다, 참견하다

Don't **interfere** in my private life. 내 사생활에 간섭하지 마라.

⊞ interference 명 간섭, 참견

1094 intense
[inténs]

형 1 강렬한, 극심한 2 치열한

The **intense** heat made me tired. 극심한 더위는 나를 지치게 했다.

an **intense** effort 치열한 노력

1095 cultivate
[kʌ́ltəvèit]

동 (땅을) 갈다, 경작하다

They **cultivated** the cornfields. 그들은 옥수수 밭을 갈았다.

⊞ cultivation 명 경작

1096 fright
[frait]

명 놀람, 공포 유 fear

I was shaking with **fright**. 나는 놀라서 떨고 있었다.

1097 pregnant
[prégnənt]

형 임신한

My wife is **pregnant** with our second child.
내 아내는 둘째 아이를 임신했다.

1098 prejudice

[prédʒudis]

뗑 편견, 선입관

She has a prejudice against pop music.
그녀는 대중음악에 대한 편견이 있다.

1099 put away

1 (보관 장소에) 치우다 2 저축하다

Why don't you put away your toys? 장난감 좀 치워주겠니?

I put away some money for my vacation.
나는 휴가를 위해 돈을 좀 저축했다.

1100 stick to

고수하다, 지키다

He stuck to his opinions. 그는 자신의 의견을 고수했다.

DAY 55 CHECK-UP

정답 p.296

[1-14] 영어는 우리말로, 우리말은 영어로 쓰세요.

1 yield _____

2 fright _____

3 utilize _____

4 scatter _____

5 finance _____

6 interfere _____

7 sufficient _____

8 임신한 _____

9 녹이 슨 _____

10 편견, 선입관 _____

11 회전하다[시키다] _____

12 강렬한, 극심한; 치열한 _____

13 (땅을) 갈다, 경작하다 _____

14 나누어 주다, 분배[배부]하다 _____

[15-18] 우리말에 맞게 빈칸에 알맞은 말을 넣으세요.

15 Don't _____ your duty. (네 직무를 등한시하지 마라.)

16 He _____ _____ his opinions. (그는 자신의 의견을 고수했다.)

17 You can _____ margarine for butter. (마가린을 버터 대신 써도 좋다.)

18 Smoke from factories pollutes the _____. (공장에서 나오는 매연이 대기를 오염시킨다.)

A 우리말에 맞게 빈칸에 알맞은 말을 넣으세요.

1 a(n) _____ body (유연한 몸)

2 _____ an army (군대를 지휘하다)

3 _____ pressure (외부 압력)

4 a(n) _____ bedroom (남는 침실)

5 a lack of _____ (자금 부족)

6 I sleep a(n) _____ of six hours a day. (나는 하루에 평균 6시간을 잔다.)

7 Wind power _____ electricity. (풍력은 전기를 발생시킨다.)

8 They _____ the patient to a hospital. (그들은 그 환자를 병원으로 이송했다.)

9 He _____ that I was wrong. (그는 내가 틀렸음을 넌지시 비쳤다.)

10 The sun began to rise above the _____. (해가 수평선 위로 떠오르기 시작했다.)

11 He _____ me for the accident. (그는 그 사고를 내 탓으로 돌렸다.)

12 Firefighters _____ _____ the fire. (소방관들이 화재를 진압했다.)

B 밑줄 친 말에 유의하여 다음 문장을 해석하세요.

1 Every animal has an <u>instinct</u> for survival.

   _____

2 He made an <u>official</u> visit to China.

   _____

3 The policy helped people get out of <u>poverty</u>.

   _____

4 The town has <u>undergone</u> great changes.

   _____

5 I <u>put away</u> some money for my vacation.

   _____

C 밑줄 친 단어와 가장 비슷한 뜻을 가진 단어를 고르세요.

1 The project is in the planning <u>phase</u>.
　① expense　② stage　③ quantity　④ feature　⑤ prejudice

2 The king has <u>governed</u> the country for 10 years.
　① transformed　② activated　③ conquered　④ ruled　⑤ identified

3 The medicine had an <u>immediate</u> effect.
　① dramatic　② incredible　③ instant　④ average　⑤ permanent

4 Children need <u>constant</u> attention.
　① remarkable　② sufficient　③ intense　④ frequent　⑤ continuous

5 The woman <u>grabbed</u> her child's hand tightly.
　① seized　② adapted　③ sought　④ utilized　⑤ appealed

D 보기 에서 빈칸에 들어갈 단어를 골라 쓰세요.

> 보기　translate　species　literature　rotate　solid　flesh
> 　　　interfere　remark

1 The _____ of this fish is tender.

2 New _____ of marine life is discovered.

3 I was shocked by her rude _____.

4 I like to read classic works of _____.

5 His book was _____d into 15 languages.

6 Ice is the _____ form of water.

7 Don't _____ in my private life.

DAY 56

PREVIEW

A 아는 단어/숙어에 체크(V)해보세요.

1101 **accuse**	☐	1111 **manufacture**	☐
1102 **vital**	☐	1112 **property**	☐
1103 **burden**	☐	1113 **authority**	☐
1104 **breathe**	☐	1114 **massive**	☐
1105 **associate**	☐	1115 **commit**	☐
1106 **disadvantage**	☐	1116 **gradual**	☐
1107 **response**	☐	1117 **approximately**	☐
1108 **consent**	☐	1118 **submit**	☐
1109 **valid**	☐	1119 **die of**	☐
1110 **proper**	☐	1120 **throw away**	☐

B 사진을 보고 알맞은 단어/숙어를 써보세요.

_____ _____ _____ _____

학습일 | 1차: 월 일 | 2차: 월 일

1101 accuse
[əkjúːz]

동 1 비난하다 2 고발[고소]하다

They were accused of cheating on the test.
그들은 시험에서 부정 행위를 했다는 비난을 받았다.

I accused him of stealing. 나는 그를 절도죄로 고발했다.

1102 vital
[váitəl]

형 1 필수적인 ⓤ essential 2 생명의, 생명 유지에 필요한

Clean air is vital for our health.
깨끗한 공기는 우리의 건강에 필수적이다.

vital signs 생명의 징후

1103 burden
[báːrdən]

명 짐, 부담 동 ~에게 짐[부담]을 지우다

The debt is a huge burden on me. 그 빚은 내게 엄청난 부담이다.

I don't want to burden you with my problems.
내 문제로 네게 부담을 지우고 싶지 않다.

1104 breathe
[briːð]

동 호흡하다, 숨을 쉬다

He breathed heavily after jogging.
그는 조깅 후에 거칠게 숨을 쉬었다.

⊞ breath 명 숨, 호흡

1105 associate
[əsóuʃièit]

동 1 연상하다, 연관 짓다 2 교제하다, 어울리다 명 [əsóuʃiət] 동료

I associate winter with skiing. 나는 겨울 하면 스키가 연상된다.

Don't associate with them. 그들과는 어울리지 마라.

a business associate 사업 동료

1106 disadvantage
[dìsədvǽntidʒ]

명 불리한 점[조건], 약점 ⓦ advantage

One disadvantage of our product is its high price.
우리 제품의 한 가지 약점은 높은 가격이다.

1107 response
[rispáns]

명 1 응답, 대답 2 반응, 부응

I called her name, but she made no response.
내가 그녀의 이름을 불렀으나 그녀는 아무 대답이 없었다.

a positive response 긍정적인 반응

⊞ respond 동 대답하다

1108 consent
[kənsént]

명 동 동의(하다), 허락(하다)

You need your parents' consent to participate.
네가 참가하기 위해서는 부모님의 동의가 필요하다.

We can't consent to the proposal. 우리는 그 제안에 동의할 수 없다.

1109 valid
[vǽlid]

형 1 타당한, 정당한 2 (법적으로) 유효한 반 invalid

Your arguments don't have valid reasons.
네 주장에는 타당한 근거가 없다.

a valid license 유효한 면허증

1110 proper
[prάpər]

형 1 적절한, 제대로 된 2 (사회·도덕적으로) 올바른 반 improper

We should find a proper solution. 우리는 적절한 해결책을 찾아야 한다.

proper behavior 올바른 행동

1111 manufacture
[mæ̀njufǽktʃər]

동 제조[생산]하다 유 produce 명 제조, 생산

The factory manufactures cars. 그 공장은 차를 생산한다.

the manufacture of cars 자동차 제조

1112 property
[prάpərti]

명 재산, 자산 유 asset

He lost all his property in the fire. 그는 화재로 전 재산을 잃었다.

public property 공공 재산

1113 authority
[əθɔ́:rəti]

명 1 권한 2 권위, 권력

I don't have the authority to decide. 나는 결정할 권한이 없다.

with authority 권위 있게, 권위를 가지고

1114 massive
[mǽsiv]

형 1 (크기가) 육중한 반 tiny 2 (양·정도가) 매우 큰, 심각한

An elephant has a massive body. 코끼리는 육중한 몸을 갖고 있다.

a massive amount of energy 막대한 양의 에너지

1115 commit
[kəmít]

동 (죄·과실 등을) 범하다, 저지르다

The man committed many crimes. 그 남자는 많은 범죄를 저질렀다.

1116 gradual
[grǽdʒəwəl]

형 점차적인, 점진적인

There was a gradual increase in sales.
매출에 점진적인 증가가 있었다.

1117 **approximately**

[əpráksimətli]

图 대략, ~가까이, 약

The flight took approximately 14 hours.
그 비행은 14시간 가까이 걸렸다.

➕ approximate 형 근사치인, (기준 등에) 가까운

1118 **submit**

[səbmít]

图 1 제출하다 2 굴복[복종]하다

Submit the report by tomorrow. 보고서를 내일까지 제출해라.
We didn't submit to his threats. 우리는 그의 협박에 굴복하지 않았다.

➕ submission 명 제출; 굴복

1119 **die of**

~로 죽다

He died of a heart attack. 그는 심장마비로 죽었다.

1120 **throw away**

(필요 없어진 것을) 버리다, 없애다

I threw away my old coat. 나는 내 오래된 코트를 버렸다.

DAY 56 CHECK-UP

정답 p.296

[1-14] 영어는 우리말로, 우리말은 영어로 쓰세요.

1 valid _____

2 vital _____

3 proper _____

4 commit _____

5 accuse _____

6 massive _____

7 associate _____

8 권한; 권위, 권력 _____

9 대략, ~가까이, 약 _____

10 응답, 대답; 반응, 부응 _____

11 불리한 점[조건], 약점 _____

12 점차적인, 점진적인 _____

13 제조[생산]하다; 제조, 생산 _____

14 제출하다; 굴복[복종]하다 _____

[15-18] 우리말에 맞게 빈칸에 알맞은 말을 넣으세요.

15 He _____ heavily after jogging. (그는 조깅 후에 거칠게 숨을 쉬었다.)

16 He _____ _____ a heart attack. (그는 심장마비로 죽었다.)

17 I _____ _____ my old coat. (나는 내 오래된 코트를 버렸다.)

18 He lost all his _____ in the fire. (그는 화재로 전 재산을 잃었다.)

DAY 57
PREVIEW

A 아는 단어/숙어에 체크(V)해보세요.

1121 **shelter**	☐	1131 **regard**	☐
1122 **indeed**	☐	1132 **landscape**	☐
1123 **suspend**	☐	1133 **descend**	☐
1124 **material**	☐	1134 **obtain**	☐
1125 **sting**	☐	1135 **haste**	☐
1126 **revive**	☐	1136 **discipline**	☐
1127 **sympathy**	☐	1137 **nuclear**	☐
1128 **net**	☐	1138 **inquiry**	☐
1129 **passive**	☐	1139 **up to**	☐
1130 **considerate**	☐	1140 **rely on**	☐

B 사진을 보고 알맞은 단어/숙어를 써보세요.

1	2	3	4
_____	_____	_____	_____

1121 shelter
[ʃéltər]

몡 피난처; 보호소 동 보호하다, 피난처를 제공하다

I volunteer at an animal shelter. 나는 동물 보호소에서 자원봉사한다.
She shelters her kids too much. 그녀는 아이들을 과잉보호한다.

1122 indeed
[indíːd]

閉 참으로, 정말로 ㈜ truly

She is indeed a great writer. 그녀는 정말로 훌륭한 작가이다.

1123 suspend
[səspénd]

동 1 정직[정학]시키다 2 (일시) 중지하다 3 매달다

He was suspended from his job. 그는 정직을 당했다.
suspend service 서비스를 중지하다
The light is suspended from the ceiling.
그 조명은 천장에 매달려 있다.

1124 material
[mətíːəriəl]

몡 1 재료 2 자료 혱 물질적인

It is made of natural material. 그것은 천연 재료로 만들어졌다.
teaching material 교육 자료
material wealth 물질적인 풍요

1125 sting
[stiŋ]

동 (stung-stung) (바늘·가시 등으로) 찌르다, 쏘다

I was stung by a bee. 나는 벌에 쏘였다.

1126 revive
[riváiv]

동 활기를 되찾다[되찾게 하다], 회복하다[시키다]

The market started to revive. 시장이 활기를 되찾기 시작했다.
⊞ revival 몡 회복, 부활

1127 sympathy
[símpəθi]

몡 1 연민, 동정 ㈜ compassion 2 동의[동조], 지지

I have a lot of sympathy for the patient.
나는 그 환자에게 많은 연민을 느낀다.
in sympathy with ~에 동의[동조]하여

1128 net
[net]

몡 1 그물, 망 2 (스포츠의) 골대, 네트

A big fish got caught in the net. 큰 물고기가 그물에 걸렸다.
He kicked the ball into the net. 그는 공을 골대 안으로 찼다.

1129 passive
[pǽsiv]

형 소극적인, 수동적인 반 active

She is too passive to succeed.
그녀는 성공하기에는 너무 소극적이다.

1130 considerate
[kənsídərət]

형 사려 깊은, 배려하는 유 thoughtful

The host was friendly and considerate.
그 주인은 다정하고 사려 깊었다.

➕ consideration 명 사려, 숙고

1131 regard
[rigá:rd]

동 (~로) 여기다, 생각하다   명 고려, 관심

I regard him as a friend. 나는 그를 친구로 여긴다.

without regard to[for] ~을 고려하지 않고

1132 landscape
[lǽndskèip]

명 풍경

He painted the beautiful landscapes of Switzerland.
그는 스위스의 아름다운 풍경들을 그렸다.

1133 descend
[disénd]

동 내려가다, 내려오다 반 ascend

The skier quickly descended the mountain.
스키 선수는 빠르게 산을 내려왔다.

1134 obtain
[əbtéin]

동 획득하다, 얻다 유 acquire

Where can I obtain further information?
더 많은 정보는 어디서 얻을 수 있나요?

1135 haste
[heist]

명 급함, 서두름

He worked in haste and made many mistakes.
그는 서둘러 일하다 많은 실수를 했다.

1136 discipline
[dísəplin]

명 규율, 훈육   동 훈육하다

Discipline is strict in our school. 우리 학교는 규율이 엄하다.

discipline one's child 자식을 훈육하다

1137 nuclear
[njú:kliər]

형 원자력의; 핵(무기)의

Nuclear energy is used to produce electricity.
원자력은 전기를 생산하는 데 사용된다.

a nuclear war 핵전쟁

1141 barely
[béərli]

🔲 1 간신히, 가까스로 2 거의 ~않게[없이]

He barely caught the train. 그는 간신히 그 기차를 탔다.
We barely spoke in the house. 우리는 집에서 거의 말을 하지 않았다.

1142 demonstrate
[démənstrèit]

🔲 1 증명하다, 입증하다 2 (사용법을) 설명하다, 보여주다

The studies demonstrated that the theory was wrong.
그 연구는 그 이론이 틀렸다는 것을 증명했다.
The staff demonstrated how to use the program.
직원은 프로그램 사용법을 설명했다.

⊞ demonstration 명 1 설명 2 입증, 실증

1143 ethnic
[éθnik]

🔲 인종의, 민족의

There are various ethnic groups in the country.
그 나라에는 다양한 인종 집단들이 있다.

1144 punctual
[pʌ́ŋktʃuəl]

🔲 시간을 엄수하는[잘 지키는]

You should be punctual for your class.
수업 시간을 잘 지켜야 한다.

1145 belong
[bilɔ́ːŋ]

🔲 1 제자리에 있다 2 속하다; 소속감을 느끼다

These plates belong on the shelf. 이 접시들은 선반 위가 제자리이다.
China belongs to East Asia. 중국은 동아시아에 속한다.
I don't feel like I belong here. 나는 여기 속하는 것 같지 않다.

1146 function
[fʌ́ŋkʃən]

🔲 기능 🔲 기능하다, 작용하다

The function of charity is to help people in need.
자선단체의 기능은 어려움에 처한 사람들을 돕는 것이다.
If you don't sleep, your body can't function normally.
잠을 자지 않으면, 네 신체는 정상적으로 기능할 수 없다.

1147 related
[riléitid]

🔲 1 관계가 있는, 관련된 2 친척의

This job is not related to my major. 이 일은 내 전공과 관련이 없다.
Are you related to him? 너는 그와 친척이니?

1129 passive
[pǽsiv]

형 소극적인, 수동적인 반 active

She is too passive to succeed.
그녀는 성공하기에는 너무 소극적이다.

1130 considerate
[kənsídərət]

형 사려 깊은, 배려하는 유 thoughtful

The host was friendly and considerate.
그 주인은 다정하고 사려 깊었다.

⊞ consideration 명 사려, 숙고

1131 regard
[rigá:rd]

동 (~로) 여기다, 생각하다 명 고려, 관심

I regard him as a friend. 나는 그를 친구로 여긴다.

without regard to[for] ~을 고려하지 않고

1132 landscape
[lǽndskèip]

명 풍경

He painted the beautiful landscapes of Switzerland.
그는 스위스의 아름다운 풍경들을 그렸다.

1133 descend
[disénd]

동 내려가다, 내려오다 반 ascend

The skier quickly descended the mountain.
스키 선수는 빠르게 산을 내려왔다.

1134 obtain
[əbtéin]

동 획득하다, 얻다 유 acquire

Where can I obtain further information?
더 많은 정보는 어디서 얻을 수 있나요?

1135 haste
[heist]

명 급함, 서두름

He worked in haste and made many mistakes.
그는 서둘러 일하다 많은 실수를 했다.

1136 discipline
[dísəplin]

명 규율, 훈육 동 훈육하다

Discipline is strict in our school. 우리 학교는 규율이 엄하다.

discipline one's child 자식을 훈육하다

1137 nuclear
[njú:kliər]

형 원자력의; 핵(무기)의

Nuclear energy is used to produce electricity.
원자력은 전기를 생산하는 데 사용된다.

a nuclear war 핵전쟁

1138 inquiry
[inkwáiəri]

몡 1 질문, 문의 2 조사, 수사

We received a lot of inquiries about the job.
우리는 그 일자리에 관해 많은 문의를 받았다.

conduct an inquiry 조사하다

1139 up to

1 ~까지 2 ~에 달려 있는

I can count up to ten in French. 나는 불어로 10까지 셀 수 있다.

All the decisions are up to you. 모든 결정은 네게 달려 있다.

1140 rely on

1 ~에 의지[의존]하다 2 ~을 믿다, 신뢰하다

The town relies on tourism for its income.
그 마을은 수입을 관광에 의존한다.

I usually rely on my instincts. 나는 보통 내 직감을 믿는다.

DAY 57 CHECK-UP

정답 p.296

[1-14] 영어는 우리말로, 우리말은 영어로 쓰세요.

1 haste _____

2 indeed _____

3 considerate _____

4 shelter _____

5 regard _____

6 descend _____

7 sympathy _____

8 풍경 _____

9 획득하다, 얻다 _____

10 소극적인, 수동적인 _____

11 재료; 자료; 물질적인 _____

12 질문, 문의; 조사, 수사 _____

13 규율, 훈육; 훈육하다 _____

14 원자력의; 핵(무기)의 _____

[15-18] 우리말에 맞게 빈칸에 알맞은 말을 넣으세요.

15 I was _____ by a bee. (나는 벌에 쏘였다.)

16 The market started to _____. (시장이 활기를 되찾기 시작했다.)

17 He was _____ from his job. (그는 정직을 당했다.)

18 The town _____ _____ tourism for its income.
(그 마을은 수입을 관광에 의존한다.)

DAY 58
PREVIEW

A 아는 단어/숙어에 체크(V)해보세요.

1141 **barely**	☐	1151 **restore** ☐
1142 **demonstrate**	☐	1152 **urgent** ☐
1143 **ethnic**	☐	1153 **theme** ☐
1144 **punctual**	☐	1154 **trap** ☐
1145 **belong**	☐	1155 **exhaust** ☐
1146 **function**	☐	1156 **device** ☐
1147 **related**	☐	1157 **vertical** ☐
1148 **assemble**	☐	1158 **flame** ☐
1149 **stable**	☐	1159 **in detail** ☐
1150 **despair**	☐	1160 **drop out** ☐

B 사진을 보고 알맞은 단어/숙어를 써보세요.

1141 barely
[béərli]

㈜ 1 간신히, 가까스로 2 거의 ~않게[없이]

He barely caught the train. 그는 간신히 그 기차를 탔다.

We barely spoke in the house. 우리는 집에서 거의 말을 하지 않았다.

1142 demonstrate
[démənstrèit]

⑧ 1 증명하다, 입증하다 2 (사용법을) 설명하다, 보여주다

The studies demonstrated that the theory was wrong.
그 연구는 그 이론이 틀렸다는 것을 증명했다.

The staff demonstrated how to use the program.
직원은 프로그램 사용법을 설명했다.

⊞ demonstration ⑲ 1 설명 2 입증, 실증

1143 ethnic
[éθnik]

⑲ 인종의, 민족의

There are various ethnic groups in the country.
그 나라에는 다양한 인종 집단들이 있다.

1144 punctual
[pʌ́ŋktʃuəl]

⑲ 시간을 엄수하는[잘 지키는]

You should be punctual for your class.
수업 시간을 잘 지켜야 한다.

1145 belong
[bilɔ́ːŋ]

⑧ 1 제자리에 있다 2 속하다; 소속감을 느끼다

These plates belong on the shelf. 이 접시들은 선반 위가 제자리이다.

China belongs to East Asia. 중국은 동아시아에 속한다.

I don't feel like I belong here. 나는 여기 속하는 것 같지 않다.

1146 function
[fʌ́ŋkʃən]

⑲ 기능 ⑧ 기능하다, 작용하다

The function of charity is to help people in need.
자선단체의 기능은 어려움에 처한 사람들을 돕는 것이다.

If you don't sleep, your body can't function normally.
잠을 자지 않으면, 네 신체는 정상적으로 기능할 수 없다.

1147 related
[riléitid]

⑲ 1 관계가 있는, 관련된 2 친척의

This job is not related to my major. 이 일은 내 전공과 관련이 없다.

Are you related to him? 너는 그와 친척이니?

1148	**assemble** [əsémbl]	통 1 모이다; 모으다 2 조립하다

All the employees assemble in the hall.
모든 직원들이 강당에 모였다.

assemble a machine 기계를 조립하다

⊕ assembly 명 1 집회 2 조립

1149	**stable** [stéibl]	형 안정된, 안정적인 빤 unstable

The patient is in stable condition. 그 환자는 안정된 상태에 있다.

1150	**despair** [dispéər]	명 절망 빤 hope

He cried for hours in despair. 그는 절망에 빠져 몇 시간 동안 울었다.

1151	**restore** [ristɔ́ːr]	통 (질서·건강 등을) 회복시키다, 되돌리다

The government tried to restore the public's trust.
정부는 대중의 신뢰를 되돌리기 위해 노력했다.

1152	**urgent** [ə́ːrdʒənt]	형 긴급한, 다급한

I have an urgent message for him. 나는 그에게 급히 전할 말이 있다.

1153	**theme** [θiːm]	명 주제, 테마 ⊕ motif

What is the theme of this film? 이 영화의 주제는 무엇이니?

1154	**trap** [træp]	명 덫; 함정 통 가두다; 덫으로 잡다

I set a trap to catch a fox. 나는 여우를 잡으려고 덫을 놓았다.
They were trapped in the building. 그들은 그 건물 안에 갇혔다.

1155	**exhaust** [igzɔ́ːst]	명 배기가스 통 1 기진맥진하게 만들다 2 다 써버리다

Car exhaust pollutes the air. 자동차 배기가스는 공기를 오염시킨다.
The long practice exhausted the players.
긴 연습은 선수들을 기진맥진하게 만들었다.
They have exhausted their food supply already.
그들은 식량을 이미 다 써버렸다.

1156	**device** [diváis]	명 장치, 기구 ⊕ tool

This safety device is designed for beginners.
이 안전 장치는 초보자들을 위해 설계되었다.

269

1157 vertical

[vɔ́ːrtikəl]

형 수직의, 세로의 ⊕horizontal

The wall of the cliff was completely vertical.
그 절벽면은 완전히 수직이었다.

1158 flame

[fleim]

명 불꽃, 불길

The flames rose high up into the sky. 불꽃이 하늘 높이 치솟았다.

in flames 불길에 휩싸인, 활활 타오르는

1159 in detail

상세히

He explained his idea in detail. 그는 자신의 생각을 상세히 설명했다.

1160 drop out

1 빠지다, 탈퇴하다 2 중퇴하다

Why did you drop out of the club? 너는 왜 그 동아리에서 탈퇴했니?

She dropped out of school. 그녀는 학교를 중퇴했다.

DAY 58 CHECK-UP

정답 p.296

[1-14] 영어는 우리말로, 우리말은 영어로 쓰세요.

1 trap _____

2 barely _____

3 ethnic _____

4 restore _____

5 function _____

6 assemble _____

7 demonstrate _____

8 절망 _____

9 불꽃, 불길 _____

10 장치, 기구 _____

11 긴급한, 다급한 _____

12 안정된, 안정적인 _____

13 수직의, 세로의 _____

14 관계가 있는, 관련된; 친척의 _____

[15-18] 우리말에 맞게 빈칸에 알맞은 말을 넣으세요.

15 She _____ _____ of school. (그녀는 학교를 중퇴했다.)

16 These plates _____ on the shelf. (이 접시들은 선반 위가 제자리이다.)

17 He explained his idea _____ _____. (그는 자신의 생각을 상세히 설명했다.)

18 The long practice _____ the players. (긴 연습은 선수들을 기진맥진하게 만들었다.)

DAY 59
PREVIEW

A 아는 단어/숙어에 체크(V)해보세요.

1161 **mayor**	☐	1171 **emerge**	☐
1162 **contemporary**	☐	1172 **applaud**	☐
1163 **intellectual**	☐	1173 **infection**	☐
1164 **lyric**	☐	1174 **rural**	☐
1165 **exclude**	☐	1175 **await**	☐
1166 **satellite**	☐	1176 **scale**	☐
1167 **escalate**	☐	1177 **horizontal**	☐
1168 **paralyze**	☐	1178 **protest**	☐
1169 **modest**	☐	1179 **set off**	☐
1170 **reference**	☐	1180 **be supposed to** ⓥ	☐

B 사진을 보고 알맞은 단어/숙어를 써보세요.

_____ _____ _____ _____

1161 mayor
[méiər]

명 시장

The mayor's office is in City Hall. 시장의 사무실은 시청에 있다.

the mayor of Boston 보스턴의 시장

1162 contemporary
[kəntémpərèri]

형 현대의 ⊛ modern   명 동시대인, 동년배

I like contemporary dance. 나는 현대 무용을 좋아한다.

She was a contemporary of Shakespeare.
그녀는 셰익스피어와 동시대인이었다.

1163 intellectual
[ìntəléktʃuəl]

형 지능의, 지적인

An IQ test measures a person's intellectual abilities.
IQ 테스트는 사람의 지적 능력을 측정한다.

+ intelligence 명 지능

1164 lyric
[lírik]

명 (-s) 노래 가사   형 서정(시)의, 서정적인

Who wrote the lyrics of this song? 이 노래 가사는 누가 썼니?

lyric poetry 서정시

1165 exclude
[iksklú:d]

동 제외[배제]하다 ⊕ include

Some items are excluded from the sale.
일부 품목은 세일에서 제외됩니다.

1166 satellite
[sǽtəlàit]

명 위성; 인공위성

They launched a satellite into space.
그들은 인공위성을 우주로 발사했다.

1167 escalate
[éskəlèit]

동 1 확대[악화]되다 2 증가[상승]하다

The argument escalated into a big fight.
그 논쟁은 큰 싸움으로 확대됐다.

The costs are escalating rapidly. 비용이 급속히 증가하고 있다.

1168 paralyze
[pǽrəlàiz]

동 마비시키다

Her legs were paralyzed in the accident.
그 사고로 그녀의 다리는 마비되었다.

1169 **modest**
[mάdist]

형 1 겸손한 2 그다지 많지[크지] 않은

He is very modest about his achievements.
그는 자신의 성취에 대해 매우 겸손하다.

a modest income 많지 않은 수입

1170 **reference**
[réfərəns]

명 1 언급 2 참조, 참고

She made reference to the plan. 그녀는 그 계획에 대해 언급했다.

for future reference 다음에 참고하기 위해

⊞ refer 동 1 언급하다 2 참조[참고]하다

1171 **emerge**
[imə́:rdʒ]

동 나타나다, 모습을 드러내다 ㉤ appear

A tiger emerged from the forest.
호랑이 한 마리가 숲 속에서 나타났다.

1172 **applaud**
[əplɔ́:d]

동 박수를 치다[보내다]

Everyone stood and applauded the speaker.
모든 사람이 일어서서 연설자에게 박수를 보냈다.

⊞ applause 명 박수 (갈채)

1173 **infection**
[infékʃən]

명 (병의) 전염, 감염

Doctors wash their hands to prevent infection.
의사들은 감염을 막기 위해 손을 씻는다.

1174 **rural**
[rú:ərəl]

형 시골의, 지방의 ㉮ urban

We enjoyed life in a rural area. 우리는 시골 지역에서의 생활을 즐겼다.

1175 **await**
[əwéit]

동 기다리다, 대기하다

She is awaiting the results of her exam.
그녀는 자신의 시험 결과를 기다리고 있다.

1176 **scale**
[skeil]

명 1 규모[범위], 정도 2 (-s) 저울

The factory produces cheese on a large scale.
그 공장은 치즈를 대규모로 생산한다.

weighing scales 체중계

1177 **horizontal**
[hɔ̀:rəzántl]

형 수평의, 가로의 ㉮ vertical

I like these horizontal stripes. 나는 이 가로 줄무늬가 마음에 든다.

1178 **protest**	통 항의[반대]하다 명 [próutest] 항의; 시위
[prətést]	Many people **protested** against the decision. 많은 사람들이 그 결정에 항의했다. **in protest** 항의하여

1179 **set off**	출발하다
	They **set off** early in the morning. 그들은 아침 일찍 출발했다.

1180 **be supposed to** ⓥ	~하기로 되어 있다; ~할 의무가 있다
	You **were supposed to** arrive here at three. 너는 3시에 여기 도착했어야 했다.

DAY 59 CHECK-UP

정답 p.296

[1-14] 영어는 우리말로, 우리말은 영어로 쓰세요.

1 await _____

2 mayor _____

3 emerge _____

4 applaud _____

5 satellite _____

6 escalate _____

7 horizontal _____

8 마비시키다 _____

9 지능의, 지적인 _____

10 제외[배제]하다 _____

11 시골의, 지방의 _____

12 (병의) 전염, 감염 _____

13 언급; 참조, 참고 _____

14 현대의; 동시대인, 동년배 _____

[15-18] 우리말에 맞게 빈칸에 알맞은 말을 넣으세요.

15 They _____ _____ early in the morning. (그들은 아침 일찍 출발했다.)

16 Many people _____ against the decision. (많은 사람들이 그 결정에 항의했다.)

17 He is very _____ about his achievements. (그는 자신의 성취에 대해 매우 겸손하다.)

18 You _____ _____ _____ arrive here at three.
    (너는 3시에 여기 도착했어야 했다.)

DAY 60
PREVIEW

A 아는 단어/숙어에 체크(V)해보세요.

1181 **sort**	☐	1191 **principle**	☐
1182 **breed**	☐	1192 **council**	☐
1183 **domestic**	☐	1193 **rational**	☐
1184 **electronic**	☐	1194 **steep**	☐
1185 **sacred**	☐	1195 **commerce**	☐
1186 **alternative**	☐	1196 **suspension**	☐
1187 **preserve**	☐	1197 **evaporate**	☐
1188 **witness**	☐	1198 **intonation**	☐
1189 **certificate**	☐	1199 **put up with**	☐
1190 **virtue**	☐	1200 **when it comes to**	☐

B 사진을 보고 알맞은 단어/숙어를 써보세요.

1181 sort
[sɔːrt]

명 종류, 부류 ⊛ kind

What sort of dessert do you like? 어떤 종류의 디저트를 좋아하니?

1182 breed
[briːd]

동 (bred-bred) 1 (동물이) 새끼를 낳다, 번식하다 2 사육하다, 기르다

Many animals breed at this time of year.
많은 동물들이 일 년 중 이맘때 번식한다.

The dogs are bred for hunting. 그 개들은 사냥을 위해 길러진다.

1183 domestic
[dəméstik]

형 1 국내의 ⊕ international 2 가정의, 가사의

We only sell domestic products. 우리는 국산품만 판매한다.

domestic flights 국내선 비행기

domestic chores 집안일

1184 electronic
[ilektránik]

형 전자의, 전자에 의한

Please turn off all electronic devices. 모든 전자기기들은 꺼 주세요.

1185 sacred
[séikrid]

형 신성한, 성스러운

Cows are considered sacred in India.
소는 인도에서 신성하게 여겨진다.

1186 alternative
[ɔːltə́ːrnətiv]

명 대안, 대체 형 대신하는, 대체의

Tea can be a healthy alternative to coffee.
차는 커피에 대한 건강한 대안일 수 있다.

an alternative plan 대안

1187 preserve
[prizə́ːrv]

동 보호하다; 보존하다 ⊛ protect

People used salt to preserve food in the past.
과거에 사람들은 음식을 보존하기 위해 소금을 사용했다.

⊞ preservation 명 보호; 보존

1188 witness
[wítnis]

명 목격자 동 목격하다, 보다

We are looking for a witness to the incident.
우리는 그 사건의 목격자를 찾고 있다.

Sir, did you witness the accident? 선생님, 그 사고를 목격하셨습니까?

1189 certificate
[sərtífikət]

명 (보)증서, 증명서

They will ask for your medical certificate.
그들은 진단서를 요구할 것이다.

birth certificate 출생 증명서

1190 virtue
[və́ːrtʃuː]

명 미덕, 덕목

Honesty is an important virtue. 정직은 중요한 미덕이다.

1191 principle
[prínsəpl]

명 1 (개인의) 신념, 주의 2 원칙, 원리

It's against my principles to lie.
거짓말을 하는 것은 내 신념에 어긋난다.

a basic principle of law 법의 기본 원칙

1192 council
[káunsəl]

명 (지방 자치) 의회 ⊕ assembly

He is a member of the city council. 그는 시의회의 의원이다.

1193 rational
[rǽʃənəl]

형 합리적인, 이성적인 ⊕ irrational

I'm sure you'll make a rational choice.
나는 네가 합리적인 선택을 할 것이라 확신한다.

1194 steep
[stiːp]

형 1 가파른 2 급격한

The hills are very steep. 그 언덕들은 매우 가파르다.

a steep increase 급격한 증가

1195 commerce
[kámərs]

명 상업; 무역

This area is the center of commerce. 이 지역은 상업의 중심지이다.

foreign commerce 해외 무역

⊞ commercial 형 상업의; 상업적인

1196 suspension
[səspénʃən]

명 1 정직; 정학 2 중지, 정지

The student was given a three-day suspension.
그 학생은 3일간 정학 처분을 받았다.

suspension of the game 경기 중단

1197 evaporate
[ivǽpərèit]

동 증발하다; 증발시키다

The water soon evaporated in the sunshine.
물은 곧 햇빛에 증발했다.

1198 **intonation**

[ìntənéiʃən]

명 억양, 어조

Her English has a French intonation.
그녀의 영어에는 프랑스어 억양이 있다.

Intonation can change the meaning of a sentence.
어조는 문장의 의미를 변화시킬 수 있다.

1199 **put up with**

(불쾌한 일을) 참다, 참고 견디다

We won't put up with his rudeness anymore.
우리는 그의 무례함을 더 이상 참지 않을 것이다.

1200 **when it comes to**

~에 관한 한

She is very exact when it comes to time.
그녀는 시간에 관한 한 매우 정확하다.

DAY 60 CHECK-UP

정답 p.297

[1-14] 영어는 우리말로, 우리말은 영어로 쓰세요.

1 sort _____

2 principle _____

3 preserve _____

4 rational _____

5 commerce _____

6 intonation _____

7 alternative _____

8 미덕, 덕목 _____

9 (지방 자치) 의회 _____

10 가파른; 급격한 _____

11 (보)증서, 증명서 _____

12 신성한, 성스러운 _____

13 증발하다; 증발시키다 _____

14 목격자; 목격하다, 보다 _____

[15-18] 우리말에 맞게 빈칸에 알맞은 말을 넣으세요.

15 Please turn off all _____ devices. (모든 전자기기들은 꺼 주세요.)

16 We only sell _____ products. (우리는 국산품만 판매한다.)

17 She is very exact _____ _____ _____ _____ time.
(그녀는 시간에 관한 한 매우 정확하다.)

18 We won't _____ _____ _____ his rudeness anymore.
(우리는 그의 무례함을 더 이상 참지 않을 것이다.)

REVIEW TEST

DAY 56-60

A 우리말에 맞게 빈칸에 알맞은 말을 넣으세요.

1 a(n) _____ license (유효한 면허증)

2 teaching _____ (교육 자료)

3 _____ flights (국내선 비행기)

4 for future _____ (다음에 참고하기 위해)

5 a(n) _____ plan (대안)

6 China _____ to East Asia. (중국은 동아시아에 속한다.)

7 The man _____ many crimes. (그 남자는 많은 범죄를 저질렀다.)

8 I volunteer at an animal _____. (나는 동물 보호소에서 자원봉사한다.)

9 I have a(n) _____ message for him. (나는 그에게 급히 전할 말이 있다.)

10 They launched a(n) _____ into space. (그들은 인공위성을 우주로 발사했다.)

11 You should be _____ for your class. (너는 수업 시간을 잘 지켜야 한다.)

12 I can count _____ _____ ten in French. (나는 불어로 10까지 셀 수 있다.)

B 밑줄 친 말에 유의하여 다음 문장을 해석하세요.

1 He <u>barely</u> caught the train.

   _____

2 She was a <u>contemporary</u> of Shakespeare.

   _____

3 I called her name, but she made no <u>response</u>.

   _____

4 The government tried to <u>restore</u> the public's trust.

   _____

5 I usually <u>rely on</u> my instincts.

   _____

C 밑줄 친 단어와 반대인 뜻을 가진 단어를 고르세요.

1 An elephant has a <u>massive</u> body.

　① proper　　② stable　　③ vertical　　④ tiny　　⑤ sacred

2 She is too <u>passive</u> to succeed.

　① active　　② rational　　③ intellectual　　④ modest　　⑤ considerate

3 The skier quickly <u>descended</u> the mountain.

　① breathed　　② obtained　　③ ascended　　④ restored　　⑤ excluded

4 He cried for hours in <u>despair</u>.

　① response　　② sympathy　　③ virtue　　④ principle　　⑤ hope

5 We enjoyed life in a <u>rural</u> area.

　① urban　　② ethnic　　③ vertical　　④ contemporary　　⑤ vital

D 보기 에서 빈칸에 공통으로 들어갈 단어를 골라 쓰세요.

> 보기　exhaust　witness　function　burden　device
> consent

1 The debt is a huge _____ on me.

　I don't want to _____ you with my problems.

2 You need your parents' _____ to participate.

　We can't _____ to the proposal.

3 We are looking for a(n) _____ to the incident.

　Sir, did you _____ the accident?

4 The _____ of charity is to help people in need.

　If you don't sleep, your body can't _____ normally.

5 Car _____ pollutes the air.

　They have _____ed their food supply already.

CROSSWORD PUZZLE

DAY 51-60

정답 p.297

Across

3 자주 일어나는, 빈번한
6 가파른; 급격한
7 획득하다, 얻다
8 사려 깊은, 배려하는
10 즉각적인
12 돈, 비용; 경비

Down

1 점차적인, 점진적인
2 막대한, 거대한
4 안정된, 안정적인
5 권한; 권위, 권력
9 강렬한, 극심한; 치열한
11 제외[배제]하다

court reporter 법원 서기

· keeps a written record of legal proceedings

소송 절차의 조서를 작성하다

judge 판사

· determines the guilt or innocence of the defendant

피고의 유무죄를 판단하다

lawyer 변호사

· prepares for lawsuits and represents clients in court

소송을 준비하고 법정에서 의뢰인을 대변하다

prosecutor 검사

· enforces criminal laws and represents victims

형사법을 집행하며 피해자를 대변하다

court police officer 법정 경찰

· keeps the court room secure and protects witness

법정 내 안전을 유지하고 목격자를 보호하다

ANSWER KEY

일요일을 제외하고는 매일 문을 연다. 3 그는
재미있는 이야기로 우리를 즐겁게 해 주었다.
4 그 두 나라는 긴밀한 관계를 유지하고 있다.
5 그녀의 집으로 가자.
C 1 ⑤ 2 ① 3 ③ 4 ② 5 ④
D 1 author 2 broad 3 earn 4 hire
   5 task 6 remind 7 apologize

DAY 06

PREVIEW   p. 29

1 aim 2 career 3 complicated
4 underwater

CHECK-UP   p. 32

1 목표로 하다; 겨누다; 목적, 목표 2 이상적인, 완벽한;
이상 3 직업; 경력, 이력 4 지지[지원](하다);
후원[부양](하다) 5 현실적인; 현실성 있는; 사실적인
6 값비싼; 유익한; 귀중한 7 존중하는, 경의를 표하는,
공손한 8 decade 9 complicated
10 furthermore 11 necessity 12 legal
13 ashamed 14 underwater 15 deserve
16 faith 17 rude 18 day and night

DAY 07

PREVIEW   p. 33

1 decrease 2 sneeze 3 snore 4 sticky

CHECK-UP   p. 36

1 법률가, 변호사 2 전체의, 전반적인; 전부,
전반적으로 3 상쾌하게 하다, 원기를 회복시키다
4 신체[육체]의; 물질의, 물질[물리]적인 5 극도의,
극심한; 지나친, 과도한 6 위치; 자리, 자세; 입장, 처지
7 감소하다; 줄이다; 감소 8 logic 9 lend
10 commute 11 sticky 12 satisfied
13 license 14 snore 15 responsible
16 sneeze 17 is likely to 18 on her feet

DAY 08

PREVIEW   p. 37

1 audience 2 experiment 3 planet
4 rescue

CHECK-UP   p. 40

1 치료하다; 치료(법), 치료제 2 기후 3 주저하다,
망설이다 4 청중, 관객 5 경제, 경기; 절약, 검약
6 혁명, 변혁, 혁신 7 실험; 실험[시험]하다
8 planet 9 convenient 10 effort
11 vehicle 12 compose 13 repeatedly
14 passage 15 typical 16 by chance
17 quit 18 rescued

DAY 09

PREVIEW   p. 41

1 awake 2 document 3 drag
4 measure

CHECK-UP   p. 44

1 (힘을 들여) 끌다, 끌고 가다 2 단서, 실마리
3 물건, 물체; 목표, 목적; 반대하다 4 혼란시키다;
혼동하다 5 초대, 초청 6 참가[참여]하다
7 중독된, 푹 빠져 있는 8 glory 9 document
10 difference 11 generous 12 respect
13 awake 14 unhealthy 15 strict
16 measured 17 talk behind my back
18 make it

DAY 10

PREVIEW   p. 45

1 colleague 2 complain 3 lay 4 parade

CHECK-UP   p. 48

1 효과, 영향; 결과 2 완전히, 전적으로 3 선택권;
선택(할 수 있는 것) 4 짜증 나게 하다, 귀찮게 하다
5 혜택, 이득; 도움이 되다, 이롭다 6 증가[증대]
하다; 증가, 증대 7 연락하다, 의사소통하다; 전하다,
전달하다 8 garage 9 impossible
10 colleague 11 pleasure 12 lay
13 edit 14 thankful 15 carry out
16 complained 17 foreign 18 is based on

DAY 06-10
REVIEW TEST
pp. 49-50

A 1 physical 2 career 3 snore 4 decrease
5 lay 6 underwater 7 necessity
8 sticky 9 lawyer 10 climate
11 extreme 12 addicted
B 1 그 식당은 술을 팔도록 허가되었다. 2 그녀는 그
웹사이트를 업데이트하는 것을 책임지고 있다.
3 공기는 여러 가지 기체로 구성되어 있다.
4 그는 가수로 성공했다. 5 나는 건강을 유지
하기 위해 매일 걷는다.
C 1 ④ 2 ② 3 ① 4 ② 5 ③
D 1 aim 2 replace 3 support 4 suggest
5 passage

DAY 01-10
CROSSWORD PUZZLE
p. 51

1 lay 2 necessity 3 patient 4 earn
5 regret 6 generous 7 satisfied
8 anxiety 9 difference 10 purpose
11 effort 12 author

DAY 11
PREVIEW
p. 53

1 select 2 military 3 swear 4 sweat

CHECK-UP
p. 56

1 부인하다, 인정하지 않다 2 선발하다, 선택하다
3 걱정[근심]하는; 열망하는, 간절히 바라는
4 군(軍)의, 군사의; 군, 군대 5 공연[연주]하다;
수행하다 6 성공적인; 성공한 7 기회 8 education
9 confirm 10 sweat 11 staff 12 swear
13 prefer 14 appearance 15 available
16 treat 17 From now on 18 community

DAY 12
PREVIEW
p. 57

1 companion 2 crowd 3 excitement
4 offer

CHECK-UP
p. 60

1 믿음 2 부(富), 큰 돈; 운 3 방식; 태도; 예의
4 줄이다, 축소하다; (가격 등을) 낮추다 5 재능 있는,
유능한 6 친절, 상냥함; 친절한 행위[태도]
7 보통; 일반적으로; 정상적으로 8 swallow
9 forgive 10 crowd 11 nowadays
12 companion 13 acquire 14 abroad
15 neither 16 far from 17 offered
18 Look up

DAY 13
PREVIEW
p. 61

1 smooth 2 graduate 3 growth 4 surface

CHECK-UP
p. 64

1 정말로, 참으로; 진심으로 2 간신히 해내다;
경영[관리]하다 3 (사물의) 표면; 지면, 수면
4 (표면이) 매끈한; (일이) 순조로운 5 (글의) 문맥;
(어떤 일의) 정황, 맥락 6 부정적인, 나쁜; 비관적인;
부정[거절]하는 7 극복하다, 이겨내다
8 economic 9 beginning 10 charm
11 graduate 12 per 13 avoid
14 recover 15 admit 16 growth
17 signed up for 18 along with

DAY 14
PREVIEW
p. 65

1 conversation 2 crush 3 instrument
4 repair

CHECK-UP
p. 68

1 기구, 도구; 악기 2 반드시 ~하게 하다, 보장하다
3 상상하다 4 표현하다, 나타내다; 급행의 5 긍정적인,
낙관적인; 확신하는 6 재미있는, 즐거운 7 경쟁; 대회,
시합 8 ability 9 conversation 10 invent
11 facility 12 achieve 13 aid
14 performance 15 crushed 16 access
17 repair 18 checked out

아득한 6 현대의, 근대의 7 자신감 있는; 확신하는
8 technology 9 income 10 suggestion
11 request 12 compare 13 flavor
14 solution 15 relieve 16 import
17 savings 18 pay off

DAY 20

PREVIEW   p. 91

1 argue 2 compete 3 ignore 4 operate

CHECK-UP   p. 94

1 (~에게서) 없애다, 제거하다 2 증명[입증]하다;
(~임이) 드러나다 3 대단히, 매우; (수준 등이)
높이[많이], 고도로 4 조작하다; 작동되다; 수술하다
5 깊은 인상을 주다, 감명을 주다 6 없어서는 안될,
필수적인; 본질[근본]적인 7 동기를 부여하다, 자극하다
8 immediately 9 ignore 10 consume
11 cruel 12 profit 13 argue 14 compete
15 damaged 16 keep in touch
17 imaginative 18 personal

DAY 16-20

REVIEW TEST   pp. 95-96

A 1 silence 2 complaint 3 scientific
   4 mental 5 operate 6 Summarize
   7 elected 8 thirst 9 shaving
   10 motivated 11 consumes 12 not only,
   but also
B 1 네 성공은 내가 보장할 수 있다. 2 그는 내게 큰
   영향을 미쳤다. 3 이 기계를 즉시 수리해 주세요.
   4 시험이 끝나서 나는 마음이 편하다.
   5 우리는 가끔 공원에서 점심을 먹는다.
C 1 ① 2 ③ 3 ② 4 ④ 5 ②
D 1 instant 2 compare 3 prove
   4 confident 5 mess

DAY 11-20

CROSSWORD PUZZLE   p. 97

1 crowd 2 avoid 3 illegal 4 beginning
5 persuade 6 acquire 7 confirm
8 income 9 apology 10 postpone

11 suggestion 12 compare

DAY 21

PREVIEW   p. 99

1 container 2 degree 3 religious 4 shift

CHECK-UP   p. 102

1 옮기다, 이동하다; (입장 등의) 변화, 이동
2 지저분한, 어지러운 3 구; 문구, 구절 4 (문제 등을)
해결하다; 정착하다 5 출석[참석]하다; (학교 등에)
다니다 6 손으로 하는, 육체 노동의; 소책자, 설명서
7 발행하다, 출판하다 8 paragraph
9 knowledge 10 decision 11 term
12 correctly 13 religious 14 variety
15 degrees 16 According to 17 is used to
18 minor

DAY 22

PREVIEW   p. 103

1 cooperate 2 twisted 3 waterproof
4 spot

CHECK-UP   p. 106

1 지위; 계급; (순위 등을) 매기다, 평가하다
2 틀리게; 졸렬하게; 몹시; 심하게 3 꼬인, 뒤틀린;
접질린, 삔 4 필요로 하다; 요구하다 5 개선하다;
나아지다 6 아마도 7 부분, 구획 8 accurate
9 abstract 10 visible 11 difficulty
12 cooperate 13 novel 14 destination
15 due 16 contrasts 17 figured out
18 back and forth

DAY 23

PREVIEW   p. 107

1 comparison 2 criminal 3 drip 4 sew

CHECK-UP   p. 110

1 ~의[~할] 가치가 있는; (얼마) 어치; 가치
2 뻣뻣한, 딱딱한; (근육이) 뻐근한 3 시민의; 정중한,
예의 바른 4 돕다, 거들다 5 시력; 보기, 봄; 시야
6 확장[팽창]되다; 확장[팽창]시키다 7 운동, 움직임;

288

동작, 몸짓 8 diverse 9 comparison
10 disappoint 11 omit 12 holy 13 criminal
14 sew 15 contents 16 prime
17 regardless of 18 played a, role in

1 상인, 판매업자 2 현명함, 지혜 3 (사람을) 보내다,
해산시키다; 해고하다 4 안전한, 위험 없는; 안정된,
확실한 5 광고하다 6 그럼에도 불구하고
7 전문적인, 전문직의; 직업적인, 프로의 8 entire
9 emphasize 10 institute 11 accept
12 statue 13 laboratory 14 explore
15 tidy 16 confessed 17 lead to
18 going out with

1 노동, 근로 2 영향을 미치다 3 수출; 수출품;
수출하다 4 ~에도 불구하고 5 내부; 내부의, 실내의
6 지쳐 버린, 기진맥진한 7 가정, 가구; 가정의; 가사의
8 instead 9 unless 10 threaten
11 disabled 12 exceed 13 approve
14 warn 15 Twist 16 identity 17 noble
18 deals with

A 1 term 2 abstract 3 sight
   4 approve 5 professional 6 container
   7 cooperate 8 criminal 9 advertising
   10 warned 11 labor 12 puts, in danger
B 1 그의 앨범은 살 가치가 있다. 2 서두르지 않으면,
   우리는 버스를 놓칠 것이다. 3 그녀는 교육의
   중요성을 강조했다. 4 잠자는 데 어려움이

있으신가요? 5 아무것도 계획대로 되지 않았다.
C 1 ③ 2 ② 3 ④ 4 ⑤ 5 ④
D 1 paragraph 2 correctly
   3 destination 4 export 5 assist
   6 defense 7 exhausted

1 임금, 급료 2 도덕상의, 윤리의; 도덕적인
3 놀라게 하다 4 구입, 구매; 구입하다 5 역동
적인; 활동적인, 활발한 6 (전문적인) 직업, 직종
7 회의, 회담 8 physics 9 invest
10 neutral 11 punish 12 enable
13 architecture 14 decorate
15 progressed 16 estimated 17 take
advantage of 18 result in

1 ~인 것 같다; 나타나다, 보이게 되다 2 섞다,
결합하다; 겸(비)하다; 병행하다 3 현재의, 지금의
(물·공기의) 흐름, 해류, 기류 4 대중의; 공공의; 대중,
일반 사람들 5 설립하다; 수립하다; 확립하다 6 꽉
쥐다[잡다]; (즙 등을) 짜내다 7 걱정스러운, 염려하는;
관련이 있는 8 empire 9 declare 10 similar
11 otherwise 12 temper 13 delivery
14 cultural 15 in place 16 assigned
17 displayed 18 was capable of

1 frame 2 freezing 3 thrilling 4 transport

보여주다; 가리키다 6 (어떤 일이 생기는) 기회, 때,
경우; 특별한 일, 행사 7 개개의, 개별의; 개인의,
개인적인; 개인 8 outline 9 properly
10 technical 11 assume 12 install
13 grave 14 defeat 15 organize
16 turned out 17 went through 18 mass

DAY 37

PREVIEW   p. 171

1 ban 2 inspect 3 mixture 4 scratch

CHECK-UP   p. 174

1 금지하다; 금지, 금지령 2 결핍, 부족; ~이 없다,
부족하다 3 (금전적 · 시간적으로) ~할 여유가 있다
4 것[들], 물건 5 (심리적) 긴장; (관계 등의) 긴장
상태 6 반대의, 반대되는; (정)반대, 반대되는 것
7 동행하다, 동반하다; 동반되다 8 mercy
9 mixture 10 quality 11 instance
12 inspect 13 coordinate 14 refine
15 in advance 16 developed 17 urged
18 was about to

DAY 38

PREVIEW   p. 175

1 bend 2 concentrate 3 fasten 4 ruin

CHECK-UP   p. 178

1 파괴하다; 망치다; 파괴, 파멸 2 설립하다
3 격식을 차린; 공식적인, 정식의 4 전문가; 전문가의,
전문적인; 숙련된 5 설명[예증]하다, 명확히 하다;
(책 등에) 삽화를 넣다 6 (진가를) 인정하다, 알아보다;
감사하다 7 집중하다 8 interpreter 9 absorb
10 district 11 internal 12 complicate
13 hardly 14 severe 15 gives off 16 fasten
17 frustrated 18 stay away from

DAY 39

PREVIEW   p. 179

1 carve 2 depressed 3 evidence 4 pray

CHECK-UP   p. 182

1 재판; (품질 · 성능 등의) 시험, 실험 2 (시간 · 노력
등을) 바치다, 쏟다 3 감소하다, 하락하다; 감소, 하락
4 (~에) 달려 있다; 의존[의지]하다 5 추구하다; 쫓다,
추적하다 6 대표하다; 나타내다, 상징하다
7 창조, 창작, 창출; 창작품 8 evidence
9 intelligence 10 pray 11 depressed
12 include 13 appropriate 14 react
15 insult 16 call on 17 belongs to
18 carved

DAY 40

PREVIEW   p. 183

1 adjust 2 disturb 3 odd 4 sail

CHECK-UP   p. 186

1 이상한, 묘한; 홀수의 2 항해하다; 배로 여행하다;
(배의) 돛 3 자격을 주다; 자격을 얻다[취득하다]
4 방해하다 5 묻다, 알아보다 6 완전히, 전적으로
7 준비, 마련; 배치, 배열 8 conclusion
9 impression 10 reveal 11 political
12 unexpected 13 drown 14 adjust
15 refer 16 involved 17 steady 18 in
response to

DAY 36-40
REVIEW TEST   pp. 187-188

A 1 defeat 2 quality 3 formal 4 carve
   5 odd 6 analyzed 7 outline
   8 accompany 9 expert
   10 intelligence 11 conclusion
   12 is free of
B 1 성공은 네 노력에 달려 있다. 2 그 이야기가
   사실이라고 가정해 보자. 3 그들은 그 쟁점에 대해
   반대되는 견해를 가지고 있다. 4 네 분노는 상황을
   복잡하게만 할 것이다. 5 많은 염려에도 불구하고
   그 계획은 잘 되어 갔다.

C 1 ⑤ 2 ③ 3 ② 4 ① 5 ①
D 1 stuff 2 appreciate 3 creation
 4 include 5 adjust

DAY 31-40
CROSSWORD PUZZLE   p. 189

1 adjust 2 react 3 expect 4 assume
5 defeat 6 absorb 7 inquire
8 conscious 9 observe 10 precise
11 inspect 12 realize

DAY 41
PREVIEW   p. 191

1 attach 2 bind 3 disaster 4 wound

CHECK-UP   p. 194

1 바꾸다, 변경하다; 바뀌다 2 묶다, 동여매다
3 알고[인식하고] 있는 4 과잉, 과도 5 확실한,
확신하는; 어떤, 특정한 6 상처, 부상; 상처[부상]를
입히다 7 민주주의; 민주(주의) 국가 8 conscience
9 pretend 10 strategy 11 disaster
12 description 13 absence 14 detect
15 dare 16 resident 17 cut off 18 is made
up of

DAY 42
PREVIEW   p. 195

1 amuse 2 mechanic 3 separate
4 shallow

CHECK-UP   p. 198

1 의지하다; 믿다, 신뢰하다 2 즐겁게 하다, 웃기다
3 고무하다, 격려하다; 영감을 주다 4 명확한, 확실한
5 특정한; 구체적인, 명확한 6 결정하다
7 견디어 내다, 버티다 8 insurance
9 shallow 10 creature 11 deceive
12 relative 13 durable 14 primary
15 ran out of 16 further 17 mature
18 separate

DAY 43
PREVIEW   p. 199

1 burst 2 consult 3 dispose 4 reject

CHECK-UP   p. 202

1 조수, 조류 2 빠른, 급한 3 터지다; 터뜨리다; 불쑥
가다[오다] 4 친절한 행위; 부탁; 찬성하다, 호의를
보이다 5 이행하다, 수행하다; 달성하다; 성취시키다
6 신장시키다; 늘리다; 격려, 부양책; 상승; 증가
7 정치, 정계; 정치학 8 proverb 9 appoint
10 consult 11 exhibit 12 random
13 dispose 14 suppose 15 approaching
16 recognize 17 turn in 18 look back on

DAY 44
PREVIEW   p. 203

1 chase 2 destroy 3 polish 4 mend

CHECK-UP   p. 206

1 파괴하다 2 수선[수리]하다, 고치다 3 닦다,
광을 내다; 광택(제) 4 ~할 작정이다, 의도하다
5 분명한, 눈에 띄는 6 조심, 신중 7 (간단히) 말하다,
언급하다 8 aspect 9 crop 10 resource
11 population 12 temporary 13 reward
14 priority 15 coincided 16 chasing
17 passed away 18 fits into

DAY 45
PREVIEW   p. 207

1 continent 2 dust 3 outstanding
4 slope

CHECK-UP   p. 210

1 수정하다, 변경하다 2 (위험 등에) 맞닥뜨리다;
(뜻밖의) 만남, 접촉 3 금하다, 금지하다
4 한정하다, 제한하다; 가두다 5 붙잡다, 포획하다
6 좀처럼[거의] ~않는 7 뛰어난, 걸출한; 두드러진
8 continent 9 fund 10 dedication
11 adopt 12 dust 13 portion
14 comment 15 satisfy 16 obeys
17 no longer 18 make a difference

DAY 41-45
REVIEW TEST
pp. 211-212

A 1 detect 2 relative 3 approach
4 population 5 adopt 6 strategy
7 creatures 8 politics 9 random
10 priority 11 fund 12 cut off
B 1 그 사고에 대해 자세히 설명해 주시겠어요?
2 많은 사람들이 자신의 잘못을 인정하지 않는다.
3 이 약의 효과는 일시적이다. 4 나는 그녀의
자식에 대한 헌신을 존경한다. 5 나는 그 가수를
바로 가까이에서 보았다.
C 1 ② 2 ③ 3 ① 4 ⑤ 5 ④
D 1 excess 2 disaster 3 deceive
4 insurance 5 Consult 6 durable
7 comment

DAY 46
PREVIEW
p. 213

1 blend 2 extend 3 parallel 4 paste

CHECK-UP
p. 216

1 해, 손해; 해치다, 손상시키다 2 그치다, 중단되다;
중단하다 3 대답하다; 답장을 보내다; 반응하다
4 (공간·시간을) 차지하다 5 영향, 효과; 충돌, 충격
6 ~인지 (아닌지); ~이든 (아니든) 7 철학; 인생관,
세계관 8 insight 9 candidate 10 relate
11 plural 12 parallel 13 immigrate
14 justify 15 extended 16 on purpose
17 murder 18 come up with

DAY 47
PREVIEW
p. 217

1 chemical 2 explode 3 oppose 4 register

CHECK-UP
p. 220

1 주장(하다); 요구[청구](하다) 2 견디다, 참다
3 반대하다 4 가능성이 있는, 잠재적인; 가능성, 잠재력
5 훌륭한, 멋진; 뛰어난; 아주 밝은, 눈부신 6 화학적인;
화학(상)의; 화학 물질[약품] 7 계속되는, 끊임없는
8 religion 9 pronunciation 10 ceremony
11 diligent 12 explode 13 budget

14 moderate 15 register 16 catch up
17 desperate 18 is filled with

DAY 48
PREVIEW
p. 221

1 conflict 2 distance 3 insert 4 restrict

CHECK-UP
p. 224

1 요인, 요소, 원인 2 화나게 하다; 불쾌감을 주다,
거스르다 3 지역, 지방 4 갈등[충돌]; 상충하다
5 (크기 등을) 제한하다; (법 등으로) 제한[통제]하다
6 관점, 시각 7 불합리한, 부당한 8 depth
9 unite 10 pronounce 11 victim
12 distance 13 infect 14 reform
15 considering 16 Insert 17 paid attention
to 18 in the middle of

DAY 49
PREVIEW
p. 225

1 crack 2 launch 3 migrate 4 prey

CHECK-UP
p. 228

1 금이 가다; 금이 가게 하다; (갈라진) 금 2 죄를 범한,
유죄의; 죄책감이 드는 3 시작하다; 발사하다; (상품을)
출시하다; 발사; 출시 4 정확히, 꼭, 틀림없이 5 사건,
일어난 일 6 구별하다; 특징짓다, 차이를 나타내다
7 결과 8 prey 9 miserable 10 attempt
11 cooperative 12 regulate 13 convert
14 border 15 mechanical 16 look into
17 migrate 18 take part in

DAY 50
PREVIEW
p. 229

1 electricity 2 load 3 hatch 4 meditate

CHECK-UP
p. 232

1 (알 등이) 부화하다; 부화시키다 2 달성하다, 이루다
3 인공적인, 인조의; 꾸민, 거짓의 4 결과
5 교환하다; 주고받다; 교환; 주고받음
6 (시간상으로) 다음의; 다음에 나오는 7 중요한,
의미 있는 8 electricity 9 dynasty

10 meditate 11 evaluate 12 productive
13 load 14 wander 15 charge 16 owes
17 complement 18 make up for

DAY 46-50
REVIEW TEST   pp. 233-234

A 1 plural 2 religion 3 budget
  4 productive 5 insert 6 justify
  7 exchanged 8 pronunciation
  9 infected 10 border 11 distinguish
  12 distance
B 1 나는 그녀를 다음날 만났다. 2 그 호수는 깊이가
  30 미터이다. 3 이 소파는 너무 많은 공간을
  차지한다. 4 화학 반응으로 열이 발생했다.
  5 폭우가 지체의 주요 원인이었다.
C 1 ① 2 ③ 3 ② 4 ⑤ 5 ④
D 1 harm 2 charge 3 conflict
  4 potential 5 launch

DAY 41-50
CROSSWORD PUZZLE   p. 235

1 relate 2 moderate 3 suppose
4 diligent 5 fund 6 evaluate 7 relative
8 temporary 9 pretend 10 region
11 convert 12 modify

DAY 51
PREVIEW   p. 237

1 flexible 2 grab 3 hollow 4 seek

CHECK-UP   p. 240

1 찾다; (충고 등을) 구하다, 청하다 2 붙잡다, 움켜잡다
3 (사람·동물의) 살; (사람의) 피부 4 단계, 국면
5 평균(의); 보통[평균] 수준(의); 평범(한)
6 발생시키다; 일으키다, 초래하다 7 바꾸다,
변형시키다 8 hollow 9 instinct
10 extraordinary 11 permanent
12 command 13 frequent 14 activate
15 appeal 16 attraction 17 flexible
18 get along with

DAY 52
PREVIEW   p. 241

1 harvest 2 horizon 3 rob 4 whistle

CHECK-UP   p. 244

1 와락 붙잡다; 장악하다 2 수확(기), 추수; 수확물;
수확[추수]하다 3 다스리다, 통치하다 4 발언, 논평
5 증명, 증거(물) 6 (~임을) 확인하다, 알아보다
7 빈틈없는, 철저한 8 expense 9 theory
10 horizon 11 species 12 interpret
13 disgust 14 rob 15 implies 16 staring at
17 pass by 18 range

DAY 53
PREVIEW   p. 245

1 blame 2 chop 3 poverty 4 pave

CHECK-UP   p. 248

1 신경; 긴장, 불안 2 번역[통역]하다 3 비난하다, ~을
탓하다; 책임, 탓 4 (특성 등을) 재다, 평가하다;
(가치·양·금액 등을) 평가하다 5 특징, 특색; 특징으로
삼다, 특별히 포함하다 6 급격한, 갑작스러운;
감격적인, 인상적인 7 특별한; 특정한 8 literature
9 poverty 10 immediate 11 psychology
12 quantity 13 pave 14 chop 15 turned
into 16 conquered 17 adapt 18 On
average

DAY 54
PREVIEW   p. 249

1 quarter 2 seal 3 stroke 4 weep

CHECK-UP   p. 252

1 눈물을 흘리다, 울다 2 막대한, 거대한
3 인상적인, 아름다운 4 조언, 충고; 상담을 하다
5 겪다, 받다 6 줄어들다, 감소하다; 줄이다,
감소시키다 7 끊임없는, 계속되는; 일정한, 불변의
8 secretary 9 heritage 10 quarter
11 sacrifice 12 electric 13 seal
14 solid 15 spare 16 evolved 17 put off
18 stands for

DAY 55

PREVIEW p. 253

1 cultivate 2 pregnant 3 rusty
4 scatter

CHECK-UP p. 256

1 (수익 · 결과 등을) 내다, 산출[생산]하다 2 놀람, 공포
3 이용하다, 활용하다 4 (흩)뿌리다; (뿔뿔이)
흩어지다, 흩어지게 만들다 5 재정, 재무; 자금, 재원
6 간섭하다, 참견하다 7 충분한 8 pregnant
9 rusty 10 prejudice 11 rotate 12 intense
13 cultivate 14 distribute 15 neglect
16 stuck to 17 substitute 18 atmosphere

DAY 51-55

REVIEW TEST pp. 257-258

A 1 flexible 2 command 3 external
4 spare 5 finances 6 average
7 generates 8 transferred 9 implied
10 horizon 11 blamed 12 put out
B 1 모든 동물은 생존 본능이 있다. 2 그는 공무상
중국을 방문했다. 3 그 정책은 사람들이 가난에서
벗어나도록 도왔다. 4 그 동네는 큰 변화를 겪었다.
5 나는 휴가를 위해 돈을 좀 저축했다.
C 1 ② 2 ④ 3 ③ 4 ⑤ 5 ①
D 1 flesh 2 species 3 remark
4 literature 5 translate 6 solid
7 interfere

DAY 56

PREVIEW p. 259

1 breathe 2 associate 3 manufacture
4 submit

CHECK-UP p. 262

1 타당한, 정당한; (법적으로) 유효한 2 필수적인;
생명의, 생명 유지에 필요한 3 적절한, 제대로 된;
(사회 · 도덕적으로) 올바른 4 (죄 · 과실 등을) 범하다,
저지르다 5 비난하다; 고발[고소]하다 6 (크기가)
육중한; (양 · 정도가) 매우 큰, 심각한 7 연상하다; 연관
짓다; 교제하다, 어울리다; 동료 8 authority

9 approximately 10 response
11 disadvantage 12 gradual
13 manufacture 14 submit 15 breathed
16 died of 17 threw away 18 property

DAY 57

PREVIEW p. 263

1 descend 2 discipline 3 net 4 sting

CHECK-UP p. 266

1 급함, 서두름 2 참으로, 정말로 3 사려 깊은,
배려하는 4 피난처; 보호소; 보호하다, 피난처를
제공하다 5 (~로) 여기다, 생각하다; 고려, 관심
6 내려가다, 내려오다 7 연민, 동정; 동의[동조], 지지
8 landscape 9 obtain 10 passive
11 material 12 inquiry 13 discipline
14 nuclear 15 stung 16 revive
17 suspended 18 relies on

DAY 58

PREVIEW p. 267

1 assemble 2 exhaust 3 flame 4 trap

CHECK-UP p. 270

1 덫; 함정; 가두다; 덫으로 잡다 2 간신히, 가까스로;
거의 ~않게[없이] 3 인종의, 민족의 4 (질서 · 건강
등을) 회복시키다, 되돌리다 5 기능; 기능하다,
작용하다 6 모이다; 모으다; 조립하다 7 증명하다,
입증하다; (사용법을) 설명하다, 보여주다 8 despair
9 flame 10 device 11 urgent 12 stable
13 vertical 14 related 15 dropped out
16 belong 17 in detail 18 exhausted

DAY 59

PREVIEW p. 271

1 applaud 2 protest 3 satellite 4 scale

CHECK-UP p. 274

1 기다리다, 대기하다 2 시장 3 나타나다, 모습을
드러내다 4 박수를 치다[보내다] 5 위성; 인공위성
6 확대[악화]되다; 증가[상승]하다 7 수평의, 가로의

8 paralyze 9 intellectual 10 exclude
11 rural 12 infection 13 reference
14 contemporary 15 set off 16 protested
17 modest 18 were supposed to

DAY 60

PREVIEW   p. 275

1 breed 2 certificate 3 electronic 4 steep

CHECK-UP   p. 278

1 종류, 부류 2 (개인의) 신념, 주의; 원칙, 원리
3 보호하다; 보존하다 4 합리적인, 이성적인
5 상업; 무역 6 억양, 어조 7 대안, 대체; 대신하는,
대체의 8 virtue 9 council 10 steep
11 certificate 12 sacred 13 evaporate
14 witness 15 electronic 16 domestic
17 when it comes to 18 put up with

DAY 56-60

REVIEW TEST   pp. 279-280

A 1 valid 2 material 3 domestic
  4 reference 5 alternative 6 belongs
  7 committed 8 shelter 9 urgent
  10 satellite 11 punctual 12 up to
B 1 그는 간신히 그 기차를 탔다. 2 그녀는
  셰익스피어와 동시대인이었다. 3 내가 그녀의
  이름을 불렀으나 그녀는 아무 대답이 없었다.
  4 정부는 대중의 신뢰를 되돌리기 위해 노력했다.
  5 나는 보통 내 직감을 믿는다.
C 1 ④ 2 ① 3 ③ 4 ⑤ 5 ①
D 1 burden 2 consent 3 witness
  4 function 5 exhaust

DAY 51-60

CROSSWORD PUZZLE   p. 281

1 gradual 2 enormous 3 frequent
4 stable 5 authority 6 steep 7 obtain
8 considerate 9 intense 10 immediate
11 exclude 12 expense

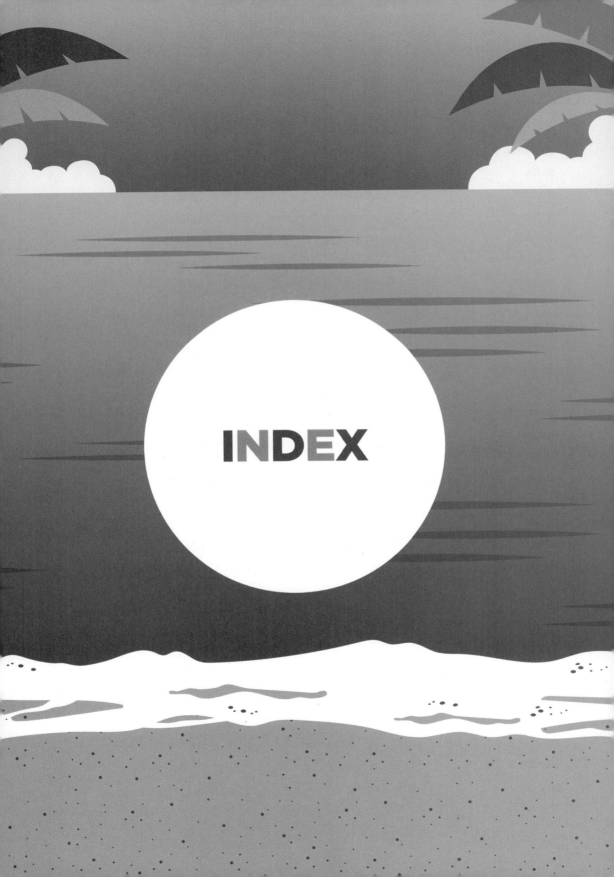

INDEX

A

E

O

Y

MEMO

MEMO

MEMO

MEMO

MEMO

MEMO

지은이

NE능률 영어교육연구소

NE능률 영어교육연구소는 혁신적이며 효율적인 영어 교재를 개발하고
영어 학습의 질을 한 단계 높이고자 노력하는 NE능률의 연구조직입니다.

주니어 능률 VOCA 〈실력〉

펴 낸 이 주민홍
펴 낸 곳 서울특별시 마포구 월드컵북로 396(상암동) 누리꿈스퀘어 비즈니스타워 10층
㈜NE능률 (우편번호 03925)
펴 낸 날 2023년 1월 5일 개정판 제1쇄 발행
2024년 6월 15일 제8쇄
전 화 02 2014 7114
팩 스 02 3142 0356
홈 페 이 지 www.neungyule.com
등 록 번 호 제1-68호
I S B N 979-11-253-4052-2 53740
정 가 12,000원

NE 능률

고객센터

교재 내용 문의 : contact.nebooks.co.kr (별도의 가입 절차 없이 작성 가능)
제품 구매, 교환, 불량, 반품 문의 : 02-2014-7114
☎ 전화문의는 본사 업무시간 중에만 가능합니다.

· 중학 교과서 필수 어휘 60일 완성 ·

주니어 능률
VOCA

주니어 능률 영어교육연구소 지음
NE능률 영어교육연구소 지음
www.nebooks.co.kr

중학 필수 어휘 1200개 수록
중학 교과서 어휘 완벽 반영

실력

어휘 암기장

NE능률

DAY 01

0001	author	몡 저자, 작가
0002	ordinary	혱 보통의, 일상적인; 평범한
0003	impressed	혱 감명[감동]을 받은, 좋은 인상을 받은
0004	nearby	혱 인근의, 가까운 곳의 뮈 인근에, 가까운 곳에
0005	overseas	뮈 해외에[로], 외국에[으로] 혱 해외의, 외국의
0006	inform	됭 알리다, 통지하다 ((of))
0007	jealous	혱 질투하는; 시기하는
0008	screen	몡 1 화면, 스크린 2 영화
0009	concept	몡 개념
0010	employ	됭 고용하다
0011	broad	혱 1 (폭이) 넓은 2 폭넓은, 광범위한
0012	unusual	혱 보통이 아닌, 흔치 않은; 독특한
0013	remain	됭 1 여전히[계속] ~이다 2 남다 몡 (-s) 남은 것, 유물
0014	suitable	혱 적당한, 적절한
0015	criticize	됭 비난[비판]하다 2 비평하다
0016	reality	몡 현실, 실제상황
0017	relief	몡 1 안도, 안심 2 (고통 등의) 경감, 완화
0018	international	혱 국제적인, 국제의
0019	go over	1 조사하다; 점검[검토]하다 2 가다, 건너가다 ((to))
0020	in addition	게다가, 더구나

DAY 02

0021	local	톙 (특정한) 지역의, 현지의
0022	succeed	통 1 (~에) 성공하다 ((in)) 2 (지위 등의) 뒤를 잇다
0023	eager	톙 간절히 바라는, 갈망하는 ((for))
0024	state	몡 1 상태, 형편 2 (미국 등의) 주(州) 통 말[진술]하다
0025	complex	톙 복잡한 몡 복합 건물
0026	curve	몡 곡선, 커브 통 구부러지다
0027	league	몡 1 (스포츠 경기의) 리그 2 연합, 연맹
0028	relationship	몡 관계, 관련
0029	uneasy	톙 1 불안한, 걱정되는 2 불편한
0030	delay	몡 지연, 지체 통 지연[지체]시키다
0031	memorable	톙 기억할 만한, 인상적인
0032	social	톙 1 사회의, 사회적인 2 사교의
0033	treatment	몡 1 치료, 처치 2 대우
0034	pride	몡 1 자랑스러움, 자부심 2 자존심; 자만심
0035	apply	통 1 지원[신청]하다 ((for)) 2 적용[해당]되다 ((to)) 3 적용하다
0036	celebrate	통 축하하다; 기념하다
0037	earn	통 (돈을) 벌다
0038	foresee	통 예견하다, 예측하다
0039	put effort into	~에 노력을 들이다
0040	instead of	~ 대신에

2

0041	trust	명 신뢰, 신임 동 1 신뢰[신용]하다 2 (~이 옳다고) 믿다
0042	historical	형 역사의, 역사적인
0043	stream	명 1 시내, 시냇물 2 흐름
0044	location	명 위치, 장소
0045	lecture	명 강의, 강연
0046	bandage	명 붕대
0047	previous	형 앞서의, 이전의
0048	industry	명 공업, 산업
0049	efficient	형 효율적인
0050	although	접 비록 ~이지만
0051	trend	명 경향, 추세; 유행
0052	whole	형 전체의, 전부의
0053	necessary	형 필요한, 필수의
0054	remind	동 1 상기시키다 2 생각나게 하다
0055	except	전 ~을 제외하고, ~ 이외에는
0056	idle	형 1 일하지[가동되지] 않는, 놀고 있는 2 게으른, 나태한
0057	eventually	부 결국, 종내
0058	patient	명 환자 형 참을성 있는
0059	give up	포기하다, 단념하다
0060	in need	어려움에 처한; 궁핍한

DAY 04

0061	task	명 직무, 과제
0062	apologize	동 사과하다
0063	limit	명 한계; 제한 동 한정하다, 제한하다
0064	maintain	동 지속[계속]하다, 유지하다
0065	session	명 (특정한 활동을 하는) 기간[시간]
0066	unbelievable	형 믿기 어려운, 믿을 수 없는
0067	advantage	명 유리한 점, 이점, 장점
0068	terribly	부 1 매우, 몹시 2 아주 나쁘게, 지독하게
0069	desire	명 욕구, 갈망
0070	personality	명 1 성격, 인격 2 특성, 개성
0071	recent	형 최근의
0072	essence	명 본질, 진수
0073	priceless	형 값을 매길 수 없는, 매우 귀중한
0074	emergency	명 비상사태, 비상시
0075	anxiety	명 걱정, 불안
0076	setting	명 1 환경, 장소 2 (소설·영화 등의) 배경, 무대
0077	imagination	명 상상(력)
0078	format	명 (전반적인) 구성 방식, 형식
0079	stand out	두드러지다, 눈에 띄다
0080	come to mind	생각이 나다, 떠오르다

4

DAY 05

0081	grammar	명 문법
0082	merry	형 명랑한, 즐거운
0083	meaning	명 의미
0084	passenger	명 승객, 여객
0085	admire	동 존경하다
0086	hire	동 고용하다
0087	regret	동 후회하다 명 후회, 유감
0088	emotion	명 감정
0089	ceiling	명 천장
0090	pollution	명 오염, 공해
0091	anniversary	명 기념일
0092	entertain	동 즐겁게 하다
0093	method	명 방법
0094	absolute	형 1 완벽한, 완전한 2 절대적인, 무제한의
0095	purpose	명 1 목적, 목표 2 (-s) 용도
0096	encourage	동 1 격려하다, 북돋우다 2 장려[권장]하다
0097	sincere	형 진실된, 진심 어린
0098	therefore	부 그러므로, 그 결과
0099	most of all	무엇보다도, 우선 첫째로
0100	focus on	~에 주력하다, 초점을 맞추다

DAY 06

0101	aim	图 1 목표로 하다 2 겨누다 图 목적, 목표
0102	valuable	图 1 값비싼 2 유익한; 귀중한
0103	underwater	图 물속의, 수중(용)의
0104	deserve	图 ~할[받을] 만하다, ~할 가치가 있다
0105	career	图 1 직업 2 경력, 이력
0106	complicated	图 복잡한
0107	realistic	图 1 현실적인; 현실성 있는 2 사실적인
0108	ideal	图 이상적인, 완벽한 图 이상
0109	furthermore	图 더욱이, 게다가
0110	faith	图 믿음, 신뢰
0111	suggest	图 1 제안하다; 추천하다 2 시사[암시]하다
0112	necessity	图 1 필수품 2 필요(성)
0113	decade	图 10년
0114	rude	图 무례한, 버릇없는
0115	respectful	图 존중하는, 경의를 표하는, 공손한
0116	legal	图 1 법률의 2 합법적인
0117	support	图图 1 지지[지원](하다) 2 후원[부양](하다)
0118	ashamed	图 부끄러운, 수치스러운 ((of))
0119	for oneself	스스로, 혼자 힘으로
0120	day and night	밤낮으로

DAY 07

0121	satisfied	형 만족한, 흡족한
0122	sticky	형 끈적끈적한
0123	lend	동 빌려주다
0124	position	명 1 위치 2 자리, 자세 3 입장, 처지
0125	snore	동 코를 골다 명 코 고는 소리
0126	overall	형 전체의, 전반적인 부 전부, 전반적으로
0127	sneeze	동 재채기하다 명 재채기
0128	decrease	동 감소하다; 줄이다 명 감소
0129	logic	명 논리
0130	highlight	동 강조하다 명 하이라이트, 가장 중요한 부분
0131	license	명 면허[허가](증) 동 허가하다
0132	replace	동 1 대체하다, 대신하다 2 바꾸다, 교체하다 ((with))
0133	lawyer	명 법률가, 변호사
0134	physical	형 1 신체[육체]의 2 물질의, 물질[물리]적인
0135	extreme	형 1 극도의, 극심한 2 지나친, 과도한
0136	refresh	동 상쾌하게 하다, 원기를 회복시키다
0137	responsible	형 1 (~에 대해) 책임이 있는 2 (~을) 책임지고 있는
0138	commute	동 통근하다
0139	on one's feet	일어서서
0140	be likely to ⓥ	~할 것 같다, ~할 가능성이 크다

DAY 08

0141	planet	명 행성
0142	daytime	명 낮, 주간
0143	revolution	명 혁명, 변혁, 혁신
0144	passage	명 1 통로, 복도 2 (책 등의) 구절
0145	economy	명 1 경제, 경기 2 절약, 검약
0146	repeatedly	부 반복해서; 여러 차례
0147	convenient	형 편리한
0148	audience	명 청중, 관객
0149	climate	명 기후
0150	typical	형 대표적인, 전형적인
0151	experiment	명 실험 동 실험[시험]하다
0152	effort	명 노력, 수고
0153	compose	동 1 구성하다 2 작곡하다
0154	quit	동 1 (직장 등을) 그만두다 2 (하던 일을) 그만하다
0155	hesitate	동 주저하다, 망설이다
0156	rescue	동 구하다, 구조[구출]하다 명 구조, 구출
0157	cure	동 치료하다 명 치료(법), 치료제
0158	vehicle	명 탈것, 차량
0159	in order to ⓥ	~하기 위하여
0160	by chance	우연히, 뜻밖에

8

DAY 09

0161	clue	명 단서, 실마리
0162	unhealthy	형 1 건강하지 않은 2 건강에 해로운
0163	generous	형 관대한, 너그러운
0164	confuse	동 1 혼란시키다 2 혼동하다
0165	genuine	형 1 진짜의, 진품의 2 진심 어린, 진실된
0166	participate	동 참가[참여]하다 ((in))
0167	strict	형 엄한, 엄격한
0168	drag	동 (힘을 들여) 끌다, 끌고 가다
0169	glory	명 영광, 영예
0170	invitation	명 초대, 초청
0171	difference	명 차이, 다름
0172	measure	동 재다, 측정하다 명 단위
0173	awake	형 잠들지 않은, 깨어 있는
0174	object	명 1 물건, 물체 2 목표, 목적 동 반대하다
0175	respect	명 존경(심) 동 존경하다
0176	document	명 서류, 문서
0177	spine	명 등뼈, 척추
0178	addicted	형 중독된, 푹 빠져 있는
0179	talk behind one's back	(뒤에서) ~를 험담하다
0180	make it	1 성공하다, 해내다 2 (제시간에) 도착하다

DAY 10

0181	thankful	형 감사하는, 고맙게 여기는
0182	benefit	명 혜택, 이득 동 도움이 되다, 이롭다
0183	communicate	동 1 연락하다, 의사소통하다 2 전하다, 전달하다
0184	impossible	형 불가능한
0185	effect	명 1 효과, 영향 2 결과
0186	edit	동 교정[수정]하다; 편집하다
0187	foreign	형 외국의, 자국 외의; 대외의
0188	totally	부 완전히, 전적으로
0189	parade	명 퍼레이드, 행진
0190	increase	동 증가[증대]하다 명 증가, 증대
0191	pleasure	명 기쁨, 즐거움
0192	notice	명 1 알아챔, 주목 2 통지, 예고 동 알아차리다, 인지하다
0193	annoy	동 짜증 나게 하다, 귀찮게 하다
0194	colleague	명 (직장) 동료
0195	option	명 선택권; 선택(할 수 있는 것)
0196	complain	동 불평[항의]하다
0197	garage	명 차고
0198	lay	동 1 놓다, 두다 2 (알을) 낳다
0199	carry out	실행[수행]하다
0200	be based on	~에 근거하다, 기초하다

10

DAY 11

0201	available	📖 1 이용할[구할] 수 있는 2 (사람이) 시간이 있는
0202	treat	📖 1 대하다, 취급하다 2 치료하다, 고치다
0203	education	📖 교육
0204	community	📖 1 공동체; 지역사회, 주민 2 (이해 등을 공유하는) 집단, 계
0205	sweat	📖 땀 📖 땀을 흘리다
0206	perform	📖 1 공연[연주]하다 2 수행하다
0207	anxious	📖 1 걱정[근심]하는 2 열망하는, 간절히 바라는
0208	select	📖 선발하다, 선택하다
0209	successful	📖 성공적인; 성공한
0210	military	📖 군(軍)의, 군사의 📖 (the-) 군, 군대
0211	opportunity	📖 기회
0212	staff	📖 (전체) 직원, 부원
0213	prefer	📖 (~보다) …을 좋아하다 ((to))
0214	index	📖 (책 등의) 색인
0215	appearance	📖 1 외모, 겉모습 2 등장; 출현
0216	swear	📖 1 욕을 하다 2 맹세하다
0217	deny	📖 부인하다, 인정하지 않다
0218	confirm	📖 1 확증하다 2 확인하다
0219	from now on	지금부터, 앞으로는
0220	move on	~로 넘어가다[이동하다]

11

DAY 12

0221	belief	명 믿음
0222	abroad	부 해외에(서), 해외로
0223	kindness	명 친절, 상냥함; 친절한 행위[태도]
0224	talented	형 재능 있는, 유능한
0225	offer	동 제의[제안]하다, 권하다 명 제의, 제안
0226	forgive	동 용서하다
0227	manner	명 1 방식 2 태도 3 (-s) 예의
0228	crowd	명 군중, 사람들
0229	companion	명 친구, 동료; 동반자
0230	reduce	동 줄이다, 축소하다; (가격 등을) 낮추다
0231	normally	부 1 보통; 일반적으로 2 정상적으로
0232	acquire	동 얻다, 습득하다
0233	addition	명 1 추가, 부가 2 추가물, 추가된 것
0234	excitement	명 흥분, 신남
0235	neither	형 대 (둘 중) 어느 쪽도 ~아닌[아니다] 부 ~도 …도 아니다 ((nor))
0236	fortune	명 1 부(富), 큰 돈 2 운
0237	swallow	동 삼키다
0238	nowadays	부 요즘[오늘날]에
0239	far from	1 ~에서 멀리(에) 2 결코 ~이 아닌
0240	look up	1 (정보를) 찾아보다 2 올려다보다

12

DAY 13

0241	context	명 1 (글의) 문맥 2 (어떤 일의) 정황, 맥락
0242	beginning	명 처음, 시작
0243	growth	명 1 성장, 발육 2 (크기·수량의) 증대, 증가, 확장
0244	per	전 각 ~에 대해, ~마다
0245	recover	동 회복되다; 회복하다, 되찾다
0246	economic	형 경제(상)의
0247	overcome	동 극복하다, 이겨내다
0248	manage	동 1 간신히 해내다 2 경영[관리]하다
0249	graduate	명 졸업생 동 졸업하다 ((from))
0250	charm	명 매력 동 매혹하다
0251	truly	부 1 정말로, 참으로 2 진심으로
0252	avoid	동 1 피하다, 회피하다 2 방지하다
0253	admit	동 1 인정하다 2 (입장 등을) 허가하다
0254	smooth	형 1 (표면이) 매끈한 2 (일이) 순조로운
0255	surface	명 (사물의) 표면; 지면, 수면
0256	negative	형 1 부정적인, 나쁜; 비관적인 2 부정[거절]하는
0257	status	명 1 지위, 신분 2 (진행상의) 상태, 상황
0258	system	명 1 체계, 시스템 2 제도, 체제
0259	sign up for	~을 신청하다
0260	along with	~에 덧붙여, ~와 함께

13

DAY 14

0261	positive	형 1 긍정적인, 낙관적인 2 확신하는
0262	neighborhood	명 1 (도시의) 지역 2 인근, 근처, 이웃
0263	express	동 표현하다, 나타내다 형 급행의
0264	achieve	동 성취하다, 이루다
0265	instrument	명 1 기구, 도구 2 악기
0266	ensure	동 반드시 ~하게 하다, 보장하다
0267	competition	명 1 경쟁 2 대회, 시합
0268	repair	동 수리하다, 보수하다 명 수리, 보수
0269	enjoyable	형 재미있는, 즐거운
0270	crush	동 1 눌러 부수다, 찌그러뜨리다 2 빻다, 찧다
0271	ability	명 능력
0272	imagine	동 상상하다
0273	performance	명 1 공연; 연주회 2 실적, 성과
0274	aid	명 1 도움 2 원조, 지원
0275	facility	명 (-ies) 시설, 설비
0276	access	명 1 (장소·사람 등에의) 접근 2 접근[이용]권
0277	conversation	명 대화, 회화
0278	invent	동 발명하다
0279	a number of	많은, 다수의
0280	check out	1 ~을 확인[점검]하다 2 (호텔에서) 나가다, 체크아웃하다

14

DAY 15

0281	shoot	图 1 (총을) 쏘다 2 (스포츠에서) 슛을 하다
0282	organization	图 1 조직, 단체, 기구 2 구조
0283	rush	图 돌진하다, 급하게 가다 图 1 돌진 2 혼잡
0284	peaceful	图 평화로운, 평온한
0285	occur	图 일어나다, 발생하다
0286	advance	图 전진하다; 진보하다 图 전진; 진보
0287	sensitive	图 예민한, 민감한
0288	reply	图 대답하다, 답장하다 图 대답, 답장
0289	attitude	图 태도, 자세
0290	illegal	图 불법의
0291	visual	图 눈에 보이는, 시각의
0292	mood	图 1 기분 2 분위기
0293	firm	图 1 단단한, 딱딱한 2 확고한 图 회사
0294	unfortunately	图 불행하게도, 유감스럽게도
0295	genius	图 1 천재, 귀재 2 타고난 재능, 소질
0296	reasonable	图 1 합리적인, 타당한 2 (가격이) 적정한, 비싸지 않은
0297	horror	图 공포(감)
0298	abandon	图 1 버리다 2 포기하다, 단념하다
0299	come to an end	끝나다
0300	look forward to	~하기를 고대[기대]하다

0301	announce	동 알리다, 발표하다
0302	saying	명 속담, 격언
0303	silence	명 1 고요, 정적, 적막 2 침묵
0304	elect	동 선출하다, 선거하다
0305	professor	명 교수
0306	lastly	부 끝으로, 마지막으로
0307	panic	명 극심한 공포, 공황 동 겁을 먹다, 공황 상태에 빠지다
0308	guarantee	동 보장하다 명 1 보증; 보증서 2 보장(하는 것)
0309	calculate	동 계산하다
0310	glow	동 (은은한 빛을 내며) 빛나다, 타다 명 (은은한) 불, 불빛
0311	research	명 연구, 조사 동 연구[조사]하다
0312	summarize	동 요약하다
0313	detective	명 형사, 수사관; 탐정
0314	charity	명 자선[구호] 단체
0315	mission	명 1 임무 2 사명
0316	former	형 1 이전의, 전임의 2 (시간상) 과거의, 옛날의
0317	scientific	형 1 과학의 2 과학[체계]적인
0318	instant	형 1 즉시의, 즉각적인 2 인스턴트의 명 잠깐, 순간
0319	B as well as A	A뿐만 아니라 B도
0320	little by little	조금씩, 점점

DAY 17

0321	educate	동 교육하다
0322	attractive	형 매력적인
0323	sparkle	동 1 반짝이다 2 생기[활기]가 넘치다
0324	influence	명 영향(력) 동 영향을 미치다
0325	standard	명 표준, 기준, 수준 형 일반적인, 표준의
0326	myth	명 신화; (근거 없는) 믿음
0327	shave	동 (수염 등을) 깎다, 면도하다
0328	survive	동 살아남다, 생존하다
0329	lightning	명 번개 형 아주 빠른, 번개 같은
0330	threat	명 1 협박, 위협 2 위협적인 존재
0331	arrange	동 1 정리하다; 배열하다 2 (미리) 계획하다, 준비하다
0332	insist	동 1 강요하다, 조르다 2 주장하다, 우기다
0333	complaint	명 불평, 항의
0334	ancient	형 1 고대의 2 아주 오래된
0335	moreover	부 게다가, 더욱이
0336	quarrel	명 (말)다툼, 싸움
0337	remove	동 1 치우다, 옮기다 2 없애다, 제거하다
0338	thirst	명 목마름, 갈증
0339	allow A to ⓥ	A가 ~하는 것을 허락하다
0340	break out	발생하다, 발발하다

DAY 18

0341	attract	통 1 끌어들이다 2 (주의·흥미를) 끌다
0342	disappointed	형 실망한, 낙담한
0343	mess	명 뒤죽박죽, 엉망진창 통 어질러 놓다, 엉망으로 만들다
0344	likely	형 1 ~할 것 같은 2 있음직한, 그럴듯한 부 아마, 어쩌면
0345	postpone	통 미루다, 연기하다
0346	innocent	형 1 죄가 없는, 결백한 2 순진한, 순결한
0347	apology	명 사과, 사죄
0348	mostly	부 대부분, 대개; 주로
0349	fortunate	형 운이 좋은, 다행인
0350	retire	통 은퇴하다, 퇴직하다
0351	counselor	명 상담가
0352	generation	명 1 동시대의 사람들; 세대, 대(代) 2 발생
0353	persuade	통 (~하도록) 설득하다
0354	competitive	형 1 경쟁적인, 경쟁하는 2 경쟁심이 강한
0355	risk	명 1 위험(성) 2 위험 요소[요인]
0356	pale	형 1 (색깔이) 옅은, 연한 2 (얼굴이) 창백한
0357	consist	통 ~로 구성되다 ((of))
0358	disappear	통 1 (시야에서) 사라지다 2 (존재가) 없어지다 [사라지다]
0359	from time to time	때때로, 가끔
0360	keep in mind	명심하다, 잊지 않고 기억해 두다

18

DAY 19

0361	policy	몡 정책, 방침
0362	solution	몡 해법, 해결책; 해답, 정답
0363	request	몡 图 요청(하다), 부탁(하다)
0364	import	몡 수입(품) 图 수입하다
0365	modern	혱 현대의, 근대의
0366	flavor	몡 1 맛, 풍미 2 조미료, 양념
0367	saving	몡 1 (-s) 저축한 돈, 저금 2 절약(한 양)
0368	origin	몡 1 기원, 유래 2 태생, 출신
0369	version	몡 (이전과 다른) ~판, 형태
0370	technology	몡 (과학) 기술
0371	confident	혱 1 자신감 있는 2 확신하는
0372	income	몡 소득, 수입
0373	distant	혱 1 (거리가) 먼, 멀리 떨어진 2 (시간이) 먼, 아득한
0374	suggestion	몡 1 제안, 제의 2 시사, 암시
0375	relieve	图 1 (고통 등을) 덜다[없애다] 2 (심각성을) 완화하다 [줄이다]
0376	mental	혱 1 마음의, 정신의 2 (건강상의) 정신적인
0377	stain	图 더럽히다, 얼룩을 남기다 몡 얼룩
0378	compare	图 1 비교하다 2 비유하다
0379	now that	~이므로, ~이기 때문에
0380	pay off	성과를 거두다, 성공하다

DAY 20

0381 **personal** 형 1 개인의 2 개인적인, 사적인

0382 **vivid** 형 1 (기억·묘사 등이) 생생한 2 (색 등이) 선명한

0383 **profit** 명 (금전적인) 이익, 수익

0384 **imaginative** 형 상상력이 풍부한, 창의적인

0385 **impress** 동 깊은 인상을 주다, 감명을 주다

0386 **motivate** 동 동기를 부여하다, 자극하다

0387 **highly** 부 1 대단히, 매우 2 (수준 등이) 높이[많이], 고도로

0388 **consume** 동 소비[소모]하다

0389 **cruel** 형 잔혹한, 잔인한

0390 **operate** 동 1 조작하다; 작동되다 2 수술하다 ((on))

0391 **essential** 형 1 없어서는 안될, 필수적인 2 본질[근본]적인

0392 **rid** 동 (~에게서) 없애다, 제거하다 ((of))

0393 **prove** 동 1 증명[입증]하다 2 (~임이) 드러나다

0394 **damage** 동 손상을 입히다, 피해를 끼치다 명 손상, 피해

0395 **argue** 동 1 언쟁[논쟁]하다 2 주장하다

0396 **compete** 동 1 경쟁하다 2 (경기 등에) 참가하다

0397 **immediately** 부 즉시, 즉각

0398 **ignore** 동 무시하다

0399 **not only A but also B** A뿐만 아니라 B도

0400 **keep in touch** ~와 접촉[연락]을 지속하다 ((with))

0401	container	명 1 용기, 그릇 2 (화물용) 컨테이너
0402	paragraph	명 단락, 절(節)
0403	term	명 1 용어 2 기간
0404	publish	동 발행하다, 출판하다
0405	custom	명 1 풍습, 관습; (개인의) 습관 2 (-s) 관세; 세관 (통과소)
0406	correctly	부 바르게, 정확하게
0407	attend	동 1 출석[참석]하다 2 (학교 등에) 다니다
0408	variety	명 1 여러 가지, 갖가지 2 다양성
0409	knowledge	명 지식, 학식
0410	shift	동 옮기다, 이동하다 명 (입장 등의) 변화, 이동
0411	minor	형 1 중요하지 않은, 사소한 2 가벼운, 경미한
0412	messy	형 지저분한, 어지러운
0413	degree	명 1 (온도·각도 따위의) 도 2 정도; 단계 3 학위
0414	religious	형 1 종교의 2 신앙심이 깊은
0415	decision	명 결정, 판단
0416	settle	동 1 (문제 등을) 해결하다 2 정착하다
0417	manual	형 손으로 하는, 육체 노동의 명 소책자, 설명서
0418	phrase	명 구; 문구, 구절
0419	according to	1 ~에 따르면[의하면] 2 ~에 따라
0420	be used to	~에 익숙하다

DAY 22

0421	destination	명 목적지, (물품의) 도착지
0422	improve	동 개선하다; 나아지다
0423	novel	명 소설 형 새로운, 기발한
0424	spot	명 1 장소 2 점, 반점; 얼룩 동 발견하다
0425	due	형 1 ~하기로 되어 있는[예정된] 2 (돈을) 지불해야 하는
0426	require	동 1 필요로 하다 2 요구하다
0427	accurate	형 정확한
0428	section	명 부분, 구획
0429	contrast	동 대조[대비]하다; 대조를 이루다 명 대조, 대비
0430	cooperate	동 협력하다, 협동하다
0431	rank	명 지위; 계급 동 (순위 등을) 매기다, 평가하다
0432	abstract	형 추상적인
0433	waterproof	형 방수(防水)의
0434	visible	형 눈에 보이는
0435	probably	부 아마도
0436	twisted	형 꼬인, 뒤틀린; 접질린, 삔
0437	badly	부 1 틀리게; 졸렬하게 2 몹시; 심하게
0438	difficulty	명 곤란, 어려움
0439	back and forth	앞뒤로; 왔다갔다
0440	figure out	~을 이해하다[알아내다]; 생각해 내다

DAY 23

0441	sight	명 1 시력 2 보기, 봄 3 시야
0442	disappoint	동 실망시키다
0443	holy	형 신성한, 성스러운
0444	motion	명 1 운동, 움직임 2 동작, 몸짓
0445	stiff	형 1 뻣뻣한, 딱딱한 2 (근육이) 뻐근한
0446	content	명 1 (-s) 속에 든 것들, 내용(물); 2 (-s) 목차 형 만족하는
0447	omit	동 생략하다, 빼다
0448	explain	동 1 설명하다 2 이유를 대다, 해명하다
0449	prime	형 1 주된, 주요한 2 최상[최고]의 명 전성기
0450	criminal	명 범죄자, 범인 형 범죄의
0451	civil	형 1 시민의 2 정중한, 예의 바른
0452	expand	동 확장[팽창]되다; 확장[팽창]시키다
0453	comparison	명 비교, 비유
0454	diverse	형 다양한
0455	assist	동 돕다, 거들다
0456	drip	동 (액체가) 똑똑 떨어지다 명 (떨어지는 액체) 방울; 방울 소리
0457	worth	형 ~의[~할] 가치가 있는 명 1 (얼마) 어치 2 가치
0458	sew	동 바느질하다, 꿰매다
0459	regardless of	~에 상관없이
0460	play a role in	~에서 역할을 하다

DAY 24

0461	statue	명 상(像), 조각상
0462	dealer	명 상인, 판매업자
0463	institute	명 기관, 협회
0464	emphasize	동 강조하다
0465	advertise	동 광고하다
0466	accept	동 받아들이다
0467	wisdom	명 현명함, 지혜
0468	secure	형 1 안전한, 위험 없는 2 안정된, 확실한
0469	entire	형 전체의
0470	dismiss	동 1 (사람을) 보내다, 해산시키다 2 해고하다
0471	nevertheless	부 그럼에도 불구하고
0472	confess	동 1 (죄·잘못을) 자백하다 2 고백하다, 인정하다
0473	credit	명 1 외상[신용] 거래 2 칭찬, 인정
0474	tidy	형 깔끔한, 정리된 동 정리하다, 정돈하다 ((up))
0475	explore	동 1 탐험하다 2 조사[탐구]하다
0476	defense	명 방어, 수비
0477	laboratory	명 실험실, 연구실
0478	professional	형 1 전문적인, 전문직의 2 직업적인, 프로의
0479	go out with	~와 데이트를 하다[사귀다]
0480	lead to	~로 이어지다, 초래하다

DAY 25

0481	twist	동 1 구부리다 2 돌리다 3 (몸의 일부를) 돌리다, 틀다
0482	warn	동 경고하다, 주의를 주다
0483	approve	동 1 찬성하다 ((of)) 2 승인하다
0484	fashionable	형 1 유행하는 2 상류층이 애용하는, 고급의
0485	exhausted	형 지쳐 버린, 기진맥진한
0486	exceed	동 초과하다, 넘어서다
0487	labor	명 노동, 근로
0488	despite	전 ~에도 불구하고
0489	instead	부 대신에
0490	household	명 가정, 가구 형 가정의; 가사의
0491	export	명 수출; 수출품 동 수출하다
0492	interior	명 내부 형 내부의, 실내의
0493	noble	형 1 고결한, 숭고한 2 귀족의
0494	threaten	동 위협[협박]하다
0495	identity	명 1 신원, 신분 2 정체성, 독자성
0496	disabled	형 장애를 가진
0497	unless	접 ~하지 않으면
0498	affect	동 영향을 미치다
0499	put A in danger	A를 위험에 빠뜨리다
0500	deal with	처리하다; 다루다

DAY 26

0501	enable	통 ~할 수 있게 하다
0502	progress	명 진전, 진보 통 진행되다, 진척되다
0503	purchase	명 구입, 구매 통 구입하다
0504	estimate	통 추정하다, 어림잡다 명 추정(치)
0505	decorate	통 장식하다, 꾸미다
0506	dynamic	형 역동적인; 활동적인, 활발한
0507	architecture	명 1 건축학 2 건축 양식
0508	conference	명 회의, 회담
0509	profession	명 (전문적인) 직업, 직종
0510	wage	명 임금, 급료
0511	neutral	형 중립의, 중립적인
0512	moral	형 1 도덕상의, 윤리의 2 도덕적인
0513	unlike	전 1 ~와 다른 2 ~답지 않은 3 ~와 달리
0514	somewhat	부 어느 정도, 다소
0515	invest	통 투자하다
0516	punish	통 처벌하다, 벌주다
0517	physics	명 물리학
0518	amaze	통 놀라게 하다
0519	result in	(결과적으로) ~을 낳다, 야기하다
0520	take advantage of	~을 이용하다; ~을 기회로 활용하다

26

DAY 27

0521	assign	동 (일 등을) 맡기다, 부여하다
0522	display	동 전시[진열]하다 명 전시, 진열
0523	input	명 1 조언, 의견 2 투입 동 (컴퓨터에) 입력하다
0524	similar	형 비슷한, 유사한
0525	public	형 1 대중의 2 공공의 명 (the-) 대중, 일반 사람들
0526	squeeze	동 1 꽉 쥐다[잡다] 2 (즙 등을) 짜내다
0527	declare	동 선언[선포]하다
0528	empire	명 제국
0529	combine	동 1 섞다, 결합하다 2 겸(비)하다; 병행하다
0530	otherwise	부 그렇지 않으면
0531	current	형 현재의, 지금의 명 (물·공기의) 흐름, 해류, 기류
0532	cultural	형 문화의, 문화와 관련된
0533	delivery	명 (우편물 등의) 배달, 배송
0534	appear	동 1 ~인 것 같다 2 나타나다, 보이게 되다
0535	length	명 1 길이 2 시간, 기간
0536	establish	동 1 설립하다 2 수립하다; 확립하다
0537	temper	명 1 성질, 성미 2 기분
0538	concerned	형 1 걱정스러운, 염려하는 2 관련이 있는
0539	be capable of	~할 수 있다
0540	in place	제자리에 (있는)

27

DAY 28

0541	transport	图 수송하다, 실어 나르다
0542	attention	图 1 주의, 주목 2 관심, 흥미
0543	freezing	图 몹시 추운
0544	native	图 출생지의, 모국의 图 (~에서) 태어난 사람
0545	somewhere	图 어딘가에[에서]
0546	gravity	图 중력
0547	thrilling	图 아주 흥분되는, 짜릿한
0548	childhood	图 어린 시절
0549	donate	图 1 기부[기증]하다 2 헌혈하다; (장기를) 기증하다
0550	crisis	图 위기, 고비
0551	delicate	图 1 연약한, 깨지기 쉬운 2 섬세한 3 미묘한
0552	frame	图 1 틀[액자] 2 뼈대, 골격 图 틀[액자]에 넣다
0553	environmental	图 환경의, 환경과 관련된
0554	pressure	图 1 압력; 기압 2 (설득·강요를 위한) 압력[압박]
0555	convince	图 1 확신[납득]시키다 2 설득하다
0556	gradually	图 서서히, 차츰
0557	decoration	图 장식; 장식품
0558	annual	图 1 해마다의, 연례의 2 연간의, 한 해의
0559	be known as	~로 알려져 있다
0560	in return	보답으로, 답례로 ((for))

0561	confidence	명 1 자신감 2 신뢰, 신임
0562	graduation	명 1 졸업 2 졸업식
0563	indoor	형 실내(용)의
0564	guard	명 1 경비[경호]원 2 보초, 감시 동 보호하다, 지키다
0565	collection	명 1 수집품, 소장품 2 수집, 수거
0566	forbid	동 금하다, 금지하다
0567	promote	동 1 승진시키다 2 촉진[증진]하다 3 홍보하다
0568	obvious	형 명백한, 분명한
0569	resign	동 사직[사임]하다, 물러나다
0570	depress	동 우울하게 하다
0571	medical	형 의학의, 의료의
0572	publication	명 출판, 발행; 출판물
0573	predict	동 예견[예측]하다
0574	reserve	동 예약하다
0575	route	명 길, 경로; 노선
0576	discussion	명 논의, 토론
0577	somehow	부 1 어떻게든 2 왠지, 어쩐지
0578	familiar	형 익숙한, 낯익은
0579	as long as	~하는 한, ~하기만 하면
0580	date back	(~까지) 거슬러 올라가다 ((to))

DAY 30

0581 article 명 (신문·잡지 등의) 기사, 논설

0582 frankly 부 1 솔직히 2 [문장 수식] 솔직히 말해서

0583 force 명 힘 동 억지로 ~을 시키다, 강요하다

0584 whisper 동 속삭이다, 귓속말을 하다 명 속삭임

0585 sudden 형 갑작스러운

0586 awkward 형 1 어색한 2 곤란한; 불편한

0587 reproduce 동 1 복사[복제]하다 2 번식하다

0588 fascinate 동 마음을 사로잡다, 매혹하다

0589 output 명 생산량, 산출량

0590 broadcast 동 방송하다 명 방송

0591 contract 명 계약(서) 동 계약하다

0592 element 명 요소, 성분

0593 prevent 동 1 방해하다, 막다 ((from)) 2 예방[방지]하다

0594 discourage 동 1 낙담시키다 2 막다, 말리다

0595 injury 명 부상, 상해

0596 fee 명 요금, 수수료

0597 loosen 동 느슨하게 하다, 헐겁게 하다

0598 prior 형 이전의, 사전의

0599 make sure 1 반드시 ~하다 2 확인하다

0600 hold on to 1 꽉 잡다 2 고수하다, 유지하다

DAY 31

0601	**contact**	명 1 (물리적) 접촉 2 연락 동 연락하다
0602	**permit**	동 허락[허가]하다 명 허가(증)
0603	**release**	동 1 석방[해방]하다; 놓아주다 2 공개[발표]하다
0604	**propose**	동 1 제안하다 2 청혼하다
0605	**struggle**	동 1 애쓰다, 분투하다 2 발버둥치다 명 투쟁, 분투
0606	**characteristic**	명 특징, 특성 형 독특한, 특유의
0607	**suffer**	동 1 (병 등에) 시달리다; 고통 받다 2 (불쾌한 일을) 겪다[당하다]
0608	**fate**	명 운명, 숙명
0609	**precious**	형 귀중한, 값비싼; 소중한
0610	**equal**	형 1 동일한, 같은 2 동등한, 평등한 동 같다, ~이다
0611	**urban**	형 도시의
0612	**reflect**	동 1 비추다 2 반사하다 3 반영하다, 나타내다
0613	**conscious**	형 1 알고 있는 ((of)) 2 의식이 있는
0614	**bother**	동 1 괴롭히다, 귀찮게 하다 2 신경 쓰다, 애를 쓰다
0615	**generally**	부 1 일반적으로 2 대개, 보통
0616	**sweep**	동 1 청소하다, 쓸다 2 (태풍 등이) 휩쓸다
0617	**violate**	동 1 위반하다, 어기다 2 침해하다
0618	**possess**	동 소유[소지]하다
0619	**in balance**	균형이 잡혀, 조화하여
0620	**as ~ as possible**	될 수 있는 대로, 가급적

DAY 32

0621	expose	통 1 드러내다, 노출시키다 2 폭로하다
0622	behave	통 행동하다, 처신하다
0623	entirely	부 전적으로, 완전히
0624	considerable	형 많은, 상당한
0625	joint	명 1 관절 2 연결 부분, 이음매 형 공동의, 합동의
0626	wipe	통 닦다, 훔치다
0627	beside	전 1 ~의 옆에 2 ~에 비해 3 ~을 벗어난
0628	expect	통 1 기대[예상]하다 2 기다리다
0629	transportation	명 1 운송, 수송 2 수송[교통] 수단
0630	encouragement	명 격려, 장려
0631	supply	명 1 공급(량) 2 (-s) 공급품; 용품 통 공급하다
0632	impressive	형 인상적인, 감명 깊은
0633	monitor	명 (컴퓨터 등의) 모니터, 화면 통 감시[관찰]하다
0634	latter	형 후자의; 나중의, 후반의 명 (the-) 후자
0635	revise	통 (의견·계획 등을) 변경[수정]하다; (책 등을) 개정[수정]하다
0636	meanwhile	부 그 동안[사이]에
0637	recall	통 기억해내다, 상기하다
0638	perceive	통 인지[감지]하다
0639	show off	과시하다, 자랑하다
0640	fill out	(정보를) 기입하다, (양식을) 작성하다

32

DAY 33

0641	practical	휑 1 실제적인 2 실용적인, 유용한
0642	examine	동 1 조사[검토]하다 2 검사[진찰]하다
0643	observe	동 1 관찰[관측]하다 2 준수하다
0644	inner	휑 1 안의, 안쪽[내부]의 2 내적인, 정신적인
0645	instruct	동 1 지시하다 2 가르치다
0646	whatever	대 1 (~하는 것은) 무엇이든지 2 어떤 ~라도
0647	convention	명 1 총회, 협의회 2 관습, 풍습
0648	existence	명 존재
0649	contain	동 1 들어 있다; 포함[함유]하다 2 (감정을) 억누르다
0650	interrupt	동 1 방해하다 2 중단시키다
0651	conserve	동 아끼다, 아껴 쓰다; 보존[보호]하다
0652	ingredient	명 1 (요리 등의) 재료[성분] 2 구성 요소
0653	aloud	부 1 소리 내어 2 큰 소리로, 크게
0654	ethic	명 1 가치 체계, 의식 2 (-s) (행동 규범으로서의) 윤리
0655	concrete	휑 1 구체적인 2 콘크리트로 된
0656	locate	동 1 (위치를) 알아[찾아]내다 2 (특정 위치에) 두다, 설치하다
0657	disease	명 질병, 질환
0658	account	명 1 (예금) 계좌 2 설명, 기술
0659	be afraid of	~을 두려워하다
0660	bring about	~을 일으키다, 초래하다

DAY 34

0661	challenge	몡 도전, 난제 통 도전하다; (시합 등을) 걸다
0662	committee	몡 위원회
0663	detail	몡 1 세부 사항 2 (-s) 자세한 내용[정보]
0664	justice	몡 1 정의; 공정 2 사법; 재판
0665	demand	몡 1 요구 2 수요 통 요구하다
0666	weapon	몡 무기, 병기
0667	antique	혱 (가구 등이) 고미술의, 골동품인 몡 고미술품, 골동품
0668	signature	몡 서명
0669	concern	몡 1 우려, 걱정 2 관심사 통 걱정시키다
0670	rare	혱 드문, 보기 힘든; 진귀한[희귀한]
0671	suspect	통 의심하다, 혐의를 두다 몡 용의자
0672	debate	통 토론하다, 논쟁하다 몡 토론, 논쟁
0673	fragile	혱 손상되기 쉬운, 부서지기 쉬운
0674	government	몡 정부, 정권
0675	resist	통 1 저항[반대]하다 2 (열 등에) 강하다 3 참다
0676	distinct	혱 1 다른[구분되는], 별개의 2 뚜렷한, 분명한
0677	exist	통 존재하다
0678	embarrass	통 당황스럽게 만들다, 창피하게 만들다
0679	by oneself	1 혼자; 다른 사람 없이 2 혼자 힘으로
0680	fall off	(양·질 등이) 떨어지다

DAY 35

0681	issue	명 주제, 쟁점; 문제
0682	rather	부 1 꽤, 상당히 2 오히려, 차라리
0683	forecast	명 예측, 예보 동 예측하다, 예보하다
0684	multiply	동 1 곱하다 2 증가[증대]하다
0685	negotiate	동 협상[교섭]하다
0686	realize	동 1 깨닫다 2 (소망 등을) 실현하다
0687	summary	명 요약, 개요
0688	constantly	부 끊임없이, 계속
0689	construction	명 공사, 건설
0690	precise	형 정밀한, 정확한
0691	failure	명 1 실패; 실패자, 실패작 2 고장
0692	independent	형 1 (국가가) 독립한 2 자립심이 강한
0693	decay	동 썩다, 부패하다 명 부식, 부패
0694	throughout	전 1 ~의 도처에 2 ~동안 내내, 줄곧
0695	direction	명 1 방향 2 (-s) 명령, 지시
0696	imitate	동 본뜨다, 모방하다
0697	carnival	명 카니발, 축제
0698	ultimate	형 1 최종의, 궁극적인 2 최대의, 최고의
0699	take A for granted	A를 당연한 일로 여기다
0700	be worthy of	~할 가치가 있다, ~할 만하다

DAY 36

0701	occasion	몡 1 (어떤 일이 생기는) 기회, 때, 경우 2 특별한 일, 행사
0702	analyze	동 분석하다; 분석적으로 검토하다
0703	mass	몡 1 덩어리 2 다수, 다량 혱 대량의, 대규모의
0704	thread	몡 실 동 실을 꿰다
0705	organize	동 1 (어떤 일을) 준비[조직]하다 2 정리하다, 체계화하다
0706	individual	혱 1 개개의, 개별의 2 개인의, 개인적인 몡 개인
0707	assume	동 가정[추정]하다
0708	wavy	혱 물결 모양의, 웨이브가 있는
0709	vast	혱 (크기·양·정도가) 광대한, 어마어마한
0710	outline	몡 1 개요 2 윤곽(선)
0711	properly	문 제대로, 적절히
0712	injured	혱 부상을 입은, 다친
0713	frighten	동 깜짝 놀라게 하다, 겁먹게 하다
0714	technical	혱 기술의, 기술적인
0715	indicate	동 1 나타내다, 보여주다 2 가리키다
0716	defeat	동 패배시키다, 이기다 몡 패배
0717	grave	몡 무덤, 묘 혱 심각한, 중대한
0718	install	동 (장치 등을) 설치하다
0719	turn out	1 되다, 되어 가다 2 ~인 것으로 드러나다
0720	go through	경험하다, 겪다

36

DAY 37

0721	stuff	몡 것[것들], 물건
0722	quality	몡 질(質), 품질
0723	mixture	몡 혼합(물)
0724	contrary	혭 반대의, 반대되는 몡 (the-) (정)반대, 반대되는 것
0725	urge	동 (강력히) 권하다, 설득하다 몡 (강한) 충동, 욕구
0726	ban	동 금지하다 몡 금지, 금지령
0727	lack	몡 결핍, 부족 동 ~이 없다, 부족하다
0728	instance	몡 보기, 사례, 경우
0729	inspect	동 조사하다, 점검하다
0730	accompany	동 동행하다, 동반하다; 동반되다
0731	afford	동 (금전적·시간적으로) ~할 여유가 있다
0732	coordinate	동 조직화하다; 조정하다
0733	tension	몡 1 (심리적) 긴장 2 (관계 등의) 긴장 상태
0734	develop	동 1 성장[발달]하다; 성장[발달]시키다 2 개발하다
0735	refine	동 1 정제하다 2 개선[개량]하다
0736	scratch	동 긁다, 할퀴다 몡 긁힌 자국
0737	describe	동 (특징 등을) 말하다, 묘사하다
0738	mercy	몡 자비
0739	in advance	미리, 사전에
0740	be about to ⓥ	막 ~하려고 하다

DAY 38

0741	appreciate	통 1 (진가를) 인정하다, 알아보다 2 감사하다
0742	internal	형 1 내부의 2 체내의
0743	fasten	통 1 채우다, 매다 2 고정시키다
0744	complicate	통 복잡하게 만들다
0745	formal	형 1 격식을 차린 2 공식적인, 정식의
0746	severe	형 1 심각한, 극심한 2 가혹한
0747	interpreter	명 통역사
0748	hardly	부 거의 ~아니다, 없다
0749	illustrate	통 1 설명[예증]하다, 명확히 하다 2 (책 등에) 삽화를 넣다
0750	found	통 설립하다
0751	ruin	통 파괴하다; 망치다 명 파괴, 파멸
0752	hybrid	명 (동식물의) 잡종; 혼합[혼성]물
0753	expert	명 전문가 형 전문가의, 전문적인; 숙련된
0754	district	명 지구, 지역
0755	frustrate	통 좌절감을 주다, 불만스럽게 만들다
0756	absorb	통 흡수하다
0757	bend	통 1 (몸의 일부를) 굽히다; 숙이다 2 구부리다
0758	concentrate	통 집중하다 ((on))
0759	stay away from	~에서 떨어져 있다, 가까이 하지 않다
0760	give off	(소리·빛 등을) 내다, 발산하다

38

DAY 39

0761	carve	통 1 조각하다, 깎아서 만들다 2 (글씨를) 새기다
0762	creation	명 1 창조, 창작, 창출 2 창작품
0763	evidence	명 증거, 근거
0764	commonly	부 흔히, 보통
0765	include	통 1 포함하다 2 포함시키다
0766	pursue	통 1 추구하다 2 쫓다, 추적하다
0767	trial	명 1 재판 2 (품질·성능 등의) 시험, 실험
0768	devote	통 (시간·노력 등을) 바치다, 쏟다 ((to))
0769	pray	통 빌다, 기도하다
0770	appropriate	형 적절[적당]한, 알맞은
0771	mentor	명 좋은 조언자, 멘토
0772	react	통 반응하다, 반응을 보이다
0773	insult	통 모욕하다 명 모욕, 모욕적인 말[행동]
0774	depressed	형 우울한; 의기소침한
0775	intelligence	명 지능, 이해력
0776	represent	통 1 대표하다 2 나타내다, 상징하다
0777	decline	통 감소하다, 하락하다 명 감소, 하락
0778	depend	통 1 (~에) 달려 있다 ((on)) 2 의존[의지]하다 ((on))
0779	belong to	~ 소유이다, ~에 속하다
0780	call on	방문하다, 찾아가다

DAY 40

0781	odd	형 1 이상한, 묘한 2 홀수의
0782	conclusion	명 결론
0783	arrangement	명 1 준비, 마련 2 배치, 배열
0784	sail	동 항해하다; 배로 여행하다 명 (배의) 돛
0785	fancy	형 1 화려한, 장식의 2 값비싼, 고급의
0786	political	형 정치의, 정치적인
0787	impression	명 인상[느낌], 감상
0788	reveal	동 밝히다, 폭로하다
0789	inquire	동 묻다, 알아보다
0790	qualify	동 자격을 주다; 자격을 얻다[취득하다]
0791	completely	부 완전히, 전적으로
0792	disturb	동 방해하다
0793	refer	동 1 참고[참조]하다 2 지시하다, 나타내다 3 언급하다
0794	adjust	동 1 조절[조정]하다 2 적응하다 ((to))
0795	steady	형 1 꾸준한 2 변함없는, 고정적인 3 흔들림 없는, 안정된
0796	involve	동 1 포함[수반]하다 2 관련[연루]시키다
0797	drown	동 물에 빠져 죽다, 익사하다
0798	unexpected	형 예기치 않은, 뜻밖의
0799	be free of[from]	~이 없다, ~을 벗어나다
0800	in response to	~에 응하여[답하여], ~에 대한 반응으로

DAY 41

0801	absence	몡 결석, 결근; 부재
0802	aware	혭 알고[인식하고] 있는
0803	conscience	몡 양심
0804	pretend	됭 ~인 척하다
0805	bind	됭 묶다, 동여매다
0806	detect	됭 발견하다, 감지하다
0807	dare	됭 감히 ~하다, ~할 용기가 있다
0808	resident	몡 거주자, 주민 혭 거주하는, 살고 있는
0809	excess	몡 과잉, 과도
0810	strategy	몡 계획, 전략
0811	democracy	몡 민주주의; 민주(주의) 국가
0812	description	몡 서술, 설명, 묘사
0813	certain	혭 1 확실한, 확신하는 2 어떤, 특정한
0814	alter	됭 바꾸다, 변경하다; 바뀌다
0815	similarity	몡 유사성, 닮음; 유사점, 닮은 점
0816	disaster	몡 재해, 참사; 재앙
0817	wound	몡 상처, 부상 됭 상처[부상]를 입히다
0818	attach	됭 붙이다, 부착하다 ((to))
0819	cut off	1 잘라내다 2 차단하다
0820	be made up of	~로 이루어져 있다, 구성되어 있다

41

DAY 42

0821	creature	몡 생물, 생명체
0822	further	튀 1 (거리가) 더 멀리 2 (정도가) 더 톙 추가의
0823	shallow	톙 얕은
0824	inspire	톰 1 고무하다, 격려하다 2 영감을 주다
0825	determine	톰 결정하다
0826	rely	톰 의지하다; 믿다, 신뢰하다 ((on, upon))
0827	primary	톙 1 주된, 주요한 2 최초의, 초기의
0828	durable	톙 내구성이 있는, 오래가는
0829	relative	몡 친척 톙 비교상의; 상대적인
0830	specific	톙 1 특정한 2 구체적인, 명확한
0831	mechanic	몡 수리공, 정비사
0832	deceive	톰 속이다, 기만하다
0833	definite	톙 명확한, 확실한
0834	withstand	톰 견디어 내다, 버티다
0835	amuse	톰 즐겁게 하다, 웃기다
0836	mature	톙 1 어른스러운, 성숙한 2 성인이 된, 다 자란
0837	separate	톙 1 분리된 2 별개의, 관련 없는 톰 분리시키다; 분리되다
0838	insurance	몡 보험
0839	run out of	~이 떨어지다, 다 써버리다
0840	up close	바로 가까이에(서)

42

DAY 43

0841	boost	통 신장시키다; 늘리다 명 1 격려, 부양책 2 상승; 증가
0842	recognize	통 1 알아보다 2 인정[인식]하다
0843	approach	통 가까이 가다[오다], 접근하다 명 1 접근법 2 다가감[옴]
0844	proverb	명 속담, 격언
0845	favor	명 친절한 행위; 부탁 통 찬성하다, 호의를 보이다
0846	rapid	형 빠른, 급한
0847	burst	통 1 터지다; 터뜨리다 2 불쑥 가다[오다]
0848	consult	통 상담[상의]하다
0849	republic	명 공화국
0850	appoint	통 임명[지명]하다
0851	dispose	통 버리다, 제거하다 ((of))
0852	politics	명 1 정치, 정계 2 정치학
0853	tide	명 조수, 조류
0854	suppose	통 1 추측하다, 생각하다 2 가정하다
0855	reject	통 거절하다, 거부하다
0856	exhibit	통 전시하다 명 전시품
0857	fulfill	통 1 이행하다, 수행하다 2 달성하다; 성취시키다
0858	random	형 무작위의, 임의의
0859	look back on	되돌아보다, 회상하다
0860	turn in	~을 제출하다

43

DAY 44

0861	mention	图 (간단히) 말하다, 언급하다
0862	crop	圆 (농)작물; 수확량
0863	coincide	图 1 동시에 일어나다 2 일치하다, 아주 비슷하다
0864	priority	圆 우선 사항, 우선적으로 할 것
0865	population	圆 인구, (모든) 주민
0866	evident	圈 분명한, 눈에 띄는
0867	temporary	圈 일시적인, 임시의
0868	aspect	圆 측면
0869	intend	图 ~할 작정이다, 의도하다
0870	chase	图 뒤쫓다, 추적[추격]하다 圆 추적, 추격
0871	polish	图 닦다, 광을 내다 圆 광택(제)
0872	reward	圆 보상 图 보상[보답]을 하다
0873	destroy	图 파괴하다
0874	costly	圈 많은 돈이 드는, 값이 비싼
0875	mend	图 수선[수리]하다, 고치다
0876	grateful	圈 감사하는, 고맙게 여기는
0877	resource	圆 (-s) 자원, 재원
0878	caution	圆 조심, 신중
0879	fit into	~에 꼭 들어맞다, 적합하다
0880	pass away	사망하다

44

DAY 45

0881	adopt	图 1 입양하다 2 채택하다
0882	confine	图 1 한정하다, 제한하다 2 가두다
0883	slope	명 경사면, 비탈
0884	encounter	图 (위험 등에) 맞닥뜨리다 명 (뜻밖의) 만남, 접촉
0885	obey	图 복종[순종]하다, 따르다
0886	dedication	명 전념, 헌신
0887	comment	명 논평, 언급 图 논평[비평]하다
0888	modify	图 수정하다, 변경하다
0889	portion	명 1 일부, 부분 2 1인분
0890	outstanding	형 뛰어난, 걸출한; 두드러진
0891	prohibit	图 금하다, 금지하다
0892	seldom	튀 좀처럼[거의] ~않는
0893	fund	명 기금, 자금
0894	capture	图 붙잡다, 포획하다
0895	penalty	명 1 처벌, 형벌; 벌금 2 (축구 등의) 페널티킥; 페널티골
0896	satisfy	图 1 (사람을) 만족시키다 2 (요구 등을) 채우다, 충족시키다
0897	continent	명 대륙, 육지
0898	dust	명 먼지, 티끌
0899	no longer	더 이상 ~아닌
0900	make a difference	변화를 가져오다, 차이를 만들다

45

DAY 46

0901	relate	통 관련[관계]시키다
0902	occupy	통 (공간·시간을) 차지하다
0903	plural	명 복수형 형 복수형의
0904	justify	통 정당화하다, 옳음을 증명하다
0905	blend	통 섞다, 혼합하다; 섞이다
0906	philosophy	명 1 철학 2 인생관, 세계관
0907	paste	명 (붙이는) 풀 통 풀로 붙이다
0908	immigrate	통 이주해 오다, 이민 오다
0909	insight	명 통찰력
0910	cease	통 그치다, 중단되다; 중단하다
0911	whether	접 1 ~인지 (아닌지) 2 ~이든 (아니든)
0912	harm	명 해, 손해 통 해치다, 손상시키다
0913	extend	통 1 확대[확장]하다 2 연장하다 3 (손·발 등을) 뻗다
0914	impact	명 1 영향, 효과 2 충돌, 충격
0915	parallel	형 1 평행의, 나란한 2 유사한
0916	respond	통 1 대답하다; 답장을 보내다 2 반응하다
0917	murder	명 살인(죄), 살해 통 살해하다
0918	candidate	명 후보자
0919	come up with	(해답 등을) 찾아내다, 생각해내다
0920	on purpose	고의로, 일부러

46

DAY 47

0921	brilliant	휑 1 훌륭한, 멋진; 뛰어난 2 아주 밝은, 눈부신
0922	provide	통 제공하다, 공급하다 ((with, for))
0923	religion	명 종교
0924	register	통 등록하다, (출생 등을) 신고하다 명 등록부; 명부
0925	diligent	휑 부지런한, 성실한
0926	moderate	휑 1 보통의, 중간의 2 적당한
0927	claim	통명 1 주장(하다) 2 요구[청구](하다)
0928	endure	통 견디다, 참다
0929	desperate	휑 1 자포자기한, 될 대로 되라는 식의 2 필사적인
0930	oppose	통 반대하다
0931	pronunciation	명 발음
0932	contribute	통 1 기부[기증]하다 2 기여[공헌]하다; 원인이 되다
0933	budget	명 예산, (지출 예상) 비용
0934	chemical	휑 화학적인; 화학(상)의 명 화학 물질[약품]
0935	continuous	휑 계속되는, 끊임없는
0936	explode	통 폭발하다; 폭파시키다
0937	potential	휑 가능성이 있는, 잠재적인 명 가능성, 잠재력
0938	ceremony	명 의식, 식
0939	catch up	(사람·정도·수준을) 따라잡다 ((with))
0940	be filled with	~로 가득 차다

DAY 48

0941 **consider**	图 1 잘 생각하다, 숙고하다 2 ~로 여기다 3 고려[배려]하다
0942 **offend**	图 1 화나게 하다 2 불쾌감을 주다, 거스르다
0943 **institution**	图 1 기관, 단체 2 제도, 관습
0944 **infect**	图 병을 옮기다, 감염시키다
0945 **unite**	图 연합하다
0946 **unreasonable**	图 불합리한, 부당한
0947 **region**	图 지역, 지방
0948 **victim**	图 희생자, 피해자
0949 **reform**	图 개혁[개선]하다 图 개혁, 개선
0950 **perspective**	图 관점, 시각
0951 **insert**	图 1 넣다, 끼우다 2 (말 등을) 써 넣다, 삽입하다
0952 **factor**	图 요인, 요소, 원인
0953 **restrict**	图 1 (크기 등을) 제한하다 2 (법 등으로) 제한[통제]하다
0954 **conflict**	图 갈등[충돌] 图 상충하다
0955 **principal**	图 주요한, 주된 图 교장
0956 **pronounce**	图 발음하다
0957 **distance**	图 1 거리, 간격 2 먼 곳
0958 **depth**	图 깊이
0959 **in the middle of**	~의 도중에; ~의 한복판에
0960 **pay attention to**	~에 주의를 기울이다, 유념하다

DAY 49

0961	crack	통 금이 가다; 금이 가게 하다 명 (갈라진) 금
0962	editor	명 (신문·잡지 등의) 편집자, 교정자; 편집장
0963	guilty	형 1 죄를 범한, 유죄의 2 죄책감이 드는
0964	convert	통 전환시키다, 개조하다
0965	attempt	통 시도하다 명 시도
0966	regulate	통 규제하다, 통제하다
0967	consequence	명 결과
0968	migrate	통 1 (철새 등이) 이동하다 2 (다른 지역으로) 이주하다
0969	distinguish	통 1 구별하다 2 특징짓다, 차이를 나타내다
0970	miserable	형 비참한, 불행한
0971	border	명 국경, 경계 통 (국경·경계를) 접하다
0972	incident	명 사건, 일어난 일
0973	mechanical	형 기계(상)의; 기계에 의한, 기계로 작동되는
0974	cooperative	형 협력적인, 협동하는
0975	construct	통 1 건설하다 2 구성하다
0976	launch	통 1 시작하다; 발사하다 2 (상품을) 출시하다 명 발사; 출시
0977	exactly	부 정확히, 꼭, 틀림없이
0978	prey	명 먹이, 사냥감
0979	look into	~을 조사하다
0980	take part in	~에 참여하다

49

DAY 50

0981	following	휑 1 (시간상으로) 다음의 2 다음에 나오는
0982	owe	동 1 (돈을) 빚지고 있다 2 ~은 … 덕분이다
0983	hatch	동 (알 등이) 부화하다; 부화시키다
0984	attain	동 달성하다, 이루다
0985	artificial	휑 1 인공적인, 인조의 2 꾸민, 거짓의
0986	exchange	동 교환하다; 주고받다 명 교환; 주고받음
0987	charge	명 1 요금 2 책임, 담당 동 (요금을) 청구하다
0988	electricity	명 전기
0989	load	명 짐, 화물 동 (짐을) 싣다
0990	effective	휑 효과적인, 효력이 있는
0991	complement	동 보완[보충]하다 명 보완물, 보충하는 것
0992	significant	휑 중요한, 의미 있는
0993	dynasty	명 왕조, 왕가
0994	wander	동 (정처 없이) 돌아다니다, 헤매다
0995	meditate	동 명상하다
0996	productive	휑 생산하는; 생산적인
0997	evaluate	동 평가하다
0998	outcome	명 결과
0999	make up for	(손실 등을) 메우다, 보충하다
1000	care about	~에 신경을 쓰다, ~에 관심을 가지다

DAY 51

1001	grab	图 붙잡다, 움켜잡다
1002	flexible	图 1 융통성 있는 2 잘 구부러지는, 유연한
1003	appeal	图图 1 간청(하다), 호소(하다) 2 매력(이 있다)
1004	instinct	图 1 본능 2 직감
1005	transform	图 바꾸다, 변형시키다
1006	activate	图 작동시키다; 활성화시키다
1007	flesh	图 1 (사람·동물의) 살 2 (사람의) 피부
1008	hollow	图 속이 빈
1009	extraordinary	图 비상한, 비범한
1010	attraction	图 1 명소, 명물 2 매력(적인 요소)
1011	phase	图 단계, 국면
1012	command	图图 1 명령(하다) 2 지휘(하다)
1013	seek	图 1 찾다 2 (충고 등을) 구하다, 청하다
1014	frequent	图 자주 일어나는, 빈번한
1015	permanent	图 영구적인, 영속하는
1016	transfer	图 이동[이전/이송]하다; 환승하다 图 이동; 환승
1017	generate	图 발생시키다; 일으키다, 초래하다
1018	average	图图 1 평균(의) 2 보통[평균] 수준(의); 평범(한)
1019	put out	(불을) 끄다
1020	get along with	~와 잘 지내다

DAY 52

1021	proof	명 증명, 증거(물)
1022	harvest	명 1 수확(기), 추수 2 수확물 동 수확[추수]하다
1023	expense	명 돈, 비용; 경비
1024	disgust	명 역겨움, 넌더리 동 역겹게 하다
1025	interpret	동 1 해석[이해]하다 2 통역하다
1026	whistle	명 호각, 호루라기; 휘파람 동 휘파람[호루라기]을 불다
1027	theory	명 이론, 학설
1028	thorough	형 빈틈없는, 철저한
1029	species	명 (분류상의) 종(種)
1030	seize	동 1 와락 붙잡다 2 장악하다
1031	remark	명 발언, 논평
1032	range	명 1 (같은 종류의) 다양성 2 범위 동 (범위가) ~에서 … 사이이다
1033	imply	동 1 넌지시 비치다[나타내다] 2 암시[시사]하다, 함축하다
1034	horizon	명 (the-) 지평[수평]선
1035	rob	동 (돈·재산을) 강탈하다, 털다
1036	official	형 1 직무[공무]상의 2 공식적인, 공인된 명 공무원, 관리
1037	identify	동 (~임을) 확인하다, 알아보다
1038	govern	동 다스리다, 통치하다
1039	pass by	1 (~을) 지나가다 2 (시간이) 지나다
1040	stare at	응시하다, 빤히 쳐다보다

DAY 53

1041	adapt	통 적응[순응]하다
1042	pave	통 (도로 · 길 등을) 포장하다
1043	blame	통 비난하다, ~을 탓하다 명 책임, 탓
1044	psychology	명 1 심리학 2 심리
1045	translate	통 번역[통역]하다
1046	particular	형 특별한; 특정한
1047	external	형 1 외부의, 밖의 2 외부로부터 오는, 외부적인
1048	immediate	형 즉각적인
1049	chop	통 썰다[다지다]; (장작 등을) 패다
1050	quantity	명 양(量), 수량, 분량
1051	nerve	명 1 신경 2 (-s) 긴장, 불안
1052	assess	통 1 (특성 등을) 재다, 평가하다 2 (가치 · 양 · 금액 등을) 평가하다
1053	poverty	명 빈곤, 가난
1054	conquer	통 1 (나라 · 영토를) 정복하다 2 (곤란 등을) 극복하다
1055	literature	명 문학
1056	feature	명 특징, 특색 통 특징으로 삼다, 특별히 포함하다
1057	dramatic	형 1 급격한, 갑작스러운 2 감격적인, 인상적인
1058	remarkable	형 주목할 만한, 놀랄 만한
1059	turn into	~이 되다, ~으로 변하다
1060	on average	평균적으로; 대체로

1061	stroke	명 1 (공을 치는) 타격, 스트로크 2 뇌졸중
1062	incredible	형 1 놀라운, 대단한, 믿어지지 않을 정도인 2 믿을 수 없는
1063	seal	동 봉하다; 밀폐하다 명 봉인, 봉함
1064	constant	형 1 끊임없는, 계속되는 2 일정한, 불변의
1065	heritage	명 유산; 전통
1066	secretary	명 비서
1067	enormous	형 막대한, 거대한
1068	evolve	동 1 진화하다; 진화시키다 2 발전시키다
1069	sacrifice	동 희생하다 명 희생
1070	solid	형 고체의, 고형의 명 고체, 고형물
1071	quarter	명 1 4분의 1 2 15분
1072	weep	동 눈물을 흘리다, 울다
1073	diminish	동 줄어들다, 감소하다; 줄이다, 감소시키다
1074	spare	형 1 예비의 2 남는, 쓰지 않는 동 할애하다, 내주다
1075	counsel	명 조언, 충고 동 상담을 하다
1076	splendid	형 인상적인, 아름다운
1077	electric	형 전기의, 전기로 움직이는
1078	undergo	동 겪다, 받다
1079	put off	미루다, 연기하다
1080	stand for	~을 나타내다[의미하다]

DAY 55

1081	utilize	동 이용하다, 활용하다
1082	neglect	동 1 돌보지 않다, 방치하다 2 소홀히하다, 등한시하다
1083	atmosphere	명 1 (지구의) 대기; (특정 장소의) 공기 2 분위기
1084	yield	동 (수익·결과 등을) 내다, 산출[생산]하다
1085	finance	명 1 재정, 재무 2 (-s) 자금, 재원
1086	distribute	동 나누어 주다, 분배[배부]하다
1087	sufficient	형 충분한
1088	rusty	형 녹이 슨
1089	rotate	동 회전하다[시키다]
1090	scatter	동 1 (흩)뿌리다 2 (뿔뿔이) 흩어지다, 흩어지게 만들다
1091	substitute	동 대신 쓰다; 대신하다 명 대리(인); 대용품
1092	upward	부 위쪽으로 형 위를 향한; (양·가격이) 상승하는
1093	interfere	동 간섭하다, 참견하다
1094	intense	형 1 강렬한, 극심한 2 치열한
1095	cultivate	동 (땅을) 갈다, 경작하다
1096	fright	명 놀람, 공포
1097	pregnant	형 임신한
1098	prejudice	명 편견, 선입관
1099	put away	1 (보관 장소에) 치우다 2 저축하다
1100	stick to	고수하다, 지키다

DAY 56

1101	accuse	통 1 비난하다 2 고발[고소]하다
1102	vital	형 1 필수적인 2 생명의, 생명 유지에 필요한
1103	burden	명 짐, 부담 통 ~에게 짐[부담]을 지우다
1104	breathe	통 호흡하다, 숨을 쉬다
1105	associate	통 1 연상하다, 연관 짓다 2 교제하다, 어울리다 명 동료
1106	disadvantage	명 불리한 점[조건], 약점
1107	response	명 1 응답, 대답 2 반응, 부응
1108	consent	명 통 동의(하다), 허락(하다)
1109	valid	형 1 타당한, 정당한 2 (법적으로) 유효한
1110	proper	형 1 적절한, 제대로 된 2 (사회·도덕적으로) 올바른
1111	manufacture	통 제조[생산]하다 명 제조, 생산
1112	property	명 재산, 자산
1113	authority	명 1 권한 2 권위, 권력
1114	massive	형 1 (크기가) 육중한 2 (양·정도가) 매우 큰, 심각한
1115	commit	통 (죄·과실 등을) 범하다, 저지르다
1116	gradual	형 점차적인, 점진적인
1117	approximately	부 대략, ~가까이, 약
1118	submit	통 1 제출하다 2 굴복[복종]하다
1119	die of	~로 죽다
1120	throw away	(필요 없어진 것을) 버리다, 없애다

56

1121	shelter	몡 피난처; 보호소 몽 보호하다, 피난처를 제공하다
1122	indeed	뮈 참으로, 정말로
1123	suspend	몽 1 정직[정학]시키다 2 (일시) 중지하다 3 매달다
1124	material	몡 1 재료 2 자료 혱 물질적인
1125	sting	몽 (바늘·가시 등으로) 찌르다, 쏘다
1126	revive	몽 활기를 되찾다[되찾게 하다], 회복하다[시키다]
1127	sympathy	몡 1 연민, 동정 2 동의[동조], 지지
1128	net	몡 1 그물, 망 2 (스포츠의) 골대, 네트
1129	passive	혱 소극적인, 수동적인
1130	considerate	혱 사려 깊은, 배려하는
1131	regard	몽 (~로) 여기다, 생각하다 몡 고려, 관심
1132	landscape	몡 풍경
1133	descend	몽 내려가다, 내려오다
1134	obtain	몽 획득하다, 얻다
1135	haste	몡 급함, 서두름
1136	discipline	몡 규율, 훈육 몽 훈육하다
1137	nuclear	혱 원자력의; 핵(무기)의
1138	inquiry	몡 1 질문, 문의 2 조사, 수사
1139	up to	1 ~까지 2 ~에 달려 있는
1140	rely on	1 ~에 의지[의존]하다 2 ~을 믿다, 신뢰하다

DAY 58

1141	barely	뷔 1 간신히, 가까스로 2 거의 ~않게[없이]
1142	demonstrate	동 1 증명하다, 입증하다 2 (사용법을) 설명하다, 보여주다
1143	ethnic	형 인종의, 민족의
1144	punctual	형 시간을 엄수하는[잘 지키는]
1145	belong	동 1 제자리에 있다 2 속하다; 소속감을 느끼다
1146	function	명 기능 동 기능하다, 작용하다
1147	related	형 1 관계가 있는, 관련된 2 친척의
1148	assemble	동 1 모이다; 모으다 2 조립하다
1149	stable	형 안정된, 안정적인
1150	despair	명 절망
1151	restore	동 (질서·건강 등을) 회복시키다, 되돌리다
1152	urgent	형 긴급한, 다급한
1153	theme	명 주제, 테마
1154	trap	명 덫; 함정 동 가두다; 덫으로 잡다
1155	exhaust	명 배기가스 동 1 기진맥진하게 만들다 2 다 써버리다
1156	device	명 장치, 기구
1157	vertical	형 수직의, 세로의
1158	flame	명 불꽃, 불길
1159	in detail	상세히
1160	drop out	1 빠지다, 탈퇴하다 2 중퇴하다

58

1161	mayor	명 시장
1162	contemporary	형 현대의 명 동시대인, 동년배
1163	intellectual	형 지능의, 지적인
1164	lyric	명 (-s) 노래 가사 형 서정(시)의, 서정적인
1165	exclude	동 제외[배제]하다
1166	satellite	명 위성; 인공위성
1167	escalate	동 1 확대[악화]되다 2 증가[상승]하다
1168	paralyze	동 마비시키다
1169	modest	형 1 겸손한 2 그다지 많지[크지] 않은
1170	reference	명 1 언급 2 참조, 참고
1171	emerge	동 나타나다, 모습을 드러내다
1172	applaud	동 박수를 치다[보내다]
1173	infection	명 (병의) 전염, 감염
1174	rural	형 시골의, 지방의
1175	await	동 기다리다, 대기하다
1176	scale	명 1 규모[범위], 정도 2 (-s) 저울
1177	horizontal	형 수평의, 가로의
1178	protest	동 항의[반대]하다 명 항의; 시위
1179	set off	출발하다
1180	be supposed to ⓥ	~하기로 되어 있다; ~할 의무가 있다

DAY 60

1181	sort	명 종류, 부류
1182	breed	동 1 (동물이) 새끼를 낳다, 번식하다 2 사육하다, 기르다
1183	domestic	형 1 국내의 2 가정의, 가사의
1184	electronic	형 전자의, 전자에 의한
1185	sacred	형 신성한, 성스러운
1186	alternative	명 대안, 대체 형 대신하는, 대체의
1187	preserve	동 보호하다; 보존하다
1188	witness	명 목격자 동 목격하다, 보다
1189	certificate	명 (보)증서, 증명서
1190	virtue	명 미덕, 덕목
1191	principle	명 1 (개인의) 신념, 주의 2 원칙, 원리
1192	council	명 (지방 자치) 의회
1193	rational	형 합리적인, 이성적인
1194	steep	형 1 가파른 2 급격한
1195	commerce	명 상업; 무역
1196	suspension	명 1 정직; 정학 2 중지, 정지
1197	evaporate	동 증발하다; 증발시키다
1198	intonation	명 억양, 어조
1199	put up with	(불쾌한 일을) 참다, 참고 견디다
1200	when it comes to	~에 관한 한

MEMO

MEMO

MEMO

MEMO

· 중학 교과서 필수 어휘 **60**일 완성 ·

주니어 능률
VOCA

실력

중학 필수 단어·숙어 1200개 수록

· 주니어 능률 VOCA 실력의 **7**가지 강점

1 중학 교과서 어휘 완벽 반영

2 체계적인 반복 학습으로 암기 효과를 극대화할 수 있는 구성

3 각 어휘의 꼭 암기해야 할 주요 의미와 관련 예문 제시

4 5일 단위로 복습할 수 있는 누적 테스트 제공

5 다양한 사진 · 삽화와 어휘 퍼즐로 재미있는 학습 가능

6 휴대하면서 어휘를 암기할 수 있는 어휘 암기장 제공

7 암기 및 발음 학습용 어휘 MP3 파일 제공

NE능률 교재 MAP

아래 교재 MAP을 참고하여 본인의 현재 혹은 목표 수준에 따라 교재를 선택하세요.
NE능률 교재들과 함께 영어실력을 쑥쑥~ 올려보세요!
MP3 파일 등 교재 부가 학습 서비스 및 자세한 교재 정보는 www.nebooks.co.kr 에서 확인하세요.

어휘

초1-2	초3	초3-4	초4-5	초5-6
	초등영어 단어가 된다 1	초등영어 단어가 된다 2 주니어 능률VOCA Starter 1	초등영어 단어가 된다 3 주니어 능률VOCA Starter 2	초등영어 단어가 된다 4

초6-예비중	중1	중1-2	중2-3	중3
주니어 능률VOCA 입문		주니어 능률VOCA 기본 능률VOCA 어원편 Lite	주니어 능률VOCA 실력	주니어 능률VOCA 숙어

중3-예비고	고1	고1-2	고2-3	고3
	능률VOCA 어원편 능률VOCA 고교기본 능률VOCA 숙어 TEPS BY STEP L+V Basic	능률VOCA 고교필수 2000	능률VOCA 수능완성 2200 특급 수능·EBS 기출 VOCA TEPS BY STEP L+V 1	

수능 이상/
토플 80-89·
텝스 327-384점

수능 이상/
토플 90-99·
텝스 385-451점

수능 이상/
토플 100·
텝스 452점 이상

TEPS BY STEP L+V 2   능률VOCA 고난도   TEPS BY STEP L+V 3

10분 만에 끝내는 영어 수업 준비!

NE Tutor

NE Tutor는 NE능률이 만든 대한민국 대표 **영어 티칭 플랫폼**으로
영어 수업에 필요한 모든 콘텐츠와 서비스를 제공합니다.

www.netutor.co.kr

NE Tutor ▾
튜터 Mall
교재 / 수업자료
커리큘럼
스마트 문제뱅크
E-Book
스마트 클래스

— □ ×

· 전국 영어 학원 선생님들이 뽑은 NE Tutor 서비스 TOP 4! ·

 교재 수업자료 ELT부터 초중고까지 수백여 종 교재의 부가자료, E-Book,
어휘 문제 마법사 등 믿을 수 있는 영어 수업 자료 제공

 커리큘럼 대상별/영역별/수준별 교재 커리큘럼 & 영어 실력에 맞는
교재를 추천하는 레벨테스트 제공

NELT **한국 교육과정 기반의 IBT 영어 테스트** 어휘+문법+듣기+독해 영역별 영어
실력을 정확히 측정하여, 전국 단위 객관적 지표 및 내신/수능 대비 약점 처방

 문법 문제뱅크 NE능률이 엄선한 3만 개 문항 기반의 문법 문제 출제 서비스,
최대 50문항까지 간편하게 객관식&주관식 문제 출제